JN071818

おはよう！神さま

Good morning, God!

365日の子どもディボーション

マックス・ルケード

中嶋典子訳

いのちのことば社

Grace for the Moment : *365 Devotions for Kids* **by Max Lucado**

Published by arrangement with HarperCollins Christian Publishing, Inc.
through Tuttle-Mori Agency, Inc.,Tokyo

A Note from Max
みなさんへ

子どもの世話をすることは、親の大切なつとめです。お父さんやお母さんは、子どもに愛を注ぎ、住む家、食べ物や服をあたえ、また、何が正しくて、何がまちがっているかを教えます。

同じように、神さまも、私たちに必要なものを、あたえてくださいます。それは、希望、ゆるし、喜びです。神さまは、私たちが悲しいときには、なぐさめてくださいます。神さまが私たちにあたえてくださるいちばん大切なものとは、「恵み」です。

恵みとは、神さまが私たちに、こんなふうに話しかけてくださることです。「あなたは今失敗をして、心がペチャンコなのをわたしは知っているよ。それでも、わたしはあなたを変わらず愛しているよ」と。恵みとは、あなたが神さまにごめんなさいとあやまるとき、「だいじょうぶ、ゆるしてあげるからね」と言ってもらうことです。私の好きなみことばの一つに、こんなことばがあります。「ですから私たちは、あわれみを受け、また恵みをいただいて、折にかなった助けを受けるために、大胆に恵みの御座に近づこうではありませんか」（ヘブル人への手紙４章１６節）

「折にかなった」とは、早すぎもせずおそすぎもせず、「ちょうど良い時に」という意味です。

お父さんやお母さんが、子どもに、いつ、何をあたえたらよいかちゃんとわかっているように、天のお父さんである神さまも、あなたにとって本当に必要なものは何かをよくごぞんじです。そしてご自身の手でそれをくださるのです。もしかしたら、この本を通じて、あたえてくださるかもしれませんよ。

マックス・ルケード

毎日生活していると、いろいろな出来事に出会います。良いことにも、悪いことにも。人生に起こる出来事を選ぶことはできませんが、そのことをどのように受けとめ、どのように行動するかについては、選ぶことができます。

ですから、朝起きてベッドから出る前に、その日のいそがしさにまきこまれる前に、みなさんには「選ぶ」ことをしてほしいのです。その日、「神さまに従（したが）う」ことを選んでもらいたいのです。それは具体的にどういうことでしょう。

それは……

「愛」を選ぶこと。

神さまを愛し、神さまが愛しておられるすべてのもの、すべての人を愛しましょう。

「喜（よろこ）び」を選ぶこと。

笑顔でいましょう。うれしいこと、楽しいことを探（さが）し求めましょう。目の前に何か問題が起きても、それを、神さまが助けてくださるチャンスと考えましょう。

「平安」を選ぶこと。

まわりの人たちをゆるしましょう。神さまも私たちをゆるしてくださったのですから。

「忍耐（にんたい）」を選ぶこと。

イライラしながら待つのではなく、神さまに祈（いの）る時をあたえていただいたことに感謝（かんしゃ）しましょう。

「親切」を選ぶこと。

まわりの人たちに親切にしましょう。神さまもあなたに親切にしてくださいます。

「正しさ」を選ぶこと。

正しいことをしましょう。たとえそれが難しくても、まただれに気づいてもらえなくとも。

「誠実」を選ぶこと。

約束を守りましょう。友だちを大切にしましょう。

「やさしさ」を選ぶこと。

まわりの人たちを傷つけるのではなく、なぐさめ、はげますことばを口にしましょう。

「落ち着き」を選ぶこと。

たとえ自分の思うようにならなくとも、神さまが自分のためにすばらしい計画を立ててくださっていることを信じ、落ち着いていましょう。

朝の祈り

神さま、今日という一日、愛、喜び、平安、忍耐、親切、正しさ、誠実、やさしさ、落ち着きを、まわりの人たちに示すことができますよう、どうか助けてください。
もし失敗しても、神さまの大きな恵みによって、おゆるしください。
一日が終わったら、あなたが守ってくださったことを感謝し、安心してねむることができるようにしてください。
アーメン。

1月

January

主は情け深く　あわれみ深く
怒るのに遅く　恵みに富んでおられます。

詩篇 145篇8節

January

1月1日

聞いてくださる主

私は御前に自分の嘆きを注ぎ出し
私の苦しみを御前に言い表します。

詩篇 142 篇 2 節

神さまは、どんな時もあなたの声に耳をかたむけてくださいます。神さまは、話をしんけんに受けとめてくださるのです。あなたが何かしゃべろうとすると、神さまはすぐにふり向いてくださいます。「今はだめ、あとで聞くよ」などとは決しておっしゃいません。

じょうずに言えなくても、どんなにささいなことであっても、神さまは、あなたの一言ひとことにていねいに耳をかたむけてくださいます。

神さまは、朝に夕に、あなたの祈りを聞いてくださいます、たとえ授業中であっても！　野球の試合に勝ってうれしい時も、負けてくやしい時も、病気で悲しい時も、転校して不安でいっぱいの時も、ちゃんとあなたのことばに耳をかたむけてくださいます。さみしいので友だちがほしいという祈りも、こわいので勇気をくださいという願いも、神さまはちゃんと聞いていてくださいます。私たちのことばを、神さまは決して聞きもらすことはありません。

恵みのうちに成長しよう

神さまがあなたのことばに耳をかたむけてくださるように、家族や友だち同士も、おたがいの話をちゃんと聞くことができたらすてきだね。ちゃんと話を聞いてもらうと、自分が大切にされたようでうれしくなる。もしだれかに「話を聞いてくれる？」と言われたら、「あとでね」ではなく、「いいよ、なあに？」と言ってあげよう。

January

1月2日

神さまに選ばれた人

あなたがたは選ばれた種族、……神のものとされた民です。

ペテロの手紙第一２章９節

自分は「透明人間」みたいだと思ったことはありませんか。だれも自分を見てくれない、気づいてもくれない、と。おしゃれな服を着たら注目されるかも？　ええ、そうかもしれません。でも、すぐに「透明人間」にもどるのです。どうしたら「透明人間」から卒業できるのでしょう。それは、神さまがごらんになるように自分を見ることです。神さまの「救いの衣」、「正義の外套」を着ている姿（イザヤ61･10）こそ、ほんとうに美しいのです。

自分はちっぽけでつまらないと感じてはいませんか。神さまはあなたを大切に思っておられます。あなたを救うために、大切なひとり子をあたえてくださったのですから。私たちがあがない出されたのは、「傷もなく汚れもない子羊のようなキリストの、尊い血によったのです」（Ⅰペテロ１・19）

もし、自分が「透明人間」になってしまったように感じたら、神さまが、あなたを子として選んでくださったことを思い出してください。神さまがどんなふうにあなたのことを見ていらっしゃるかわかれば、あなたも自分を正しく見ることができるようになります。

神さまは、あなたをすばらしい存在として見ていてくださる。神さまがあなたを造られたのだから。まわりの人たちも、一人ひとり神さまが造られたすばらしい存在。お父さん、お母さん、お兄さん、もちろん妹も！　家族や友だちの好きなところ、すてきなところを、ぜひ本人に伝えてあげてね。

January

1月3日

心配してもむだ？

若かったころも年老いた今も　私は見たことがない。
正しい人が見捨てられることを。

詩篇３７篇２５節

あなたは心配症ですか？　心配しない人なんていないでしょう。「テスト、難しいかな」、「友だちとうまくやれるかな」、「お母さんにしかられるかも」……心配の種はつきませんね。

テストが心配なら勉強をがんばればよい話ですし、友だちとの関係が心配なら本音で話し合えば解決することもあるでしょう。でも、台風や病気、自分の手に負えない大きな心配についてはどうでしょう。すべてのことについていちいち気に病んでいたら、一生心配していなくてはなりません。

神さまは、あなたが心配とおそれでいっぱいの人生を歩むことを望んでいらっしゃると思いますか。いいえ、そんなことは決してありません！　あなたがどんなに心配しても、問題は何も解決しません。

もし何か心配ごとができたら、祈って神さまにお任せしましょう。神さまは「あなたのために御使いたちに命じて　あなたのすべての道で　あなたを守」ると約束しておられるのですから（詩篇 91・11）。

今心配なことがあるなら、やってみて！　目をつむり、箱を一つ思いうかべて、心の中で、その心配を箱に入れてふたをする。次に、「神さまにすべてお任せします」と祈り、箱を神さまに手わたす。目を開けてリラックス！　神さまが心配を引き受け、守ってくださると信じよう。

心は神さまの住まい

あなたがたのうちに神のことばがとどまり、……

ヨハネの手紙第一2章14節

部屋の模様（もよう）がえをしたことはありますか。きれいなポスターをはったり、お気に入りのコレクションをたなにかざってみたり、思い切ってかべの色をぬり直したり……。あちこち手を加え、少しずつ居心地（いごこち）のよい部屋になっていくのはうれしいものですね。

じつは、神さまも、私たちの心の模様がえをなさいます。私たちの心を、ご自身が住むのにふさわしい場所とするためです。まず、あなたの心の真ん中に、「ゆるし」のテーブルを置かれます。たなには、「みことば」をかざってくださいます。「ねたみ」、「いかり」というかべを取りこわす時は、ちょっと痛（いた）みを感じるかもしれません。でも、代わりに「親切」というかべを作り直してくださいます。そして最後に、神さまは、あなたの心全体を「愛」というペンキですっかりぬり直してくださるのです。そう、その愛とは、神さまへの愛、そしてまわりの人たちへの愛……。

神さまは、あなたの心を理想の部屋、ご自身が住むのにふさわしい場所とするまで、模様がえの手を止めることはなさいません。

自分の部屋に、みことばをかざろう。画用紙の真ん中に好きなみことばを書き、字のまわりに、きれいな色で花や動物の絵をかこう。額（がく）に入れ、よく見える場所にかざろう。

主にとって不可能なことがあるだろうか。

創世記 18 章 14 節

神さまは、信じる者の祈りに、必ずこたえてくださいます。

サラは、なんと 90 さいの時に赤ちゃんがあたえられました（創世記 17・17、21・2）。ダビデは、まだほんの子どものころ、小石一つで大男をたおしました（Ｉサムエル17・50）。神さまを信じたヨシュアの命令で民がエリコの町のまわりを行進すると、城のかべがくずれ落ちました（ヨシュア 6 章）。

ですから、私たちは何があっても決してあきらめてはいけません。今かかえている問題があまりにも大きくて、神さまにも解決できないだろうと思ってはいませんか。神さまの力を信じ、祈り続けましょう。サラ、ダビデ、ヨシュアのために、おどろくようなことをしてくださった神さまは、必ずあなたの祈りにもこたえてくださいます。

だから、決してあきらめないで。今あきらめたら、せっかくの神さまのすばらしいきせきを、見のがしてしまうかもしれませんよ！

これをやってみて！　かなえてほしい祈りを一つずつ小さな紙に書いて箱に入れて、毎日、神さまがいちばんよいかたちでこたえてくださることを信じて祈る。二週間に一度、箱から紙を取り出し、こたえられた祈りはあったか確認してみる。思いもよらない方法できかれた祈りがきっとあるはず！

1月6日

神さまとともに住む

だれでもわたしを愛する人は、わたしのことばを守ります。
そうすれば、わたしの父はその人を愛し、わたしたちは
その人のところに来て、その人とともに住みます。

ヨハネの福音書14章23節

神さまは、あなたの「家」になりたいと思っておられます。時々あなたが遊びに行く友だちの家や、夏休みに旅行先でとまるホテル、大人になったら住んでみたいとあこがれる家ではなく、あなたが一日じゅうくつろいですごす家になりたいと願っておられます。あなたが困ったり悲しかったりした時、24時間いつでも助けやなぐさめを差し出せる場所になりたい、そう思っていらっしゃるのです。

神さまは教会に住んでいらっしゃると、多くの人は考えます。日曜日やクリスマスに教会に行けば、神さまに会えると思っているのです。神さまはきせきを行うすごい方だけれど、私たちが住む場所などではないと……。でも、そうではないのです。私たちの天の父である神さまは、たとえあなたがどこに行こうとも、あなたといっしょにいたい、あなたの住まいとなりたいと思っておられます（使徒17・28）。

かたつむりを観察してみると、いつも殻を背中に乗せていて、危険を感じると、すぐにその中にもぐりこむ。かたつむりにとって、殻は安全なかくれ場所なように、神さまは私たちにとって、困ったとき、いつでも安心してにげこむことができる家なんだ。

罪を思い出すことはない

わたしが彼らの不義にあわれみをかけ、
もはや彼らの罪を思い起こさないからだ。
ヘブル人への手紙８章12節

イエスを信じる人は、罪に定められることは決してありません（ローマ8・1）。神さまは、イエスを信じる人を正しいと認めてくださいます（同3・26）。

神さまの子どもである私たちにとって、これほど安心できる約束はありません。私たちは、正しいことをしたいと願っても、どうしても失敗してしまうことがあるからです。私たちが神さまに信頼し従うなら、神さまは私たちの罪を取りのぞいてくださいます。私たちの罪を、イエスがかくしてくださるのです。神さまが私たちをごらんになるとき、その目に映るのは私たちの罪ではなく、救い主であるイエスの姿です。

ですから私たちは、失敗をおそれてびくびくする必要はありません。イエスが救ってくださったのですから、私たちは罪に勝利しています。勇気を出しましょう。正しいことを行い続けましょう。失敗してもだいじょうぶです。神さまは、何があっても私たちを見捨てることはなさいません。

恵みのうちに成長しよう

友だちとかくれんぼをする？　オニからかくれる時は、イエスが自分の罪や失敗をかくしてくださることを思い出そう。あなたがオニになって友だちをさがすときは、神さまは、すでにゆるしてくださった罪を、二度とさがし出すことはないことに感謝しよう。

January

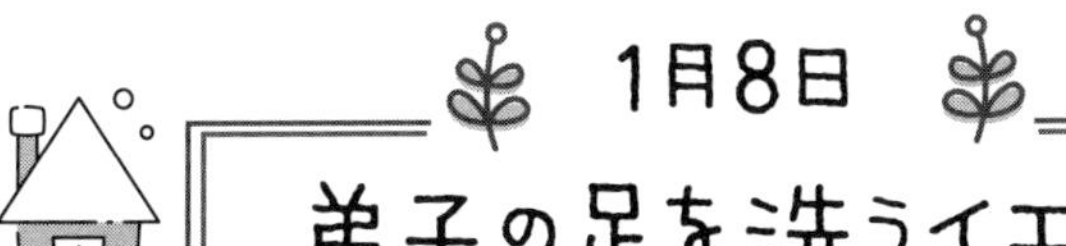

1月8日

弟子の足を洗うイエス

それから、【イエスは】たらいに水を入れて、
弟子たちの足を洗い、……

ヨハネの福音書 13 章 5 節

イエスの時代のユダヤでは、道路は舗装されていませんでした。ですから人々の足は、いつもドロとほこりにまみれていました。その足を洗うのは、めしつかいの仕事でしたが、イエスは、十字架にかかる前の晩、弟子たちの足をていねいに洗われたのでした。

私たちの心は、罪のために、弟子の足よりもよごれています。でも、お願いすれば、イエスは喜んで私たちの心を洗ってくださいます。「悪いことを考え、悪いことばを口にしてしまいました」と素直に告白すれば、ただちにきれいにしてくださいます。

「私の心はシミ一つありません。罪などおかしたことはありません」とつっぱねたら、イエスは私たちの心を洗うことはできません。

自分の心がよごれてしまっていることを伝えましょう。そうすれば、イエスは、心にしみついた罪をすっかり洗い流し、私たちを「雪よりも白く」(詩篇 51・7) してくださいます。

雨がふったら、長ぐつをはいて、庭や道路にできた水たまりの中を、パシャパシャとドロまみれになりながら歩いてみよう。地上に雨をふらせ、木や花や動物に水をくださる神さまに感謝しよう。家に帰ったら、長ぐつのドロを洗い流しながら、心の罪を取りのぞいてくださるイエスに感謝しよう。

January

1月9日

わかっていてくださる

私たちの大祭司は、……罪は犯しませんでしたが、すべての点において、私たちと同じように試みにあわれたのです。

ヘブル人への手紙4章15節

「天国にいるイエスさまには、私のつらさはわからないだろうな……」なんて思ったことはありませんか。そんなことはありません。聖書に、「私たちの弱さに同情できない方ではありません」（ヘブル4・15）とあるからです。イエスは、わざわざ天国をはなれ、この地上に来てくださいました。代わりに使者をよこすことはなさいませんでした。力ある神の姿でもありません。完全に人となってこの世に来てくださったのです。

あなたには、腹が立つことやこわいこと、悲しいことがあるでしょう？イエスもそうでした。あなたと同じ年のころ、お父さんとお母さんに従い、きょうだいと仲良くしなくてはなりませんでした。あなたと同じように、学校に通いました。時には仲間はずれにされ、傷ついたかもしれません。

イエスは、あなたが今経験していることをみな、経験ずみなのです。ですから、あなたの気持ちをちゃんとわかってくださいます。あなたがつらいとき、悲しいとき、深い同情をもってささえ、助けてくださるのです。

あなたも、自分の経験を通し、だれかを助けられたらいいね。小さな子にキャッチボールを教えてあげよう。初めて教会学校に来て緊張している子がいたら、部屋に案内してあげよう。妹や弟の勉強をみてあげよう。

January 1月10日 あなたがたは旅人

わたしの国はこの世のものではありません。

ヨハネの福音書 18 章 36 節

私たちは、この地上で経験する悲しみやつらさを通して神さまを見上げ、天国を待ち望むようになります。天国の喜びは、今の苦しみなどふき飛んでしまうほど大きいのです。天国でおどろくような喜びが待っているのに、この地上のことばかりに目を留めていたら、神さまは悲しまれるでしょう。

私たちは、この地上では、完全な幸せや満足を手にすることはできません。私たちはこの世のものではないからです。聖書は、「あなたがたは旅人、寄留者なのです」（1ペテロ2・11）と記します。

神さまは人を、天国に住む者としてふさわしく造られました。もちろん、この地上でも、うれしいことはたくさんあるでしょう。声をあげて笑うことも、人を愛し人から愛される幸せを味わうこともあるでしょう。しかし、そんな心おどるようなひとときは、天国の喜びのほんの前味にすぎません。私たちは天国で、本当の喜び、幸せをいただくことかできるのです。

元気になるいちばんの方法は、だれかを元気づけること。しょげている友だちがいたら、話を聞いてはげまそう。つかれている先生の代わりに、教室のゴミを焼却炉に運んであげよう。道ですれちがう人に笑顔であいさつしよう。すると不思議なことが起こって、あなたのまわりの人たちも、あなた自身も元気になる！

January

1月11日

ともにいてくださる神さま

人の子は、失われた者を捜して救うためにに来たのです。

ルカの福音書 19 章 10 節

神さまをすぐ近くに感じたことはありますか。給食の列にならぶ時、神さまもいっしょにならんでくださいます。バスに乗っている時、すぐ後ろに座っておられます。あなたが気づかないのも無理はありません。神さまは目に見えませんから。でも、たしかに神さまがともにいてくださるとわかる瞬間があります。美しい夕焼け、見知らぬ人の親切、家族や友だちのやさしいことばなど、神さまは、さまざまな機会をとらえ、ご自身がすぐそばにいることを教えてくださいます。

神さまはあなたを救うため、イエスをこの世におつかわしになりました。たとえあなたが、神さまを愛するよりも自分を喜ばせる道を選んだとしても、神さまははなれません。神さまは、信じることを強要しませんが、あなたのそばから去ることはありません。神さまは、あなたの行くところどこまでもいっしょについてきてくださいます。そして、いつかご自身の愛に気づいてほしい、イエスの救いにあずかってほしいと願っておられます。

恵みのうちに成長しよう

神さまはあなたの行くところに、ともにおられる。時にははっきりとしたかたちで、あるいは気づかないほどかすかな方法で、ご自身をあなたに示される。今日、もし神さまに気づく瞬間があったら、忘れないで！　夜ねる前に思い起こし、感謝の祈りをささげよう。

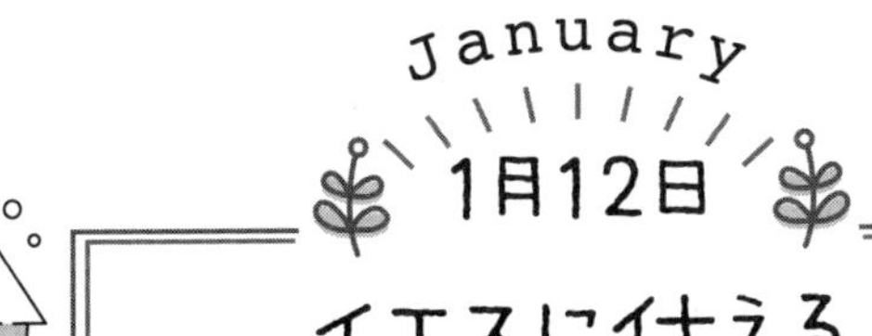

イエスに仕える

マルタはいろいろなもてなしのために心が落ち着かず、
みもとに来て言った。……主は答えられた。「……必要な
ことは一つだけです。マリアはその良いほうを選びました。
それが彼女から取り上げられることはありません。」

ルカの福音書 10 章 40 ～ 42 節

マルタはイエスの大切な友だちでした。ある時、マルタはイエスを家に招いてもてなすことにしました。でもマルタは、あれこれ気になって、心が落ち着きません。ごちそうを作り、家をそうじし、張り切るマルタ……。彼女は一つ大きなまちがいをしたのです。いつの間にか、イエスよりも、自分の仕事をかんぺきにすることのほうが大切になってしまったのです。

マルタは、自分の働きをイエスにほめてもらいたかったのです。ほんとうはイエスに喜んでもらうことがいちばん大事なことなのに。マルタは、知らず知らずのうちに、イエスのためにではなく、自分のために働いていたのかもしれません。

私たちは、イエスのために喜んで働く者となりましょう。イエスのためと言いつつ、まわりの人にほめられることを期待して働いてはなりません。ほめられるべき方はイエスです。私たちはイエスに仕える者にすぎません。

自分のためではなく、イエスのために働く者になるいちばんの方法は、だれにも気づかれることなく働くこと。できることを進んでやろう。公園でゴミ拾いをする、家のトイレそうじをする……。自分がやったことはひみつにね！「隠れたところで見ておられる」（マタイ6・4）神さまが、ほほえんでくださる！

January

1月13日

上にあるものを思う

何も思い煩わないで、あらゆる場合に、感謝をもって
ささげる祈りと願いによって、あなたがたの願い事を
神に知っていただきなさい。

ピリピ人への手紙４章６節

天国には曜日がありません。日曜と火曜にちがいはありません。神さまは、教会で礼拝をささげている時だけでなく、校庭で遊んでいる時も、あなたと話がしたいと思っておられます。教会学校で聖書を学んでいる時だけでなく、教室で授業を受けている時も、あなたの声に耳をかたむけておられるのです。他のことに夢中になり、すっかり神さまのことを忘れてしまったとしても、神さまは片時もあなたを忘れることはありません。

パウロの目標は、「すべてのはかりごとを取り押さえて、キリストに服従させ」（IIコリント10･5）ることでした。これをあなたの目標にしましょう。どんなときも、よいことを考えましょう。心から悪い考えを閉め出し、いつも神さまのこと、また神さまからいただくすばらしいおくり物について思いめぐらすようにしましょう。

どんなときも祈り（Iテサロニケ５・17）、神さまに喜ばれることを考えましょう（コロサイ３・2）。

日々神さまに礼拝をささげるにはどうしたらいい？　朝起きてすぐ目に飛びこんだものについて、感謝の祈りをささげよう。夜ねる時、目をとじる直前に見たものについて感謝し、神さまをほめたたえよう。友だち一人ひとりのために心の中で短く祈ろう。一日のうち短時間でも聖書を読み、祈る習慣を身につけよう。

ありのままを愛してくださる

キリスト・イエスのうちにあるこの思いを、
あなたがたの間でも抱きなさい。
ピリピ人への手紙２章５節

神さまは、ありのままのあなたを愛していてくださいます。でも同時に、あなたが変わることを願っておられます。あなたに、イエスのようになってほしいと望んでいらっしゃるのです。

あなたは今のままで神さまに十分に愛されています。もっとりっぱになったら、悪いことを考えなくなったら、罪をおかさなくなったら、神さまはもっと愛してくださるだろうと思っているなら、それはまちがいです。もっと成績が上がったら、背が高くなったら、足が速くなったら、もっと大切にしてもらえる、そう考えているなら、とんでもない思いちがいです。

神さまの愛は人の愛とはちがいます。人は、あなたが良い人であれば大切にし、失敗したらはなれてしまうかもしれません。でも神さまは、どんなあなたも、変わらず愛してくださいます。そして、もっとすばらしい存在に変えようと、心に働き続けてくださるのです。イエスのような人になってほしい！　それが神さまの心からの願いなのです。

イエスのようになりたいのなら、イエスのように行動しよう。友だちに八つ当たりされても聞き流そう。お父さんがつかれた顔をしていたら肩をもんであげよう。きょうだいから意地悪を言われたら、代わりにやさしいことばをかけよう。きっとイエスもそうなさるにちがいないのだから。

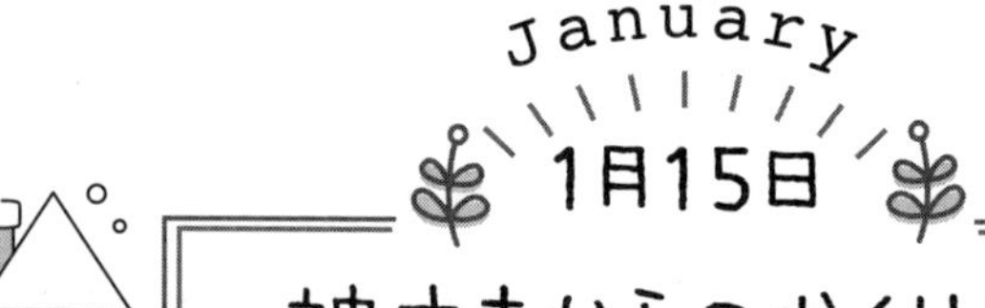

神さまからのおくり物

すべての良い贈(おく)り物、またすべての完全な賜物(たまもの)は、
上からのもの
ヤコブの手紙１章17節

自分が持っていない物をあれこれ思いうかべ、みじめに思ったことはないですか。もしそうならば、ちょっと立ち止まって、どんなに多くのものを神さまからいただいているか、思い出してみてください。

・神さまは、あなたを守るために天使をつかわし、あなたを助けるために教会を、導(みちび)くために聖書(せいしょ)をあたえてくださった。あなたの心には聖霊(せいれい)が住んでいてくださる。
・神さまは、祈りにいつも耳をかたむけ、こたえてくださる。
・神さまは、正しいことをしようとするとき、必ず力をあたえてくださる。それがどんなに難(むずか)しいことであっても。
・神さまは、いつもあなたをなぐさめ、目からなみだをぬぐってくださる。
・神さまは、いつもあなたに目をとめていてくださる。

その中でも、神さまからのいちばんのおくり物はなんだと思いますか。それは、あなたがキリストに選ばれ、神さまの子どもとされていることです！

さらに神さまは、おじいちゃん、おばあちゃん、お父さん、お母さん、先生や友だちもあたえてくださった。大切な人にカードを出そう！
絵の具や色えんぴつで絵をえがいて、「〇〇さん（ちゃん）は神さまからの大切なおくり物！」と書いたら、きっと喜(よろこ)んでもらえるね！

January

1月16日

神さまの時を待つ

ましてて神は、昼も夜も神に叫び求めている、選ばれた者たちのためにさばきを行わないで、いつまでも放っておかれることがあるでしょうか。

ルカの福音書 18 章 7 節

神さまは、どんなときも、祈りにこたえてくださいます。願いどおりの答えのときもあれば、ちがう答えのときもあります。「待ちなさい」とおっしゃるときもあります。

待つことは、つらいものです。順番を待つのも、クリスマスを待つのも、忍耐がいりますよね。祈りの答えを待っているあいだも、苦しくてがまんできなくなるときがあります。何もしてくださらないのではないか、と疑う気持ちがわいてくるのです。でも、神さまはどんなときも働いておられます。声は聞こえなくても、語りかけていてくださいます。姿は見えなくても、ともに戦っていてくださいます。神さまにまちがいや失敗はありません。

神さまはなぜ、時々「待ちなさい」とおっしゃるのでしょう。その理由はいつも教えられるわけではありません。理由はわからなくとも、信じて祈り続けましょう。神さまは、いちばん良いものを、いちばん良い時にあたえてくださいます。

待つあいだ、イライラする？　レジでならんでいる時、連絡を待っている時、道がじゅうたいの時……。今度待つ時は、ぜひ神さまとともにすごそう。好きな賛美歌を歌う、みことばを暗唱する、だれかのために祈る、感謝したいことを数える。イライラの時間を、喜びの時間に変えてしまおう！

January

1月17日

正義の外套

あなたがたはみな、信仰により、キリスト・イエスにあって神の子どもです。キリストにつくバプテスマを受けたあなたがたはみな、キリストを着たのです。

ガラテヤ人への手紙３章 26、27 節

神さまは、あなたにどんな服を着てほしいと思っておられるのでしょう。聖書に「主イエス・キリストを着なさい」（ローマ 13・14）とあります。神さまは、私たちが、どんなシャツやドレスやジーンズを身につけようが、そんなことはちっとも気になさいません。

神さまにとっては、私たちが実際に身につける服よりも、私たちの「たましい」が着る服のほうがはるかに大事なのです。

神さまは私たちに「救いの衣」、「正義の外套」を着せてくださいます（イザヤ 61・10）。それは、神さまがご自分の子どものために仕立ててくださった特別な外套です。この外套をはおる私たちは、神さまの前に正しい者として立つことができるのです。この外套は、あなたが今持っているコートのように、やがてすり切れ、小さくなって着られなくなることは決してありません。

自分の「たましい」に着る服にも心をとめよう。くつ下をはきながら、今日もみこころにふさわしく歩めますように、と祈ろう。シャツに手を通しながら、心を愛でいっぱいにしてください、と祈ろう。ぼうしをかぶりながら、よい思いや考えで頭を満たしてください、と神さまにお願いしよう。

January

1月18日

親切の種をまく

あなたがたは正義の種を蒔き、
誠実の実を刈り入れ……よ。

ホセア書 10 章 12 節

あなたは、奇跡が起こるのを見てみたいですか？

もしそうならば、傷つき悲しむ人の心に、やさしいことばをまきましょう。祈りという水を注ぎ、笑顔という光をあてましょう。そしてどんなことが起きるか待ちましょう。

さらに多くの奇跡を見たいと思いますか？

それでは、お父さんやお母さんのために、おいしいおやつを作ってあげましょう。担任の先生に笑顔であいさつをしましょう。クラスメートがしょげているとき、そっと肩に手を置いてあげましょう。病気で休んでいる友だちに手作りのカードを送りましょう。近所に足の悪いお年寄りがいたら、郵便物や新聞を玄関まで持っていってあげましょう。自分が当番でなくとも、家の片づけを引き受けましょう。

親切の種をまくのは、庭に花の種をまくのとよく似ています。種は、まけば必ず芽を出し、大きく育つのです。種の力をあなどってはなりません。

花の種をまいてみよう。卵のケースに土を入れ、１つのくぼみに１つの種を。今の季節なら、ペチュニア、キンギョソウがおすすめ。成長を観察しながら、最初の小さな種を思い出そう。ほんの小さな親切ややさしいことばから、どんな奇跡が生まれ、育っていくか考えてみよう。

主の家

見よ。わたしは世の終わりまで、
いつもあなたがたとともにいます。
マタイの福音書28章20節

旧約聖書の登場人物に、ダビデという人がいます。ダビデは、かんぺきな人ではありませんでしたが、神さまのために全力をつくしました。神さまはダビデのことを「わたしの心にかなった者」とおっしゃいました（使徒13・22）。ダビデは、詩篇27篇4節に、「一つのことを私は主に願った。……私のいのちの日の限り　主の家に住むことを」と記しています。

「主の家」とは何でしょう。それは、かべに囲まれ、屋根やドアのある家のことでしょうか。いえ、そうではありません。聖書は、神さまは「手で造られた宮にお住みにはなりません」（使徒17・24）と記しているからです。

ダビデは別の箇所でも「私はいつまでも　主の家に住まいます」（詩篇23・6）と記しています。つまりダビデは、「たとえ私がどこにいようとも、何が起ころうとも、神さまとともに生きていきたい」と言っているのです。

私たちにはすばらしい約束があたえられています。もし私たちがイエスを愛するならば、イエスは、私たちがどこにいようとも、そして何が起ころうとも、「いつもあなたがたとともにいます」と言ってくださるのです。

ビーズとゴムひもを使ってブレスレットを作ろう。好きな色のゴムひもを選び、自分の手首まわりの長さに切ってみよう。ひもに好きなビーズを通し、両はしを結び合わせる。いつも手首にはめ、ブレスレットをながめるたびに、イエスがいつもともにいてくださることを思い出そう。

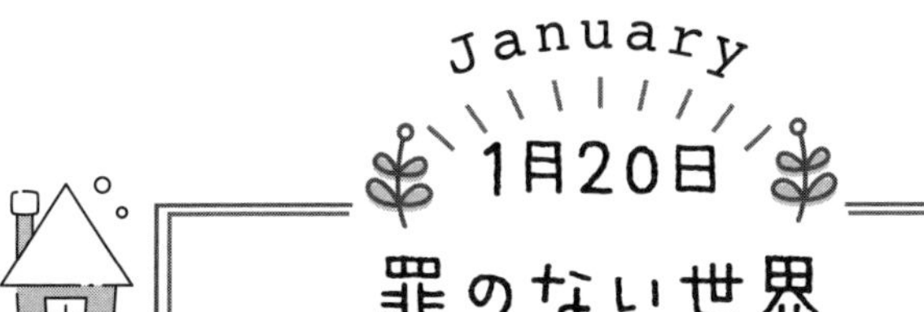

罪のない世界

狼は子羊とともに宿り、
豹は子やぎとともに伏し、……
イザヤ書11章6節

まったく罪のない世界を想像できますか。悪い人が一人もいない世界？ テレビに悪いニュースが一度も流れない世界？　もし世界がそんな場所だったら、私たちがよい子でいるのは今よりもずっとたやすい気がします。まわりに罪があふれていると、つい自分も罪をおかしてしまいます。意地悪な人に肩をおされたら、自分もおし返したくなりますし、となりの人が不平ばかり口にしていたら、自分ももんくを言いたくなります。テレビで悲惨なニュースを観ると、くよくよといらぬ心配をしてしまいますし、自分のことしか考えない人たちに囲まれていると、人助けをするのがばからしくなります。

私たちが仲良しの友だちに冷たい態度をとってしまったり、きょうだいとけんかをするのも、また、私たちが約束をやぶったり、人を傷つけてしまうのも、私たちの心に罪があるためです。しかし、天国では、そのようなことからすべて解放されるのです。罪のない世界を思いうかべてみてください。天国こそ、まさにそのような場所なのです。

ニュース番組のレポーターになったつもりで、「罪がすっかり消え去った世界」を実況中継してみよう。どんな天気かな。病院や刑務所はどんなようすだろう。家や学校で、みんなどんなふうにすごしているかな。一つひとつ想像しながら、具体的にレポートしてみよう。

January

1月21日

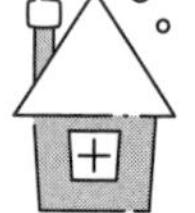

神さまの御手のわざ

私たちは粘土で、あなたは私たちの陶器師です。
私たちはみな、あなたの御手のわざです。
イザヤ書64章8節

神さまの願いは、あなたがイエスのようになることです。神さまは、あなたをイエスに似た者とするために、今も働いておられます。

それを聞いてうれしくなりませんか。あなたは、自分のおこりっぽい性格にうんざりしているかもしれません。でもいつまでも「おこりんぼ村」に住み続けなくてもよいのです。そう、あなたは変わることができるのです！

「性格なんて一生変わらない」と言う人がいるでしょう。「ふきげんなのは生まれつきだから」とあきらめてしまっている人も。もし足をくじいたら、「足のけがは一生治らない」とあきらめ、病院にも行かずにそのままにしておきますか。そんなことはありませんよね。

イエスは、私たちの自己中心や、おこりんぼの性格を治してくださいます。私たちに、イエスの心をあたえてくださるのです。

ねんどで好きな動物を作ってみよう。できた作品をよく見て！　作品全体にあなたの指紋がついているよね。今度はあなた自身をよく見てみよう。だれの指紋がついていると思う？　そう、神さまの指紋！　だってあなたは神さまの作品なのだから。神さまの指紋である「愛」、「親切」、「やさしさ」が、あなたにはちゃんとついている！

人として

私たちが卑しめられたとき　主は心に留められた。
主の恵みはとこしえまで。

詩篇136篇23節

イエスは、人として、この世に来てくださいました。そう、私やあなたと同じように、体をもって生まれてこられたのです。

イエスが病気に苦しむ人にやさしくふれたその手のつめには、よごれがついていました。一人の女が自分の流したなみだで洗ったイエスの足は、ほこりだらけでした。イエスの目から伝ったなみだは、―そうです、イエスもなみだを流すことがありました―私やあなたと同じように、傷つき悲しむ心からあふれ出たもの。人々がためらうことなくイエスのもとを訪れたのは、イエスが彼らと同じ人間だったからです。ニコデモは夜中にもかかわらずイエスに会いにやってきました。イエスが道を歩くと、人々はすぐに近よってきてそのお体にふれ、子どもたちを足もとに座らせました。

またイエスは、よく人々の家に食事に招かれました。イエスは、決して「わたしはあなたよりもえらいのだ」という態度をおとりにならなかったからです。

イエスは私たちと同じように、正真正銘、人となってくださったのです。

イエスは、神さまであるにもかかわらず、この地上で人として生きてくださった。イエスは、だれからも見向きもされない人に話しかけ、社会から見捨てられた人たちといっしょに食事をなさった。だれに対してもけんそんに、仕える態度で接した。私たちも、イエスのような人として生きるために、何ができるか考えてみよう。

January

1月23日

神さまの食卓につく

私の敵をよそに　あなたは私の前に食卓を整え……

詩篇23篇5節

目をとじて、神さまの食卓につくあなたの姿を思いうかべてみてください。テーブルはどんな大きさですか。そこには、他にだれがいますか。

あなたは、神さまの食卓に招かれています。それは、あなたがりっぱですばらしい人だからではありません。あなたが、神さまを信じる者は天国に行くことができるという約束を信じているからです。私たちは、ただ一度だけでなく、永遠に神さまの食卓につくことができるのです。食卓を囲むのは、神さまを信じ、罪ゆるされたおおぜいの人たち。そう、モーセやダビデ、ルツの姿もありますよ。

神さまの食卓につく人には、たくさんの祝福があたえられます。まず、罪がすべてゆるされ（ローマ8・1）、イエスのご支配の中に移されます（コロサイ1・13）。神さまの子どもとされ（ローマ8・15）、どんなときも神さまに近づくことができます（エペソ2・18）。そして、神さまに決して見放されることはありません（ヘブル13・5）。さらに、これらの祝福は、消えることなく、永遠に続くのです（Iペテロ1・4）。

家や学校、レストランなどで食事をするとき、その場にいる一人ひとりの上に、神さまの祝福を祈ろう。みんなと食事ができることを感謝しよう。あなたが天国で神さまの食卓につく時、聖書の登場人物の中でいっしょに食事をしたい人はだれ？　理由も教えて！

January

1月24日

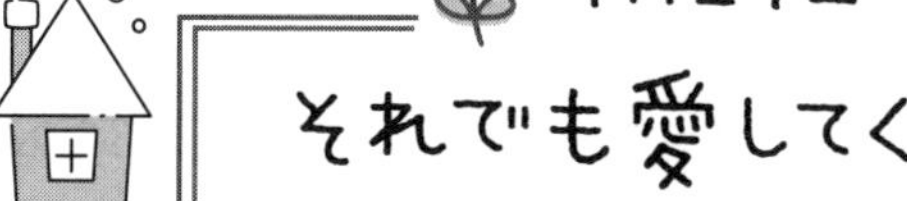

それでも愛してくださる

イエスは舟から上がって、大勢の群衆をご覧になった。
……イエスは彼らを深くあわれみ、
多くのことを教え始められた。

マルコの福音書6章34節

イエスは何時間も人々を教え、つかれていました。そこで、群衆からはなれるために、弟子たちと舟に乗り、ガリラヤ湖を渡りました。しかし、群衆は先回りして、イエスのいる場所にかけつけました。舟から上がったイエスは、彼らをごらんになり深くあわれんでくださいました。イエスはひどくつかれていましたが、それ以上に彼らを愛しておられたのです。

イエスに病気をいやしていただいた人の多くは、イエスに感謝しませんでした。それでもイエスは人々をいやし続けました。彼らは、罪ゆるされることを望んだのではなく、体が元気になればそれでよかったのです。それでもイエスは、彼らをいやされました。イエスにたくさんのパンで養っていただいた群衆は、その数か月後「イエスを殺せ！」とさけぶことになります。それでもイエスは彼らをいやされました。

人々がイエスにどんなひどい仕打ちをしても、それでもイエスは、彼らを愛し、助けたのでした。

「それでも」愛し、親切にすることを選び取ろう。だれかが列に割りこんできても、「それでも」列に入れてあげよう。得意ではない遊びにさそわれても、「それでも」いっしょに遊んであげよう。お父さんやお母さんに従いたくない気分でも、「それでも」従おう。勇気がなくとも、「それでも」正しい道を選び取ろう。

January

1月25日

神さまの子どもとされる

御霊ご自身が、私たちの霊とともに、私たちが
神の子どもであることを証ししてくださいます。
ローマ人への手紙8章16節

私たちはイエスを信じると、罪がゆるされるだけでなく、神さまの子どもとしていただけます。

それはいったいどういうことでしょう。もしあなたが失敗したり、よくないと知りながら悪いことをしてしまったら（だれでも経験がありますね)、当然のことながら、あなたは罰を受けなくてはなりません。でも、心からあなたを愛する神さまは、あなたをゆるし救うため、ある計画をお立てになりました。ご自身の大切なひとり子であるイエスを十字架にかけてくださったのです。イエスがあなたの代わりに罰を受けたので、あなたは晴れて、罪ゆるされた者となることができたのです！

しかし、物語はこれで終わりませんでした。神さまは、さらにすばらしいことに、あなたをご自身の子どもとし、神さまの恵みを受けつぐ者としてくださったのです。

あなたの教会に、いつもよろこんで神さまに従っている人がいるね。「神さまの子ども」として生きるとはどういうことなのか、どんなすばらしいことがあるのか、その人に聞いてみよう。「神さまの子ども」となるには、まず何をしたらよいか、教えてもらおう。

January

1月26日

大切なのは動機

私たちの主イエス・キリストと、私たちの父なる神、すなわち、私たちを愛し、永遠の慰めとすばらしい望みを恵みによって与えてくださった方ご自身が、あなたがたの心を慰め、強めて、あらゆる良いわざとことばに進ませてくださいますように。

テサロニケ人への手紙第二2章16、17節

マルタがイエスをもてなそうとしてつかれはて、「主よ。私の姉妹が私だけにもてなしをさせているのを、何ともお思いにならないのですか」（ルカ10・40）と、もんくを言ったお話を覚えていますか。イエスは「あなたはいろいろなことを思い煩って、心を乱しています。しかし、必要なことは一つだけです。マリアはその良いほうを選びました」（ルカ10・41、42）と、やさしくマルタをさとされました。

マリアは何を選んだのでしょう。あたふたと走り回るのではなく、静かにイエスの足もとに座り、主のことばを聞くほうを選んだのです。イエスは、私たちが不平をならしながら立ち働くよりも、静かに神さまのことばを聞くことのほうを喜ばれます。何をするかより、なぜそれをするのか、動機が大切なのです。せっかく良い働きをしていても、不満げな態度でいると神さまは悲しまれます。でも、どんな小さなことでも心から喜んで行うならば、神さまはほほえんでくださるのです。

家のお手伝いは、いつも楽しいとはかぎらないよね。時々めんどうだなあって思ったりする？　ついグチを言いたくなったら、神さまに祈ろう。イエスのように、愛をもって進んでお手伝いができるよう、そしてイライラや不満を取りのぞいてくださるようお願いしよう。

January

1月27日

大切なあなた

高いところにあるものも、深いところにあるものも、そのほかのどんな被造物も、私たちの主キリスト・イエスにある神の愛から、私たちを引き離すことはできません。

ローマ人への手紙８章39節

神さまがあなたを愛してくださるのはどんな時？　お行儀よく礼拝に出席している時？　おだやかでやさしい気持ちでいる時？　もちろん、そんなあなたなら、神さまだけでなく、だれもが好きになってくれるはず。

それでは、ついかんしゃくを起こし、まわりの人にひどいことを言ってしまうあなただったらどうでしょう。人をにくみ、お父さんやお母さんに反抗するあなたも、神さまは変わらずに愛してくださるでしょうか。

神さまはその質問にはっきりと答えてくださいました。今から約2000年前、神さまは、夜空を無数の星でかがやかせ、力強い天使の歌声を羊飼いたちに聞かせてくださいました。神さまの大切なひとり子であるイエスが、ベツレヘムの貧しい馬小屋にお生まれになりました。あなたを罪から救うために……。そしてイエスは、私たちの身代わりとなって、十字架で死んでくださいました。これこそが神さまの答えです。

神さまは、「あなたは、わたしにとってそれほど大切なのだよ。どんなあなたでも、わたしの愛は変わることはない」と、言ってくださるのです。

何もかもうまくいかない、そんな日もある。落ちこんで、むしゃくしゃする日は、赤色のホワイトボードマーカーを借りよう。鏡に映った自分の顔を囲むように大きなハートマークをかいて、その下に「イエスは私を（ぼくを）愛してくださる、こんな日にも！」と書いてみよう！

January 1月28日 安心して行きなさい

娘(むすめ)よ、あなたの信仰(しんこう)があなたを救(すく)ったのです。安心して行きなさい。苦しむことなく、健やかでいなさい。

マルコの福音書 5 章 34 節

どんな人だって失敗しますし、まちがいをおかします。私も、そしてあなたも。でも、神さまにさえ、自分の罪(つみ)を告白(こくはく)できないときがあります。はずかしさや後ろめたさから。まわりの人がみんなりっぱに見えて、それにひきかえ失敗してしまった自分がなさけなくて、神さまに正直に罪を告白するのがこわいのです。クリスチャンとして失格(しっかく)だと思ってしまうのです。

そんなときは、今日のみことばに登場する女性(じょせい)を思い出しましょう。その人は失敗をくり返してきた人でした。貧(まず)しく、人々からのけ者にされていました。12 年ものあいだ重い病気をわずらっていました。しかし、彼女(かのじょ)には信仰(しんこう)がありました。自分はからっぽで何もできないけれど、イエスには力があると信じていました。イエスはきっと助けてくださるにちがいない、そう期待したのです。

信仰とはただ、イエスは必ず助けることができる方であり、助けてくださる方だと信じることなのです。

あなたが失敗だと思うことを、神さまはすばらしいものへと変えてくださる。どういうことだろう？　ししゅうされた布(ぬの)をひっくり返して見てみて！　糸がからまり合っていて美しいとは言えない。でも、表はみごとな模様(もよう)になっている。神さまは、はずかしくてかくしたいような失敗さえも用いて、人生に美しくみごとな絵をえがいてくださる。

イエスの心

上からの知恵は、まず第一に清いものです。それから、平和で、優しく、協調性があり、あわれみと良い実に満ち、偏見がなく、偽善もありません。

ヤコブの手紙３章 17 節

イエスはきよい心をお持ちでした。人々にしたわれましたが、つつましい暮らしに満足しておられました。罪人や貧しい人たちを、決して見下すことはありませんでした。やがて人々は、イエスをにくみ、殺そうとしましたが、だまって彼らをおゆるしになりました。

身近にいた人は、イエスをどのように見ていたのでしょう。３年半ものあいだイエスと行動を共にしたペテロは、イエスは「傷もなく汚れもない子羊のような」（Ⅰペテロ1・19）方であったと記しています。同じくヨハネも、「この方のうちに罪はありません」（Ⅰヨハネ3・5）と書いています。

イエスの心にはいつも平安がありました。5000 人の人たちをどう養おうかと弟子たちが心配している時も、イエスは神さまに感謝をささげ、問題を解決なさいました。ひどいあらしにみまわれた時、弟子たちはこわくなってさけびましたが、イエスは、舟の中でぐっすりとねむっておられました。ペテロは兵士に立ち向かい、その耳を切り落としましたが、イエスは兵士の耳をいやし、最後までおだやかな態度を通されました。

心に平安はある？　それともおそれや心配でいっぱい？　おそれや心配は、まるで重くて固い石のよう。いつも心にかかえていたら、つかれはててしまう。愛や平安は、風船のように軽い。心が愛と平安で満たされたら、きっと一日中、明るく軽やかな気持ちですごせるね。

イエスは深くあわれんで

イエスは……彼らを深くあわれんで……

マタイの福音書 14 章 14 節

マタイの福音書は、ギリシア語で書かれました。「深くあわれんで」は、ギリシア語では「スプランクニゾマイ」と発音するようです。ちょっと舌をかみそうですね。このことばは、もともと「はらわたがよじれる」という意味です。

つまり、イエスは目の前の群衆を見てほんのちょっぴりかわいそうに思ったのではなく、思いっきりおなかをなぐられるほどのショックをお受けになったということです。

イエスは、足のなえた人のなさけなさ、病気の人の痛み、世間からのけ者にされている人の孤独、そして罪人の恥を、まるで自分のことのように受けとめ、心から同情してくださったのです。そして、ただちに手をのばし、彼らをいやさずにはいられなかったのでした。

だれかに深く同情したことはある？　クラスでいつもからかいの対象になっている友だち。テレビのニュースに映る、ふるさとから追い出された難民の子どもたち。イエスの愛を知らずに苦しみ、悲しんでいる人たち。ただ同情するだけでなく、その人たちのために自分は何ができるか、イエスに祈り、考えてみよう。

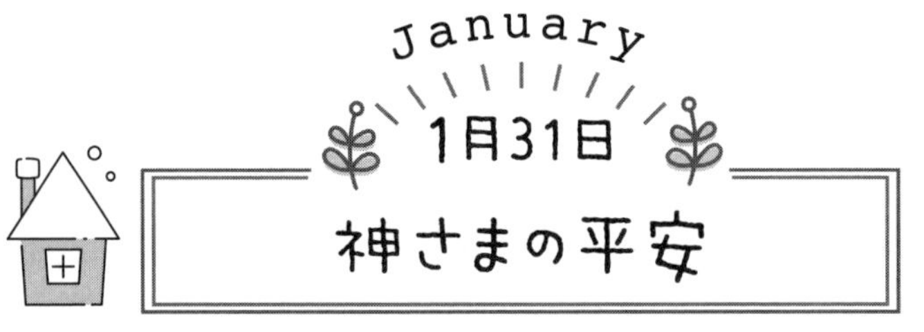

January

1月31日

神さまの平安

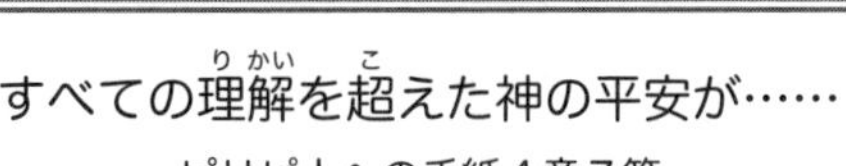

すべての理解を超えた神の平安が……

ピリピ人への手紙４章７節

旧約聖書にギデオンという人が登場します。主の使いが、イスラエルの民をミディアン人から救いなさいと命じた時、ギデオンはこわくてかくれていました。それは、クラス一の弱虫に、強そうないじめっ子に立ち向かえと命じるような、あるいは腰の曲がったおばあさんに、「銀行強盗をつかまえて！」とお願いするようなもの。「そんなの無理！」って思いますよね。

私たちにはそんな力はないことなど、神さまは百も承知。でも、私たちにはできなくても、神さまはおできになるのです。神さまは、「すべての理解を超えた神の平安」をあたえると約束されました。「神の平安」は、私たちが正しいことをする力になります。ゴリヤテの前に立ったダビデにも、ダマスコへ向かうとちゅうイエスに出会ったサウロにも、神さまの平安があたえられました。十字架にかかられたイエスの心にも、神さまの平安がありました。そう、もちろんギデオンにも。ギデオンは後に、感謝をこめて神さまのために祭壇を築き、これを「アドナイ・シャロム」（主は平安という意味）と名づけたのです（士師記６・24）。

風は目に見えない。でも、葉っぱや花がゆれることで、たしかに風は存在するのだとわかる。神さまの平安も同じ。それは目に見えないし、私たちの理解をこえているけれど、神さまの平安をあたえられた人の態度や行いから、それはたしかに存在することがわかるのだ。

2月
February

主(しゅ)を呼(よ)び求める者すべて
まことをもって主を呼び求める者すべてに
主は近くあられます。

詩篇145篇18節

心の庭

人は種を蒔けば、刈り取りもすることになります。

ガラテヤ人への手紙６章７節

あなたの心が、庭であったらと想像してみてください。庭（心）を美しく保つためには、そこにまく種を、注意深く選ばなくてはなりません。あなたの「思い」を種にたとえてみましょう。ある「思い」は、芽が出て美しい花をさかせます。しかし、雑草へと成長してしまう「思い」もあります。「希望」という種をまくと、「愛」や「喜び」へと成長します。しかし、「おそれ」や「いかり」という種をまくと、「心配」、「ねたみ」、「にくしみ」をかり取ることになるのです。

どんな人物や出来事にも、なにかしら良い面を見つけようとする人がいます。その人は、どんなときもほがらかで、がまん強く、やさしいのです。きっと、その人は、心に「希望」という種をまいたのでしょう。

反対に、いつもきげんの悪い人がいます。なぜその人はそんなにイライラし、悲しそうなのでしょう。きっと心が雑草やトゲだらけであるために、そうなってしまうのでしょうね。

明るくほがらかな心と、暗くゆううつな心には、どんなちがいがあるか、自分の目で確かめてみよう。小さな花のはちを二つ用意しよう。一つを陽がよく当たる場所に、もう一つは陽が当たらない押し入れの中に置いて、数週間後、どうなるか見てみよう。暗やみに生きるよりも、光の中を歩むほうがずっと幸せだと思わない？

見よ。わたしは来て、あなたのただ中に住む。
——主のことば——
ゼカリヤ書２章10節

神さまは、赤ちゃんとなってこの世にお生まれになりました。悲しみや問題にあふれたこの世界に、救い主として来てくださったのです。「ことばは人となって、私たちの間に住まわれた。……この方は恵みとまことに満ちておられた」（ヨハネ１・14）と聖書は記します。

イエスは、「私たちの間に住まわれた」とありますね。イエスは、天からおりて小さな赤ちゃんとなり、王宮のベッドではなく、動物のエサ箱であるかいばおけにねかされました。まわりを取り囲むのは、お付きの家来ではなく馬や牛たち。イエスという、ごくありふれた名前がつけられ、平凡な人たちを弟子として選び、罪人や貧しい人の友となられました。

イエスは、私たちがいるところよりもはるかに高く、遠い場所に住むこともおできになったでしょう。しかし、あえて「私たちの間」に住む道をお選びになったのです。

教会の母子室で、小さな子どもたちのお世話をしよう。何もできない赤ちゃんは、たくさんの手助けが必要だね。この世界を造られた力ある神さまは、こんなにもかよわい小さな姿になって、この世に来てくださった。なぜだと思う？　それは、あなたを心から愛してくださっているから！

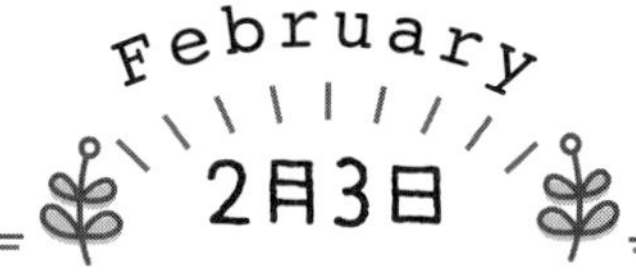

しぼむことのない冠

わたしはすぐに来る。あなたは、自分の冠をだれにも奪われないように、持っているものをしっかり保ちなさい。

ヨハネの黙示録３章11節

あなたは、何かの賞を取ったことがありますか。運動会で一等賞を取ったことのある人がいるかもしれませんね。近所のイベントのゲームに勝って、小さなおもちゃを賞品にもらった人もいるでしょう。映画スターやスポーツ選手がすぐれた賞をとり、ほこらしげに大きなトロフィーをかかえる姿をテレビで見ることもあります。でも、賞にはまったく縁がない、あるいはおしくも取りのがしてくやしい思いをした人もいるかもしれません。

聖書にはこんな約束が記されています。「大牧者が現れるときに、あなたがたは、しぼむことのない栄光の冠をいただくことになります」（Ｉペテロ５・4）と。

いつかあなたも、すばらしい賞をいただくのです。たとえ今はだれからも注目されていなくとも、天のお父さまはあなたのことをちゃんと見ていてくださいます。そしてやがて、しぼむことのない栄光の冠をあなたの頭にのせ、あなたを祝福してくださいます。

画用紙で自分のために冠を作ってみよう。まず、頭のサイズに合わせて画用紙を切り、きれいな色でぬったり、シールをはったり、ラインストーンをボンドでつけたりして、最後に両はしを合わせてホチキスで止めよう。いつかこの冠はこわれてしまうけれど、イエスがかぶせてくださる冠は、永遠にかがやく。

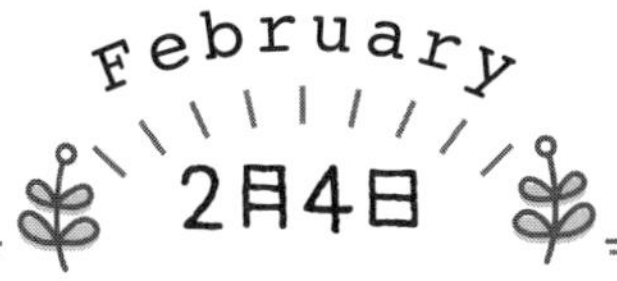

主は近くあられる

主を呼び求める者すべて
まことをもって主を呼び求める者すべてに
主は近くあられます。
詩篇 145 篇 18 節

ケガをしたら、治療を受けますが、そのためには、自分から行動を起こす必要があります。大人に伝え、消毒してばんそうこうをはってもらいます。ケガによっては病院に連れて行ってもらわなくてはなりません。

同じように、私たちは罪をおかすと心が傷つくので、治療が必要です。心の傷も体の傷と同じように、まず自分から行動しなくては治療を受けることができません。罪をおかしたことを神さまに伝え、素直にごめんなさいと謝って、ゆるしていただかなくてはならないのです。

神さまの助けは私たちのすぐ近くにありますが、私たちからお願いしなければあたえられません。何もしない人には、何もあたえられないのです。神さまは、勇気を出してご自身に近づく人を助けてくださいます。

ノアが箱舟を作ると、神さまは多くの人や動物のいのちを救われました。イスラエルの戦士たちがエリコの町のまわりを行進すると、城のかべがくずれ落ちました。モーセがつえをかかげると、海が二つに分かれました。私たちが心から呼び求めれば、神さまは必ず助けてくださいます。

神さまは時々、まわりにいる人を用いてあなたを助けてくださる。いつもあなたを大事にし、助けてくれる人に、感謝をこめてカードを送ろう。カードに、「○○さん（あるいはお父さん、お母さん、△△先生）を、私のそばに置いてくださった神さまに感謝します！」と書こう。

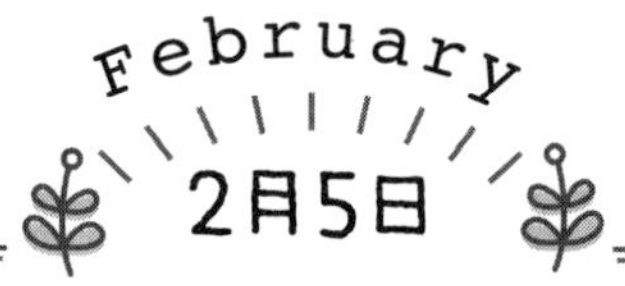

イエスの目的とは

人の子が、仕えられるためではなく仕えるために、また
多くの人のための贖いの代価として、自分のいのちを
与えるために来たのと、同じようにしなさい。

マタイの福音書 20 章 28 節

イエスの人生の目的はただ一つ、私たちを罪から救うこと、「失われた者を捜して救う」（ルカ 19・10）ことでした。イエスは、この目的を果たすために一心に歩まれました。この目的をじゃまするものがあれば、どんなことでも退けました。

子どもたちはそんなイエスが大好きでした。イエスは、野にさくユリの花の美しさに目をとめ、喜びをもって神さまに礼拝をおささげになりました。弟子たちが目の前の問題で心がいっぱいのときも、イエスは希望を失いませんでした。30 数年間のご生涯のあいだ、イエスは、弱い立場の人、病気に苦しむ人に、深いあわれみをもってよりそい続けました。いかりとにくしみに満ちたこの世にあって、私たちを心から愛し、私たちのために、進んで十字架にかかってくださったのです。

イエスは、神さまの愛を私たちに知らせ、私たちを罪から救うという使命に生きた方。イエスの使命を引きつぎ、今も多くの宣教師が世界につかわされ、神さまのことばを伝えている。宣教師の働きについて学び、祈ろう。宣教師の方々にはげましの手紙を書いて送ろう。

神にはどんなことでもできるのです。
マルコの福音書 10 章 27 節

神さまについてこんな質問をされたら、あなたはどう答えますか。

質問１　神さまがいろんな場所に同時に行くことができるのはなぜ？

答え　神さまは私たちのような体をもたないので、同時にさまざまな場所に行くことができる。

質問２　神さまがすべての人の祈りを同時に聞くことができるのはなぜ？

答え　神さまの耳は、私たちの耳とちがって特別にできているのかも！

質問３　神さまが同時に父であり、子であり、聖霊であるなんて、どうしたらありえるの？

答え　天のきまりは、この地上のきまりとはまったくちがうから。

質問４　まわりの人たちが私をゆるしてくれないのに、どうして神さまはゆるしてくださるの？

答え　神さまは恵み豊かな方だから。たとえ人があなたをゆるすことができない、あるいはゆるそうとしなくても、神さまはあなたに恵みをもってゆるしてくださる。恵みは神さまが創造されたものだから！

神さまについてほかに質問はあるかな？　わからないことはそのままにせず、お父さんやお母さん、牧師先生や教会学校の先生に聞こう。いっしょに聖書を開いて、答えをさがそう。神さまについてわからないことがあったら、聖書の中に答えを見つけるのがいちばんよい方法だよ。

February

2月7日

神さまとともに住む家

主よ　私は愛します。
あなたの住まいのある所
あなたの栄光のとどまる所を。

詩篇 26 篇 8 節

もし、神さまにひとつ願いをかなえていただけるとしたら、何をお願いしますか。ダビデは聖書にこう記しています。「一つのことを私は主に願った。それを私は求めている。私のいのちの日の限り　主の家に住むことを。主の麗しさに目を注ぎ　その宮で思いを巡らすために。それは　主が　苦しみの日に私を隠れ場に隠し　その幕屋のひそかな所に私をかくまい　岩の上に私を上げてくださるからだ」(詩篇 27・4、5) と。

ダビデの願いは、「主の家に住む」ことでした。「主の家」とは、実際に住む家のことでしょうか。いいえちがいます。ダビデは、「主がいつもともにいてくださる」ことを願い求めたのです。神さまがすぐそばで、まるで家のかべのように自分を囲み、守ってくださることを望んだのです。

ダビデは、神さまが週に一度自分を訪ねてくれたらうれしいな、と思ったわけではありません。昼間は自分のことでいそがしいから、夕方になってから来てほしいと願ったのでもありません。ダビデは、神さまと、ひとつの家に、いつも、そしていつまでもいっしょに暮らしたいと思ったのです。

クリスマスや誕生日にプレゼントをお願いするよね。神さまには何をお願いする？　知恵？　がまん強い心？　やさしく親切な性格？　ダビデのように、いつもともにいてくださいとお願いする？　神さまからいただきたい祝福を紙に書き出し、そのために祈ろう。次に、神さまはあなたに何を願っていらっしゃるかを考えてみよう。

February

2月8日

イエスはわかってくださる

まことに、彼は私たちの病を負い、
私たちの痛みを担った。
イザヤ書53章4節

イエスは、あなたの気持ちをわかっていてくださいます。学校の勉強が難しくて心配ですか。イエスはその気持ちを理解してくださいます。一人では背負いきれないほど大きな問題をかかえていますか。イエスもそうでした。人からたいへんなことを要求されて苦しいですか。イエスもそのつらさを、いやというほどわかっていらっしゃいます。

だれかにひどいことを言われて悲しいですか。不安で胸がおしつぶされそうですか。イエスはちゃんとわかっておられます。友だちに裏切られ、家族からもかまってもらえず、つらいですか。イエスは、あなたが今どんな思いでいるかちゃんとごぞんじです。

イエスにとって、あなたはとても大切なのです。あなたを救うため、あなたと同じ姿になってこの地上に来るほどに。

イエスはあなたの祈りを熱心に聞いていてくださいます。あなたが傷ついたとき、いやしてくださいます。あなたの質問にちゃんと耳をかたむけてくださいます。イエスはあなたの痛みをごぞんじです。

問題に直面したとき、同じ経験をしたことのあるお父さんやお母さん、友だちに相談すると、自分では思いつかないような解決方法を教えてくれることがある。でも、まず真っ先に、イエスに打ち明け、話を聞いていただこう。イエスは、その問題をすでに経験なさっているから。きっと思いもしないような解決法を示してくださるよ。

February

2月9日

喜びの書簡

いつも主にあって喜びなさい。
もう一度言います。喜びなさい。

ピリピ人への手紙4章4節

目をとじて、今から約2000年前のローマの町を想像してみましょう。とある建物の一室に、手足をくさりでつながれたひとりの老人が、肩を落とし、ゆかに座りこんでいます。その人の名はパウロ。かつてパウロは、神さまの命じるところどこへでも飛んで行き、福音をのべ伝えました。しかし、今はローマ兵にとらえられ、牢獄のような場所にとじこめられています。

パウロはそこで手紙を書いているのです。どんなにひどい目にあっているかを、うったえる手紙でしょうか。兵士たちから受けた仕打ちを、一つひとつ書き記しているのでしょうか。いいえ、そうではありません。パウロがその時書いていたのは、その後「喜びの書簡」として有名になった、ピリピ人への手紙でした。パウロは、なぜ喜ぶことができたのでしょう。それは、その時経験していた苦しみは、「やがて私たちに啓示される栄光に比べれば、取るに足りない」（ローマ8・18）ことを、パウロは知っていたからです。

パウロになったつもりで、自分の今までの歩みを手紙に書いてみよう。自分の思いどおりにならなかったことについて、もんくや不満を書く？　それとも、神さまがくださった恵みを一つひとつ思い出し、感謝する手紙を書く？　あなたの手紙が、「喜びの書簡」になるといいね。

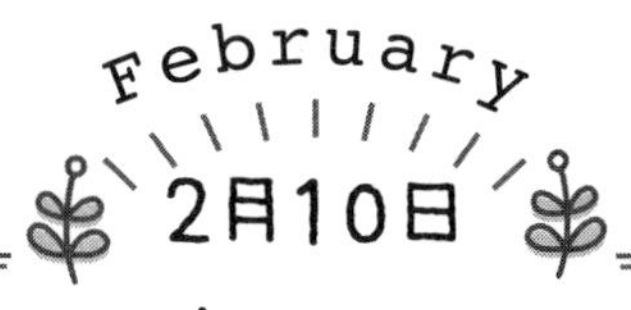

豊かに実を結ぶには

東が西から遠く離れているように
主は　私たちの背きの罪を私たちから遠く離される。

詩篇 103 篇 12 節

野菜や果物を育てるためには、まずはていねいに土地を整えなくてはなりません。土に転がった石や、根を張った切り株を取り除くのです。この作業を「整地」といいます。整地をしないと、種をまいてもちゃんと育ちません。

あなたが神さまの子どもとして豊かな実を結ぶためには、まずあなたのたましいを「整地」しなくてはなりません。つまり、神さまの前に素直に自分の罪を告白しなくてはならないのです。こんなふうにお祈りしましょう。「私のたましいには、『自己中心』いう大きな石が転がっています。そして『ねたみ』という切り株が深く食いこんでしまっています。また、土がカチカチに固く、何の実も結ぶことができません」と。

神さまは、ただちにあなたのたましいから、罪を拾ったりぬいたりして取りのぞいてくださいます。そのように「整地」されたあなたの心に、神さまは「愛」と「恵み」の種をまき、豊かな実を結ばせてくださるのです。

罪を言い表すなら、東が西から遠くはなれているように、神さまはあなたを罪から遠ざけてくださる。東へ向かっているかぎり、西に着くことは決してない。同じように、神さまの前に素直に罪を言い表すなら、その罪があなたの前に姿を現すことは永遠にないのだ。

2月11日 やさしいことば

この世の財を持ちながら、自分の兄弟が困っているのを
見ても、その人に対してあわれみの心を閉ざすような者に、
どうして神の愛がとどまっているでしょうか。

ヨハネの手紙第一 3 章 17 節

ロシアの有名な作家に、レフ・トルストイという人がいます。ある時トルストイは、散歩中に一人の物乞いに出くわしました。トルストイはいくらか恵んでやろうとポケットに手を入れましたが、お金がないことに気づきます。そこで、トルストイは物乞いに向かって「兄弟よ、申しわけない。今日は持ち合わせがないのだ」と言いました。

物ごいはにっこりほほえんで言いました。「たった今、私の望む以上のものをいただきましたよ。あなたは私を、兄弟と呼んでくださいました」と。

あたたかい家族や友だちに恵まれている人にとって、やさしいことばは、ごくありふれたものかもしれません。でも、いつもひとりぼっちで愛を必要としている人にとっては、それは何よりもうれしい宝物となるのです。

あなたの目にはたしかに見えているのに、あえて見ようとしていない人がまわりにいない？　ちょっと変わっていてクラスでういている子、転校生、休み時間にいつもひとりの子……。そのような人にやさしいことばをかけよう。ちょっとしたひとことが、その人にとって大切な宝物となるかもしれないよ。

天は神の栄光を語り告げ
大空は御手のわざを告げ知らせる。

詩篇 19 篇 1 節

祈ることは大切です。神さまは祈りにこたえてくださると信じることも、同じくらい大切です。信じないで祈ると、祈りは力のないものになります。信じることが難しいのなら、空を見上げてみましょう。太陽や月、星々をながめると、それらを創造された神さまが、どれほど力ある方かわかります。

太陽の約一平方メートルの面積から、車 500 台分のエンジンよりも多くのエネルギーが放たれています。でも、それほどすごい力をもつ太陽も、1000 億以上もの星から成る銀河の中の、ほんの一つの星にすぎません。二つの指で一円玉をつかみ、夜空に向かってうでをのばしてみてください。その小さな一円玉が、空を見つめる目からさえぎる星の数はなんとおよそ 1500 万！

きっとイエスは、空を見上げるあなたの肩にそっと手を置き、こうおっしゃることでしょう。「神さまは、これらすべてをお造りになったのだよ。だから心配はいらない。君をまるごとめんどうをみるくらい、神さまにとっていともたやすいことなのだから」

図書館で星座について書かれた本を借りてこよう。晴れた日の夜、ベランダから空を観察してみよう。北斗七星が見える？　こぐま座は？　北極星はどこかな？　星がいくつあるか数えてみよう。これらの星を一つひとつ造られた神さまが、あなたを創造し、あなたのことを心にとめてくださっているんだ。

2月13日

人生は冒険だ！

自分のいのちを救おうと努める者はそれを失い、
それを失う者はいのちを保ちます。
ルカの福音書 17 章 33 節

人生は、ぼうけんにあふれています。自分はまだ子どもだから何もできないなんて思わないでください。あのダビデも、最初から王であったわけではありません。兄弟の末っ子で、貧しい羊飼いにすぎませんでした。あの偉大な預言者サムエルも、神さまに呼ばれた時はまだほんの子どもでした。

イエスは、弟子をお選びになる時、年齢制限はもうけませんでした。ただひとこと「わたしについて来なさい」（マタイ９・９）とおっしゃったのです。

神さまは、私たち一人ひとりに、人生の一日一日に、すばらしいご計画を立てておられます。そう、今日も！　この朝、「神さまが私のために今日立ててくださったご計画はなんですか？」とたずねてみてください。チャンスをのがしてはなりません。今日という日を、昨日とはちょっぴりちがう日にしてみましょう。新しい友だちを作りましょう。入りたかったスポーツチームの入団テストを受けてみましょう。助けを必要とする人たちのためにボランティアをしてみましょう。もちろん、失敗することもあるでしょう。でも、その勇気ある一歩で、何かが確実に変わるにちがいありません。

子どもであっても、まわりを動かし、変化を起こすことができる。あなたの学校や町、あるいは教会で、あなたの助けや力を必要としていないか？　たとえば、まわりの人に呼びかけ、ホームレスの人に寄付する暖かい衣類を集める、教会の玄関や駐車場の雪かきをする、友だちのいない子に声をかけるなど。できることがきっとあるはず！

ほめてくださる主

そのときに、神からそれぞれの人に称賛が
与えられるのです。

コリント人への手紙第一４章５節

今日のみことばをもう一度声に出して読んでみてください。これってすごいことだと思いませんか？　神さまが、私たちをほめてくださるというのです。「よくできた人だけ」でも「一部の人だけ」でもなく、あなたも、私も！　しかも、神さまからじきじきに。

神さまの代わりに、大天使ガブリエルから「えらかったね！」と声をかけられるのでも、ミカエルから冠を頭にのせてもらうのでもなく、神さまが直接ほめてくださるのです。

しかも、「それぞれ」とありますから、教会ごとに、あるいは家族ごとにまとめてではなく、神さまは私たちを一人ひとりご自身の前に立たせ、こんなふうに祝福のことばをかけてくださるのです。「よくやった。良い忠実なしもべだ」（マタイ25・23）と。

こんなにうれしいことはありませんよね！

とっておきの方法で、イエスにあなたの思いを伝えてみない？　スプレーボトルに、好きな色の食品着色料と水を入れる。雪の積もった日に、スプレーを使って好きなみことばを書いてみよう（何色も使ってカラフルにしても楽しい！）。雪のふらない所なら、チョークを使って玄関やベランダに書いてみよう！

February 2月15日 神さまに導かれて歩む

すべて父がなさることを、子も同様に行うのです。

ヨハネの福音書5章19節

イエスは、神さまの思いやお考えを大切になさいました。いつも神さまのことを思い、どうしたらいちばんよい方法で神さまに仕えることができるか考えておられました。イエスは、「わたしが父のうちにいて、父がわたしのうちにおられる」（ヨハネ14・11）と言われたとおり、どんなときも、神さまとともに歩まれました。

イエスは、何かを決めなくてはならないとき、すぐに神さまにおたずねになりました。イエスはいつも会堂で礼拝をささげ（ルカ4・16)、聖書のことばを覚えました（同4・4)。弟子の一人であったルカは、イエスがよく「寂しいところに退いて祈っておられた」（同5・16）と書いています。イエスは、神さまの導きを求めて祈りました。弟子を選ぶ時も、一晩中祈りましたし（同6・12、13)、福音を伝えるために別の町や村に移動する時も、熱心に祈りました（マルコ1・35～38)。イエスは、どんなときも神さまに導かれて歩む方でした。

恵みのうちに成長しよう

「導かれて歩む」とは、どういうことなのか体験してみよう。目かくしをし、友だちに手を引いてもらって、部屋の中を一周しよう。じょうずに導いてもらうには、友だちを信頼しなくてはならない。私たちが神さまに導いていただくためには、神さまを信頼しなくてはならない。たとえ私たちの目に、神さまの姿が見えなくても。

天国の喜び

心の貧しい者は幸いです。
天の御国はその人たちのものだからです。
マタイの福音書5章3節

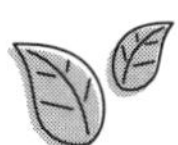

神さまは、私たちに天国の喜びを約束しておられます。この地上の喜びではなく、永遠に続く喜びを。天国の喜びを約束された人とは、有名な人やお金持ち、スーパースターと呼ばれるような人ではありません。

それは、大きな失敗をして神さまのゆるしを願い求める人、罪をおかし、心が傷ついている人、自分にひどいことをした人をゆるそうとする人、神さまの愛、そしてお考えを大切にしている人、イエスからいただく愛で、傷ついた人をなぐさめる人、イエスに従い、正しく生きようとしているために、まわりから笑われ、ばかにされている人のことです。

このような人たちには、神さまから特別な祝福と喜びが約束されているのです。

マタイの福音書5章3～12節は、イエスが弟子たちや群衆に話された「山上の説教」の中で、最もよく知られている教えだ。教会学校の友だちといっしょに暗唱し、特別礼拝や祝会の時にみんなの前で発表するなんてどうかな？

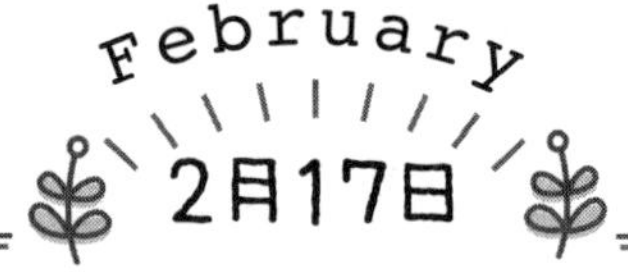

イエスをお手本に

わたしがあなたがたにしたとおりに、あなたがたも
するようにと、あなたがたに模範を示したのです。

ヨハネの福音書 13 章 15 節

あなたはだれをお手本に歩んでいますか。もし、神さまなどいないと宣言し、自分さえよければいいと考える人をお手本として生きるならば、パウロがピリピ人への手紙 3 章 19 節に記している人たちのようになってしまいます。「その人たちの最後は滅びです。彼らは欲望を神とし、恥ずべきものを栄光として、地上のことだけを考える者たちです。」

神さまは、あなたが、自分のことだけ考えるのではなく、イエスを見上げ、イエスをお手本にして生きることを願っておられます。

クリスチャンとして生きるとは、イエスを見つめ、イエスのように行動することです。イエスがなさったように、貧しい人たちに助けの手をさしのべ、友だちのいない人の友となることです。イエスの愛と正しさ、やさしさをしっかりと心にとめ、その生き方にならいましょう。それこそが、信仰によって生きることなのです。

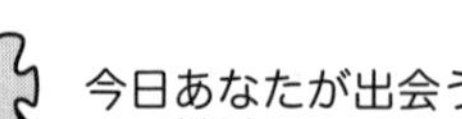

今日あなたが出会う人たちをよく観察してみよう。お父さん、お母さん、担任の先生、クラスの友だち、給食スタッフ……。一人ひとり、みな神さまに造られ、愛されている特別な存在。イエスならば、その人たちにどんなことばをかけ、どのように接するだろう。神さまに助けをいただきながらイエスをお手本として歩もう。

February

2月18日

見守ってくださる神さま

空の鳥を見なさい。種蒔きもせず、刈り入れもせず、
倉に納めることもしません。それでも、あなたがたの
天の父は養っていてくださいます。

マタイの福音書6章26節

地球の重さはどのくらいでしょう。科学者の計算によると、約60垓トン、つまり6のあとに0が21個× 1トンということ！

地球の地軸は、約23.4度かたむいています。その傾斜が、それよりほんの少しでも多かったり少なかったりすると、北極と南極の氷はとけ、季節も大きく変化してしまいます。また地球は赤道上では時速約1700キロメートルもの猛スピードで自転しているにもかかわらず、地球に住む生き物が宇宙にはじき出されることはありません。

こんなに精巧に地球を造られた神さまが、私たちの人生を安全に導いてくださらないわけがありません。太陽に火をともされた神さまが、あなたの道を明るく照らしてくださらないわけがありません。土星に輪をかけ、金星をまぶしくかがやかせることのおできになる神さまが、あなたの必要を満たしてくださらないはずがないのです。あなたもそう思いませんか。

「星の数を数え　そのすべてに名をつけられる」（詩篇147・4）神さまが、あなたを見守っていてくださる。それをいつも思い出せるように、星のモビールを作ってみよう。厚紙を星の形に切り、金や銀の折り紙をはろう。星にひもをつけ、バランス良く木の棒に結びつける。ベッドの上につるし、夜それをながめながら、ねている時も見守っていてくださる神さまに感謝の祈りをささげよう。

February

2月19日

良い習慣を身につける

ですから私たちは、キリストについての初歩の教えを
後にして、成熟を目指して進もうではありませんか。

ヘブル人への手紙６章１節

ある晩のこと。男の子がね返りを打ったはずみに、ベッドから転がり落ちました。お母さんに「どうして落ちたの？」と聞かれ、こう答えました。「ベッドに奥までもぐりこまないで、入口あたりでねちゃったから」と。

信仰についても、同じことが起きます。イエスを信じても、信仰のさらに奥へと進まない人が大勢いるのです。いろいろなことを学びながら大人になるように、クリスチャンも、キリストに学び、信仰を深めていかなくてはなりません。そのために、いくつか習慣にしてほしいことがあります。①毎日祈ろう。食前の感謝だけではなく、神さまに自分の思いや考えを正直に打ち明け、話をするひとときをもとう。②毎日、少しずつでも聖書を読もう。③毎週、みことばを一節暗唱しよう。④教会学校に通おう。⑤毎日一つ、だれかのために良いことをしよう。

先ほどの男の子のような失敗をしないように。神さまを信じたら、入り口で立ち止まらず、信仰の道を進んでいきましょう。クリスチャンとして大きく成長していきましょう。

信仰の成長記録を残そう。身長を柱に書き記すように、カレンダーに、読んだ聖書の箇所を書きとめよう。みことばを暗唱したら、その箇所も記録しよう。柱を見たら背がどのくらいのびたかわかるように、カレンダーを見たら、信仰がどのくらいのびたかわかるように！

光の子どもとして歩みなさい。

エペソ人への手紙５章８節

お母さんから、「言うだけじゃなくて、ちゃんとやりなさい！」ってしかられたことはありませんか。有言実行ということばがあるように、たしかに、口で言うだけでなく、そのとおり行うことは大事ですよね。

イエスがどんな方かじょうずに説明できる人はたくさんいます。みことばをたくさん知っている人も、楽譜を見ずに賛美歌を歌える人もいっぱいいます。でも、イエスのことばをそのまま行おうとする人は少ないのです。

「親に従いなさい」と口で言うのは簡単ですが、お父さんから「部屋を片づけなさい」と言われた時、やりたいことを中断して片づけをはじめるのは難しいですね。「人をゆるしなさい」と言うのはたやすいですが、かげ口を言う友だちをゆるすのはなかなかできません。「敵を愛しなさい」と言うのはやさしいですが、意地悪をするクラスメートに親切にするのは簡単ではありません。でも、イエスは、ただ口で言うだけではなく「実行する」ことを、あなたに望んでおられるのです。

恵みのうちに成長しよう

マタイの福音書５章３～12節を読もう。イエスのことばに聞き、そして従う者となろう。神さまに助けていただきながらイエスのことばを行う人は、たくさんの祝福をいただくことができる。

想像を超えて

わたしの父の家には住む所がたくさんあります。そうでなかったら、あなたがたのために場所を用意しに行く、と言ったでしょうか。

ヨハネの福音書 14 章 2 節

この地上で経験する幸せは、本物の幸せではありません。この世で完全な幸せを手に入れることはできません。すてきな友だち、きれいな洋服、りっぱな家を手に入れても、幸せになれるわけではありません。

あなたが考えられるかぎりかんぺきな世界を思いうかべてみてください。それは戦争のない平和な世界でしょうか。次に、いちばん安心できる世界を思いうかべてみてください。さらに最も幸せを感じる世界を想像してみましょう。それは、だれもがかんぺきな愛で愛されている場所でしょうか。天国とはどんなところなのでしょうね。あなたが想像できるかぎりのすばらしい世界を思いうかべてみてください。

次に、コリント人への手紙第一２章９節を読んでください。「目が見たことのないもの、耳が聞いたことのないもの、人の心に思い浮かんだことがないものを、神は、神を愛する者たちに備えてくださった」とあります。天国は、私たちの想像をはるかにこえる場所なのですね。

あなたが考える天国とはどんな場所だろう。犯罪や暴力のない世界？　おなかをすかせ、ひもじい思いをする人がいない世界？　だれもが笑顔ですごせる世界？　少しでもこの地上を天国のようにするために、自分には何ができるか考えてみよう。

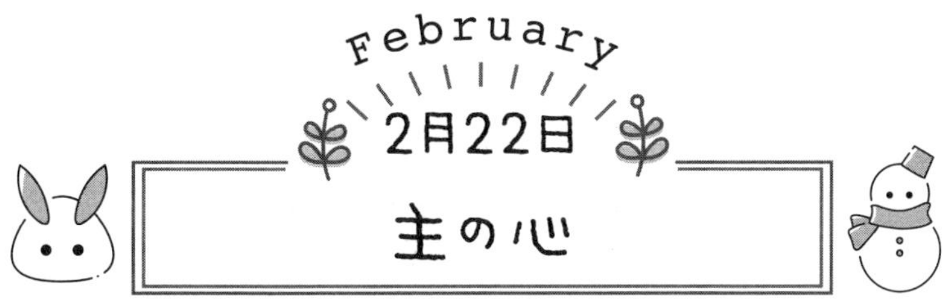

だれが主の心を知り、主に助言するというのですか。

コリント人への手紙第一２章16節

主イエスの心と私たちの心は、まったくちがいます。イエスの心は完全ですが、私たちは時々失敗をしてしまいます。そんな私たちがイエスのような心を手に入れるためには、いったいどうすればよいのでしょう。

私たちがイエスを救い主と信じるならば、私たちはイエスの心をいただくことができます！　神さまの約束はとてもシンプルです。もし私たちが、自分の人生をイエスにおささげするならば、イエスが私たちの心に住んでくださるのです。パウロも、ガラテヤ人への手紙２章20節に「キリストが私のうちに生きておられる」と記しています。

イエスを信じたその時、イエスはあなたの心に引っこして来てくださいます。そして「栄光から栄光へと、主と同じかたち」（Ⅱコリント3・18）になるように、あなたの心を変えてくださるのです。

イエスを信じた時、心はどんなふうに変わるのか見たくない？　まず、画用紙の表面を水でぬらし、水をつけた筆で、赤、青、むらさき、緑など、好きな水彩絵の具を、画用紙の何か所かにそっと置こう。色がにじんで広がり、混ざり合って、全体に美しい模様ができる。そんなふうに、あなたの心も、イエスのような美しい心に少しずつ変えていただける。

February

2月23日

信じることを選び取る

さて、信仰は、望んでいることを保証し、
目に見えないものを確信させるものです。

ヘブル人への手紙 11 章 1 節

信仰とは、神さまは実際に生きておられること、そして神さまはよいお方であると信じることです。

私たちは、信じることを、意識して「選び取る」ことをしなくてはなりません。神さまは、ご自身が創造したこの世界を放ってはおかず、いつも心にとめてくださると信じることを「選び取る」のです。神さまは、この世の悪をそのままになさらず、愛をもって正してくださると信じることを「選び取る」のです。そして、神さまはあなたがささげるどんな祈りにも耳をかたむけ、必ずこたえてくださると信じることを「選び取る」のです。

信仰とは、神さまは必ず正義を行ってくださると信じることです。

神さまは、あなたの状況が絶望的であるほど、必ず助けると約束してくださいました。私たちは、なやみが深いほど熱心に神さまに祈り、問題が大きいほど神さまの知恵を求めるからです。

神さまの助けはあなたのすぐ近くにあります。でも、まずはあなた自身がそう信じることを「選び取り」、それを求めなければあたえられないのです。

ヨシュアは、「私と私の家は主に仕える」（ヨシュア 24・15）と宣言した。紙に「私は主に仕えます」と書いて自分の机にはり、それを見るたびに、神さまを信じることを、毎日「選び取」ろう！

2月24日

聖なる方

やめよ。知れ。わたしこそ神。

詩篇 46 篇 10 節

「聖い」ということばは、もともとは「分かつ」、「切りはなす」、「まったく異なる」という意味です。神さまは、「聖なる方」と呼ばれますが、これは、ほかのすべてものと切りはなされた、特別な方であるということです。私たちがこわいと感じるものを、神さまは決しておそれません。私たちが問題と感じることを、神さまはものともなさいません。

私は、あるベテランの船乗りから、あらしの中でも方向をまちがえずに進むひけつを聞きました。それは、他の船のあとをついて行かないこと。その船も進路をまちがっているかもしれないからです。波を見ながら進むのもいけません。波もあてになりません。あらしにあった時は、動かないもの、つまり岸や灯台の光をめざせば、正しく進むことができます。

同じように、人生のあらしのときも、他人のことばに従ってはなりません。その人がまちがっているかもしれないからです。目の前の問題ばかりを見つめてはなりません。状況はどんどん変わっていくからです。何があっても決して変わることのない聖なる方に目をとめ、進んでいきましょう。

大切なのは、あなたが視線をどこに向けているかだ。ボールを手に持ち、少しはなれた木をめがけて投げてみよう。その時、木ではなく、その右か左を見て投げてみよう。木には当たらないよね。次に、しっかりと木を見ながら投げてみて。今度は成功したよね？　何をするにも、目標から、そして神さまから目をそらさないでいよう。

来て、見なさい

ナタナエルは彼に言った。「ナザレから何か良いものが
出るだろうか。』ピリポは言った。「来て、見なさい。」

ヨハネの福音書１章46節

2000年以上たった今も、ナタナエルと同じ質問をする人があとをたちません。「ナザレから何か良いものが出るだろうか。イエスは、本当に神なのか」と。そんな人には、「来て、見なさい！」と言いたいのです。イエスによって人生が変えられた人が大勢います。悲しんでいた人が、今や喜びにあふれています。いかりでいっぱいだった人が平安に満たされています。傷ついた人はいやされ、罪に苦しむ人はゆるされ、孤児はだきしめられ、刑に服す人に希望があたえられています。

来て、釘あとのあるイエスの手を見てください。イエスがその手で、たくさんの人の心にふれるのを。泣きはらした目からなみだをぬぐい、罪のゆるしを宣言するのを。

ぜひ、来て、見てほしいのです。イエスは、ご自分に目をとめる人を心から歓迎してくださいます。だれのことも無視なさいません。どんな質問もおそれません。イエスのもとを訪れ、この方に目を注いでほしいのです。

駅や公園にいるホームレスの人たちをあなたはどんな目で見ているだろう。あるいは、クラスにいるいじめっ子を、どんな気持ちで見ているだろう。イエスは、その人たちをどんな目でごらんになっているのだろう。どんな人も、イエスの手でふれていただく必要がある。あなたも、まわりにいる人を、イエスと同じ目で見ることができるように。

2月26日

神さまは良い方

富む者と貧しい者が出会う。
どちらもみな、造られたのは主である。
箴言 22 章 2 節

神さまは、あなたがいい子だから、役に立つから、良くしてくださるのではありません。たとえあなたが失敗しても、この世界から空気をなくしてしまうことはありません。神さまは、あなたに必要なものだけでなく、はるかに多くのものを、あふれるばかりにあたえてくださるお方です。

神さまがあなたに良くしてくださるのは、神さまが良い方だからです。神さまがあなたを祝福してくださるのは、あなたがそれを受けるにふさわしいからではなく、神さまが公平で気前のよい方だからです。あるクリスチャンが、人からこうたずねられました。「貧しい人に手を差しのべるのは良いことだけど、その人がありがとうとも言わず、クリスチャンになろうとしなくても助けるべきなのかな」と。その人はこう答えたそうです、「もちろん！　だって神さまはどんな人でも助けてくださるでしょう？」と。

神さまは、ご自身を信じない人も助けてくださるでしょうか。もちろんです。聖書が書かれた時代でもそうでした。そして今も、神さまは数え切れない人に助けの手を差しのべておられます。

神さまは、ご自身をにくむ人も祝福してくださる。あなたは、自分のことをきらう人を祝福できる？　ブツブツと不満をならす人に笑顔を向けることができる？　もんくばかり言う人に手伝いを申し出ることはできる？　神さまに助けを祈ろう。そして神さまにならう者となろう。きっとびっくりするほどの祝福があなたを待っている！

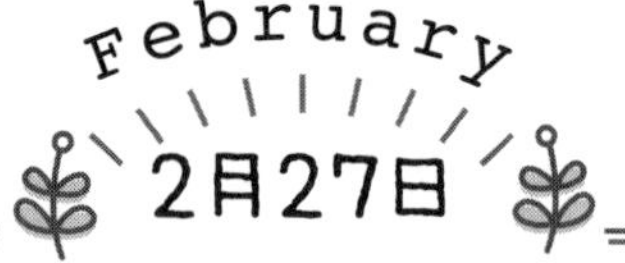

すべては神さまのわざ

あなたがたが救われたのは恵みによるのです。

エペソ人への手紙２章５節

神さまは、イエスを信じて生きることを選んだあなたを、恵みによって救ってくださいました。恵みによって救われるとは、どういうことでしょう。

神さまが定めたきまりを破ることを罪と言います。たとえば、あなたがお父さんやお母さんに従わない時、ウソをつく時、友だちの悪口を言う時、あなたは罪をおかしています。罪はあなたと神さまとの関係をこわし、あなたは罰を受けなくてはなりません。しかし神さまはあなたを愛するあまり、イエスにその罰を負わせました。イエスの十字架の死と復活によって、あなたが罪ゆるされて生きる道を開いてくださいました。それが恵みです。

神さまの恵みについて、静かに思いめぐらしてみましょう。そして次の問いに答えてみてください。救いの計画を思いついたのはだれですか、神さま？　それともあなた？　救いの計画を実現させたのは神さま？　それともあなた？　あなたが救われたのはどなたの力によるものでしょう、神さま？　それともあなた？　答えはもちろん、神さま、ですね！

旧約聖書にヨブという人が登場する。神さまはヨブに質問をなさった。あなたならどう答える？　①あなたは「朝」に向かって「何時から始まりなさい」と命令できるか（ヨブ 38・12）。②あなたは「稲妻」に向かって「ここに落ちなさい」と命令できるか（同 38・35）。③あなたはタカに向かって「舞い上がりなさい」と命令できるか（同 39・26、27）。答えはもちろんノーだ。力があるのは神さまで、私たちではない。

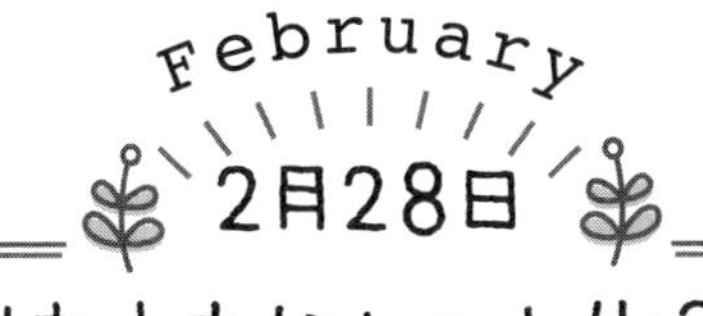

神さまなしの人生？

彼らは神を知っていながら、神を神としてあがめず、
感謝もせず、かえってその思いはむなしくなり、
その鈍い心は暗くなったのです。彼らは、自分たちは
知者であると主張しながら愚かになり、……

ローマ人への手紙１章21、22節

自分が幸せであればそれでよいと考える人たちがいます。神さまなんていない、目に見えるこの世界がすべてだと信じているので、今を楽しくすごせればよいと思っています。「自分の好きなように生きていいじゃないか、ほっといてくれ！」そう言って、この世の楽しみをひたすら追い求めて生きているのです。

神さまを見上げずに自分のことだけ考えて生きる、そんな人生で本当に良いのでしょうか。そんなことはありません！　パウロは、もし私たちが神さまなど知らないと宣言して生きるなら、私たちは、生きる意味も目的もわからず、計り知れないほど多くのものを失うことになると記しているのです。

多くの人は、神さまはほんとうにおられ、私たちを愛していてくださることを信じない。そんな人たちに福音を伝えても、なかなか信じてもらえないかもしれない。でも、そんな人でも、否定できないことが一つある。それはあなたの「生き方」だ。イエスにならって生活しよう。イエスのように、まわりの人たちを大切にし、誠実に生きよう。あなたの態度や生き方を通して、神さまがその人たちの心に働いてくださるはず。

3月

March

あなたの道を主にゆだねよ。
主に信頼せよ。主が成し遂げてくださる。

詩篇37篇5節

March

3月1日

あなたのおかげで

目が見たことのないもの、耳が聞いたことのないもの、
人の心に思い浮かんだことがないものを、
神は、神を愛する者たちに備えてくださった
コリント人への手紙第一２章９節

この地上の人生を終えて、天国にむかえ入れられた時のことを想像してみましょう。そこには罪ゆるされ、救われた人たちが大勢いますが、イエスはちゃんとあなたを見つけ、声をかけてくださいます。「わたしによく仕えてくれたね。あなたのおかげで、ここに来ることができた人がたくさんいるよ」と。そして一人ひとりに引き合わせてくださいます。

その中には、昔あなたの家のとなりに住んでいた気難しいおばあさんがいます。天国で会えるとは思ってもいなかったのでびっくりしていると、おばあさんがこう打ち明けてくれるのです。「あなたがいつもまわりの人に親切にするのはなぜだろうと思って。それで、教会に行ってみようという気になったの。ここに来ることができたのは、あなたのおかげよ」と。

あなたのちょっとしたひとことや行動のおかげで、天国で会える人が必ずいるはずです。知っている人もいれば、知らない人も。考えただけでもうれしくなりませんか。さらにすばらしいのは、「わたしはあなたを誇りに思う」とイエスに言っていただけることでしょう（Ⅰテサロニケ２・19参照）。

あなたは気づいていなくても、あなたの行動は必ずだれかに見られている。カンニングも、窓ガラスを割ったのを黙っていることも。他人が散らかした部屋を一人で片づけているのも、庭のそうじのついでにとなりの家の前の落ち葉をはいているのも。人が見ていない時、どんな行いをしているか、そっとふりかえってみよう。

March

3月2日

きよい生活

このように、あなたがたの光を人々の前で輝かせなさい。
人々があなたがたの良い行いを見て、天におられる
あなたがたの父をあがめるようになるためです。

マタイの福音書５章16節

良い人生を送りたいのであれば、きよい生活をしましょう。具体的にはどうすればよいのでしょう。

・親に従おう。

・たとえ人が見ていなくても、正しいことをしよう。

・まわりの人に親切にし、助けの手を差しのべよう。

・不平やもんくを言わずに家の手伝いをしよう。

・おこづかいをきちんと管理し、その一部を神さまにおささげしよう。

・日々の生活を楽しみ、いつも笑顔でいよう。

・イエスを伝えるだけでなく、イエスのように生きることをめざそう。

人はあなたのことばよりも行動に注目します。イエスについて人に話すことももちろん大事ですが、イエスのようにふるまい、生きるほうが、よほど大切です。

「サイモンさんが言いました」というゲームを知ってる？　５人ほどのグループを作り、その中の一人が「サイモンさん」になって、残りのメンバーに指示を出す。サイモンさんが、「頭を動かして！」と言ったら、みんな頭を動かさなくてはならない。でも、サイモンさんが手を動かしながら「頭を動かして！」と言うと、ほとんどの人は、頭ではなく手を動かしてしまう。ことばよりも行動のほうが人に影響をあたえるものなんだね。

大胆に祈る

ですから私たちは、あわれみを受け、また恵みをいただいて、折にかなった助けを受けるために、大胆に恵みの御座に近づこうではありませんか。

ヘブル人への手紙４章16節

イエスは弟子たちにこう言われました。「あなたがたはこう祈りなさい。『天にいます私たちの父よ。御名が聖なるものとされますように。御国が来ますように。……』」（マタイ6・9、10）と。

「御国が来ますように」と祈るとき、私たちは神さまにこんなお願いをしているのです。「どうぞ私の主となって、私の歩みを力強く導いてください。私の心を治め、私のことばや行いを神さまに喜ばれるものとしてください。家族や友だちと、よい関係を築くことができるように助けてください。私が心配やおそれでいっぱいのとき、心に平安をあたえてください」と。つまり、私たちの人生のすみずみまで神さまがご支配ください、とお願いしているのです。とても思いきった勇気ある祈りですね。

力ある神さまにこんな祈りをささげる資格など、私たちにあるのでしょうか。ええ、もちろん！　だって私たちは、神さまの子どもなのですから。おそれずに神さまに近づき、大胆に願い求めましょう。

どんなふうに祈ったらよいかわからなくなったら、マタイの福音書６章９～13節を読もう。イエスは、御国が来ますように、みこころが行われますように、日々の必要が満たされますように、罪をゆるしてくださるように、悪から守られますように祈りなさいと、教えてくださった。この祈りを、一つひとつ心をこめて祈ろう。

March

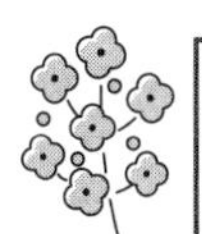

3月4日

弟子の足を洗うイエス

食卓に着く人と給仕する者と、どちらが偉いでしょうか。食卓に着く人ではありませんか。しかし、わたしはあなたがたの間で、給仕する者のようにしています。

ルカの福音書 22 章 27 節

イエスが生きておられたころ、人の足を洗うのはめしつかいの仕事でした。ゆかにひざまずき、主人や客のドロだらけの足を、たらいの水と手ぬぐいで、ていねいに洗わなくてはなりませんでした。

すぎこしの食事の時のこと、手ぬぐいとたらいを手に弟子たちの前に立ったのはなんとイエスでした。宇宙の王である方が、弟子たちの前にこしをかがめました。空の星を造られたその手で、彼らの足のドロを洗い流し、山々を創造されたその指で、弟子たちの足の指のよごれをこそぎ落としてくださいました。やがて、すべての人がイエスの前にひざまずく日が訪れるというのに、この日、弟子たちの前にひざまずいたのは、イエスだったのです。

イエスは、その数時間後には十字架の上で死ななければなりませんでした。ですからその前に、ご自身がどんなに弟子たちを愛しておられるか、どうしても伝えたいと思われたのです。イエスが洗い流していたのは、弟子たちの足のドロだけではありませんでした。彼らの心にある疑いの思いも、同時に取りのぞこうとしておられたのです。

ゴミを拾い集めて捨てることなんて、手がよごれるからやりたくない？　人がテーブルにこぼした食べ物を片づけるなんて、まっぴらごめん？　小さな子の鼻水をティッシュでふいてあげるなんて、考えただけでもいやかな？　そんなときは、イエスが弟子たちに何をしてくださったか思い出してみよう。

March

3月5日

イエスしかいない

すべて疲れた人、重荷を負っている人はわたしのもとに来なさい。わたしがあなたがたを休ませてあげます。

マタイの福音書 11 章 28 節

イエス以外にもたよりにできるものはあると思っているかぎり、私たちはイエスに心から従おうとは思わないでしょう。私たちが、自分の力ですべての問題を解決できると考えているかぎり、神さまの助けをあおぐことはないでしょう。今の状態に十分満足なら、本当のなぐさめを求めることもないのでしょう。

日曜日だけはイエスに従うけれど、月曜日から土曜日までは友だちの意見に従う生活でいいと思うなら、イエスにまったく従っていないのと同じです。イエスは、日曜日だけでなく、毎日神さまに心を向けてほしいと願っておられるからです。

自分の罪に気づき、そのことを深く悔いるとき、私たちは、両手を広げてむかえてくださるイエスに、やっと出会うことができるのです。心配やなやみで心がいっぱいのとき、すぐ近くにいてくださるイエスに気づくことができるのです。問題があらしのようにおそう時、私たちのもとを訪れ、救い出してくださるイエスに、心からたよる者となるのです。

さとうの代わりに紅茶に小麦粉を入れたらどうだろう。とても飲めたものではないよね。たとえ見た目は似ていても、小麦粉はさとうの代わりにはならない。信仰についても同じことが言える。ある人はお金があったら、有名になれたら、友だちがたくさんいたら幸せになれると信じている。でも、イエスの代わりになるものは何一つないのだ。

March

3月6日

やり直しのチャンス

キリストも一度、罪のために苦しみを受けられました。正しい方が正しくない者たちの身代わりになられたのです。それは、……あなたがたを神に導くためでした。

ペテロの手紙第一 3 章 18 節

失敗してしまった時、やり直すチャンスをもらえたらうれしいですね。テストでひどい点を取ってしまった時、先生に「次、がんばろうな」とやさしく声をかけてもらえたら。けんか別れした友だちから、笑顔で「遊ぼう！」と言ってもらえたら。がんばったのに、うまくいかなくてしょげている時、お母さんに「もう一度やってごらん」とはげましてもらえたら。そしてイエスに「わたしを信じるなら、あなたの罪をすべてゆるしてあげるよ」と言っていただけたら。

イエスがこの世に来られた目的はただ一つ、それはあなたを、私を、この世界に住むすべての人を、罪から救うためです。私たちにもう一度やり直すチャンスをあたえるためなのです。イエスは、罪がない方なのに、私たちの罪をすべて背負って十字架にかかってくださいました。私たちがすっかり新しくされ、神さまの子どもとして人生をやり直すことができるように。

恵みのうちに成長しよう

イエスの十字架の死には、どんな意味があるのかな？　それは、あなたが妹に意地悪なことを言っても、神さまはいつまでもあなたを責めないということ。ウソをついてしまっても、素直に告白すればゆるしていただけるということ。よい子でない時も、変わらず愛してくださるということ。イエスがあなたの身代わりに十字架の上で死んでくださったことを感謝しよう。神さまの前に罪を悔い改めるならば、私たちはやり直すチャンスをいただくことができるのだ。

おまえがいつも仕えている神が、おまえをお救いになるように。

ダニエル書6章16節

魚にのみこまれてしまったヨナ。海草が頭にからみつき、魚の胃液の中で、息もできません。そこでヨナが神さまに祈ると、魚は大きなゲップとともにヨナをペッと陸地にはき出しました。

ダニエルは、ライオンの穴に放りこまれてしまいました。ライオンがジリジリと近づいてきます。でもだいじょうぶ。神さまが天使に命じて、ライオンの口をふさいでくださいました。

ヨセフは、お兄さんたちににくまれ、暗い穴の中に投げこまれてしまいます。お兄さんたちはヨセフを殺すつもりでいました。しかしヨセフは、ちょうどそこを通りがかった外国人に売られ、死なずにすみました。やがてヨセフは、エジプトを治めるようになります。

聖書に登場する人たちはみな、大きなピンチを経験します。でも、そのたびに神さまが助けてくださるのです。そう、ちょうどよいタイミングで！

魚にのみこまれたヨナ、ライオンの穴に放りこまれたダニエル、暗い穴に投げこまれたヨセフの、その時の気持ちを想像してみよう。どんなにこわくて、悲しかったことだろう。それでは次に、ちょうどよいタイミングで神さまに助け出された時の、三人の気持ちを想像してみよう。どんなにうれしく、ほっとしたことだろう。

聖霊なる神さま

神の御霊に導かれる人はみな、神の子どもです。

ローマ人への手紙８章14節

神さまやイエスの話は教会でよく聞きますが、聖霊についてはあまり耳にしたことがないかもしれません。「聖霊」とはいったいどのような方なのでしょう。聖霊は、天の父なる神さまが私たちにくださったおくり物です。聖霊は私たちの心に住んで、私たちがイエスのように生きる者となるよう助けてくださるのです。

聖霊のお働きは次の三つです。一つ目に、私たちの心に聖霊の実を結んでくださいます（ガラテヤ5・22、23)。二つ目に、私たちがどう祈ってよいかわからない時、代わりに祈ってくださいます（ローマ8・26)。三つ目に、私たちの心に神さまの愛を注いでくださいます（同5・5)。

聖霊は、神さまご自身です。神さまが聖霊のかたちをとって、私たちを助け、ささえていてくださるのですね。

風船をふくらませ、口の部分をしっかりと結ぼう。空気は目に見えないけれど、風船がふくらんでいるので、中にちゃんと空気があることがわかる。同じように、聖霊は目に見えなくとも、あなたの生き方やことばから、あなたの心にはたしかに聖霊が住んでいらっしゃることがわかるのだ。

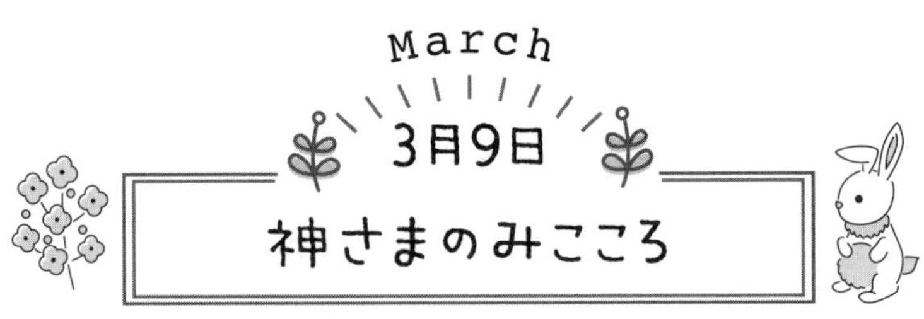

神さまのみこころ

みこころが天で行われるように、地でも行われますように。

マタイの福音書6章10節

「みこころが……地でも行われますように」とは、「私たちが、みこころにかなった歩みをすることができますように」という祈りです。「みこころ」とは、「神さまの心からの願い」という意味です。

神さまがあなたに心から願っていらっしゃることは何でしょう。それは、あなたが罪から救われることです。神さまは、みこころをはっきりと示してくださっています。まず、神さまのひとり子であるイエスをこの世に送ってくださいました。また、真理を教えるために聖書をあたえてくださいました。さらに、私たちを導くために聖霊を心に送ってくださいました。神さまは、ご自身がたしかにおられることを示すために、空にたくさんの星を置いてくださいました。私たちが空を見上げ、神さまの創造のわざを見て、神さまがたしかに生きて働かれる方であることを知ることができるように。

神さまは、ご自身を求める人、聖書の真理を知りたいと強く願っている人のもとを訪れ、みこころを教えてくださいます。私たちが神さまを求めるならば、必ずご自身にたどり着けるよう助けてくださるのです。

恵みのうちに成長しよう

神さまのみこころは、あなたが「心を尽くし、いのちを尽くし、力を尽くし、知性を尽くして、あなたの神、主を愛」すること、そして「あなたの隣人を自分自身のように愛」すること（ルカ10・27）。この二つのご命令を守るならば、あなたはいつも神さまのみこころを行っているのだ。

March

3月10日

あなたが大好き！

あなたがたの髪の毛さえも、すべて数えられています。

マタイの福音書 10 章 30 節

神さまは、なぜあなたを救ってくださったのでしょう。理由はたくさんあるでしょう。ご自身の栄光を現すため、あなたが罪のない状態で神さまに立ち返るため、神さまがすべての主であり王であることを示すため……。でも、いちばんの理由は、ただシンプルに、神さまはあなたのことが大好きだから。あなたに、いつもご自身のそばにいてほしいからなのです。

もし神さまの家に冷蔵庫があったら、扉にはあなたの絵がはってあることでしょう。神さまのさいふには、あなたの写真がそっとしのばせてあるにちがいありません。春になれば、あなたにきれいな花束をおくり、夜が明ければ美しい朝日を見せ、あなたがしゃべろうとすればどんなときも耳をかたむけてくださいます。

神さまはこの世界のどこにでも住むことのできるお方です。世界一高い山、最も美しい海辺にも。でも、神さまはあえてあなたの心に住むことを選ばれました。なぜでしょう。そう、それはあなたが神さまの大のお気に入りだからなのですよ。

神さまは、あなたのことが大好き。あなたも神さまが大好きなことを、まわりの人たちに伝えよう！　ヨハネの福音書３章16節のみことばをカードに書いて、冷蔵庫の扉にはろう。お気に入りのノートの最初のページに書きこもう。額に入れて部屋にかざり、遊びに来た友だちに見せてあげよう。

神さまのあわれみ

互いに親切にし、優しい心で赦し合いなさい。神も、
キリストにおいてあなたがたを赦してくださったのです。

エペソ人への手紙4章32節

イエスが弟子たちの足を洗われた時、近い将来この人たちが、その足をどこへ向けることになるか知っていました。次の日、弟子たちはだれ一人、イエスについて行くことも、イエスを守ることもしませんでした。ローマ兵がつきつけた剣におそれをなして、足早ににげ去ったのです。

それなのに、なぜイエスは弟子たちの足を洗ったのでしょう。それは、イエスが弟子たちを心からあわれみ、愛しておられたからです。イエスは、これからご自身を捨ててにげ去る弟子たちに、そのことを覚えていてほしいと思われたのでした。弟子たちがこれからおかす罪さえも、もうすでにゆるしていることを伝えたかったのです。

神さまは、あなたにも大きなあわれみを示してくださいます。あなたがイエスを信じ、この方に従う決心をするならば、神さまは、愛とあわれみによって、あなたの罪をすっかり洗い流してくださいます。

あわれみとは、本当ならば罰を受けなければならない私たちを、代わりにゆるしてくださることだ。どんな失敗をしても、イエスはあわれみによって、こころよくゆるしてくださる。そして同じように、あなたも人をゆるしなさいとおっしゃっている。自分を傷つけた人にあわれみを示すことができるように、神さまに助けを祈ろう。

March

3月12日

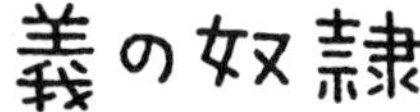

義の奴隷

しかし今は、罪から解放されて神の奴隷となり、
聖潔に至る実を得ています。その行き着くところは
永遠のいのちです。

ローマ人への手紙6章22節

イエスを信じる前の私たちは、きょうだいに向かって意地悪なことを言い、お父さんやお母さんに素直に従うことができなかったかもしれません。自分が神さまの前に正しくないことに、気づいてもいなかったでしょう。

でも、イエスを信じると、私たちの心は少しずつ変えられます。意地悪なことばはしだいにあなたの口から消え、わがままな思いも小さくなっていきます。もちろん、失敗することもあるでしょう。これからも、まちがったことを言ったり、いけないことをしてしまうかもしれません。しかし、イエスが少しずつ、私たちの心を治めてくださるようになるのです。

そしてやがて私たちは、どんなときも神さまに喜ばれることをしたいと願うようになります。その時、私たちは以前のわがままな自分にもどりたいと思うでしょうか。とんでもない！　パウロは次のように言っています。「神に感謝します。あなたがたは、かつては罪の奴隷でしたが、伝えられた教えの規範に心から服従し、罪から解放されて、義の奴隷となりました」(ローマ6・17、18)と。

部屋を片づける時、ついでに心のそうじもしよう。机に散らかった紙くずをゴミ箱に捨てる時、心にあるいかりやねたみもポイッと捨ててしまおう。床にそうじ機をかける時、自分の罪もそうじ機で吸い取ってくださいと神さまに祈ろう！

March

3月13日

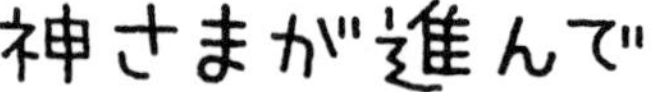

神さまが進んで

あなたがたは御国を求めなさい。そうすれば、
これらのものはそれに加えて与えられます。
ルカの福音書 12 章 31 節

神さまは、私たちの健康を守り、家族や学校、日々の食べ物、必要な助けをこころよくあたえてくださるお方です。しかし、それだけではありません。私たちがいちばん必要とするもの、そう、罪からの救いをあたえてくださいます。私たちがお願いする前に、神さまのほうから差し出してくださったのです。

私たちはそのことに感謝しなくてはなりません。だれが神さまに向かって、「私の罪の代わりに、あなたが十字架で死んでください」なんてお願いできるしょう。「天国に、私の住むところを用意してください。えーっと、それから、私の心に住んで、私のことを守り、導き、あふれるばかりに祝福してください」なんてたのむことができるでしょう。こんなずうずうしいお願い、私たちからできるわけがありません。

私たちの罪をゆるすために、イエスははかり知れないほど大きなぎせいをはらってくださいました。その大きな恵みを、神さまはご自身から進んで私たちにあたえてくださるのです。

神さまがどれほどあなたのことを愛しておられるかを、実感をもって知るために、ヨハネの福音書3章16節のみことばを、＿＿＿の部分に、自分の名前を入れて、ゆっくりと読んでみよう。「神は、実に、そのひとり子をお与えになったほどに＿＿＿を愛された。それは御子を信じる＿＿＿が滅びることなく、永遠のいのちを持つためである」

March

3月14日

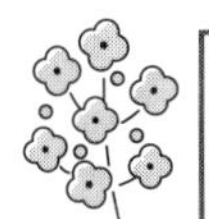

イエスはあなたの味方

だれが、私たちを罪ありとするのですか。……キリスト・
イエスが、神の右の座に着き、しかも私たちのために、
とりなしていてくださるのです。

ローマ人への手紙８章34節

イエスは、あなたがサタンに負けないようにと祈っておられます。そう、今この瞬間にも。時にはサタンから、パンチの一つやふたつを食らい、痛い思いをすることもあるかもしれませんが、最後に勝利するのはあなたです。なぜって？　それはイエスがあなたを応援していてくださるから。イエスは、「いつも生きていて、彼らのためにとりなしをしておられるので、ご自分によって神に近づく人々を完全に救うことがおできになります」（ヘブル7・25）。

イエスはどんなときも、あなたを守ってくださいます。サタンにしっかりと立ち向かうことができるよう助けてくださいます。イエスは「あなたがたを耐えられない試練にあわせることはなさいません。むしろ、耐えられるように、試練とともに脱出の道も備えていてくださいます」（Ⅰコリント10・13）。イエスはいつもあなたの味方です。あなたのために戦い続けてくださいます。

はげしい雷雨を経験したことはある？　横なぐりの雨、ピカッと光ったあとのガラガラドン！　という音……。思い出しただけでこわくなるね。でもイエスはたったひとことで、あらしをしずめたんだ。そんな力ある方があなたの味方になってくださる。本当に心強いよね！

March

3月15日

心を燃やすイエス

それからイエスは、……ご自分について聖書全体に
書いてあることを彼らに説き明かされた。

ルカの福音書 24 章 27 節

イエスは、復活なさった後、二人の弟子の前に姿を現されました。最初、弟子たちはイエスだと気づきませんでした。しかし、「彼らの目が開かれ、イエスだと分かったが、その姿は見えなくなった。二人は話し合った。『道々お話しくださる間、私たちに聖書を説き明かしてくださる間、私たちの心は内で燃えていたではないか。』」（ルカ 24・31、32）

二人は、自分たちの心が燃えていたことから、ともにおられたのはイエスだったとわかったのです。「心が燃える」とは、神さまについて知りたい、神さまに従いたいと強く願うようになることです。神さまは私たちの心を燃やし、みこころを示されます。エレミヤの心を燃やし、主のことばを伝えるよう命じられたように。ネヘミヤの心を燃やし、エルサレムを再建させたように。アブラハムの心を燃やし、まだ見ぬ地へと導かれたように。

イエスはあなたの心にも火をともされます。冷え切った心を熱くし、希望をあたえてくださいます。そして心のうちにある罪を燃やしつくし、行くべき道へとおし出してくださるのです。

「わたしは　ちいさいひ」（『ふくいん子どもさんびか』86 番）という賛美歌を知ってる？　教会学校の友だちといっしょに練習し、イースターの祝会のときに、みんなの前で歌おう！

March

3月16日

いつもそばにいてくださる

わたしは決してあなたを見放さず、あなたを見捨てない。

ヘブル人への手紙13章5節

イエスはいつもあなたに語りかけ、あなたが行くところ、どこであろうともいっしょに行ってくださいます。イエスは、「見よ。わたしは世の終わりまで、いつもあなたがたとともにいます」(マタイ28・20)と約束してくださいました。イエスは、いつもあなたの心の扉をやさしくたたき、あなたがご自身を招き入れるのを待っておられます。

イエスの声に耳をかたむける人は多くありません。心の扉を開けてイエスを招き入れる人はもっと少ないでしょう。イエスのことばに耳をかたむけるなんてばかばかしいと思っている人は大勢います。イエスが「それをしてはいけません」とおっしゃることをしてもバチは当たらないよ、と言う人も。そのような声に従ってはなりません。

聖書を開き、イエスの声に耳をすませましょう。イエスはみことばを通していつも語りかけていてくださるのです。あなたがその気になれば、きっとその声を聞くことができます。

恵みのうちに成長しよう

三月に入っても、真冬のように寒い日があるね。そんな日は外に出て、胸いっぱいに空気を吸いこみ、口からハーッと息をはいてみよう。すると不思議、あたり一面、白くなるね？　ふだんは目に見えないけれど、気温が低いと私たちの目に息は白く映る。同じように、イエスはいつもそばにいてくださるんだ。たとえ目には見えなくても。

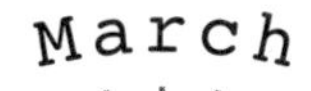

イエスからのおくり物

私は、キリストとその復活の力を知り、キリストの
苦難にもあずかって、キリストの死と同じ状態になり、
何とかして死者の中からの復活に達したいのです。

ピリピ人への手紙３章10、11節

イエスは、天の位を捨て、地上で貧しい者となり、多くの苦しみを背負ってくださいました。自分の家をもたず、冷たくかたい地面の上で休み、人のほどこしを受けました。時にはあまりの空腹に、麦の穂をつんで食べることもありました。人にあざけられ、気がくるっていると言われ、何度も殺されそうになりました。やがて大切な友にも裏切られました。

イエスは、何も悪いことをしていないのに、人々のウソの証言によってつかまりました。ローマ総督ピラトは人々の願いを聞き入れ、イエスに死刑を言いわたしました。真実を明らかにするよりも、自分の政治的な立場を守るほうが大事だったからです。

イエスは十字架にかかって死んでくださいました。イエスは、なぜそんな目にあうまでして、私たちのところに来てくださったのでしょう。それは、イエスしかあたえることのできないおくり物、罪からの救いを私たちにくださるためでした。

恵みのうちに成長しよう

イエスは、「最も小さい者たちの一人にしたことは、わたしにしたのです」（マタイ25・40）と言われた。誕生日がきたら、おくり物を受け取るだけでなく、だれかにおくり物をしよう。恵まれない子どもの施設はないか、大人と調べてみよう。使わないおもちゃやぬいぐるみで、きれいなものがあれば寄付しよう。きっと喜んでもらえるよ！

March

3月18日

正しい道を選ぶ

神から生まれた者はみな、世に勝つからです。
私たちの信仰、これこそ、世に打ち勝った勝利です。
ヨハネの手紙第一5章4節

罪や悪い習慣からぬけだそうとしても、うまくいかないことがあります。でも、決してあきらめてはいけません。神さまは、あなたが今かかえる問題を用いて、あなたを訓練なさるのです。体を成長させてくださるように、あなたの心と信仰を強くしてくださいます。

あなたの心には神さまが住んでおられます。そして、正しいことを行う力をあたえてくださるのです。それをいつも思い出すようにすれば、その日、何をすべきか、何をすべきではないのか、ちゃんと判断できるはずです。

今週、「正しい」道を選び取りましょう。どんな問題が立ちはだかったとしても。もし、まわりにいるすべての人たちがまちがった道を選んでも、あなたは正しい道を選び、真実を語り、悪に立ち向かいましょう。たとえあなたが失敗することがあっても、神さまは正しいことを行ってくださいます。神さまの正しさとは、あなたとの約束を守り、恵みによってあなたを罪と悪から救うことです。

ピリピ人への手紙4章8節「すべて真実なこと、すべて尊ぶべきこと、すべて正しいこと、すべて清いこと、すべて愛すべきこと、すべて評判の良いことに、また、何か徳とされることや称賛に値することがあれば、そのようなことに心を留めなさい」のみことばをカードに書き、パソコンやiPodのそばに置いておこう。電源を入れる前にそのみことばを読み、どんな動画や音楽を楽しむべきか、どんなゲームで遊ぶべきか、考えてみよう。

March

3月19日 あふれるほどの恵みで

御子イエスの血がすべての罪から私たちを
きよめてくださいます。

ヨハネの手紙第一1章7節

イエスの血が罪から私たちをきよめてくださるのは、一度きりのことではありません。まさに今この瞬間も、きよめてくださっているのです。イエスは、たとえどんなに小さな罪も、あなたのたましいから取りのぞいてくださいます。私たちがどんなにひどいことを言ったり行ったりしても、あきれて顔をそむけることはなさいません。「今あなたがしたことは正しくないけれど、あなたが望みさえするなら、あなたを元どおり、ピカピカにしてあげるよ」とやさしく声をかけ、あふれるほどの恵みで、あなたの罪をきれいに洗い流してくださるのです。

そのように、イエスはあなたをきよめ、罪をゆるしてくださるのですから、同じようにあなたも人をゆるしましょう。心に住まわれるイエスが、きっとゆるす力をくださるはずです。

雨の日にドライブに連れて行ってもらったことはある？　雨がふるあいだ、ワイパーがたえず作動し、フロントガラスにあたる雨を取りのぞいてくれるおかげで、安全に運転することができる。イエスも、私たちが安心して歩むことかできるように、いつも罪からきよめていてくださるんだ。

勝ち取るのではなく

……あなたがたを、神はキリストとともに生かしてくださいました。私たちのすべての背きを赦し、私たちに不利な、様々な規定で私たちを責め立てている債務証書を無効にし、それを十字架に釘付けにして取り除いてくださいました。

コロサイ人への手紙２章13、14節

この世界には、たくさんの宗教があります。すべての宗教は、次の二つの考え方に分けられます。つまり、神さまの力にたよらなければ救われないという考え方、そして救いは自分の力で勝ち取るものだという考え方。

自分の力で救いを得ようとする人を「律法主義者」と呼びます。律法主義者は、見た目やことば、行いが正しければ天国に行けると信じています。そのような人は、外目にはかんぺきですが、心に喜びはなく、おそれと不安でいっぱいです。もっと努力しなくては、もっとりっぱにならなくてはと、いつもがんばっているからです。今のままでは不十分なのではないか、いつか失敗するのではないかと心配なのです。

でも、聖書の神さまを信じるあなたは、おそれる必要はありません。救いはあなたの力で勝ち取るものではなく、神さまからの一方的なおくり物だからです。

あなたは、どのくらいの時間、罪をおかさないでいられるだろう。どんなに気をつけていても、つい良くないことを考えるし、きょうだいに意地悪なことも言ってしまうよね。救いが、自分の努力のたまものではなく、神さまからのおくり物であることに感謝しよう！

祈りを聞かれるイエス

苦しむ者が叫ぶと　主は聞かれ
そのすべての苦難から救い出してくださる。

詩篇 34 篇 17 節

　ある日のことです。イエスのもとに使いが訪れ、「あなたが愛しておられる者（ラザロ）が病気です」（ヨハネ11・3）と伝えました。使いは、「あなたを愛している者が病気です」と言ったのではありません。使いは、イエスがどんなにラザロを愛しているかを知っていたので、必ずラザロをいやし、助けてくださると信じていたのでした。

　祈りに力があるのは、ささげる私たちに力があるからではなく、祈りを聞かれるイエスが私たちを深く愛していてくださるからです。ですから、私たちも、この使いのように祈りましょう。「あなたが愛しておられる者は（あなたのことです！）今、悲しくて、心配で、ひとりぼっちで、こわいのです」と。

　イエスは、あなたの祈りに必ず耳をかたむけてくださいます。あなたのことばをひとことも聞きもらすことはありません。必ずあなたを、苦しみの中から助け出してくださいます。

イエスは、いろいろなかたちで私たちに愛を伝えておられる。祈りを聞いていてくださることもその一つ。美しい朝日や満天の星空を見せてくださることもそう。ほかにどんなことがあるか、考えてみよう。

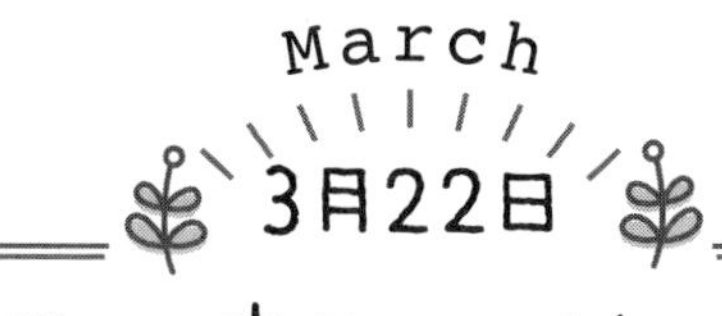

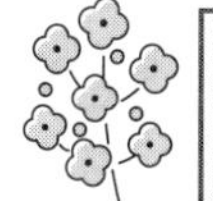

世の暗やみ、神の光

すべての人のために、……願い、祈り、
とりなし、感謝をささげなさい。

テモテへの手紙第一２章１節

世界には飢えに苦しむ子どもがいるのはなぜ？　クリスチャンでも重い病気にかかるのはなぜ？　神さまを信じていても不幸な目にあうのはどうして？　そんな疑問がふと心にうかんだことはありませんか。なかなか答えが見つからない難しい質問ですね。

イエスの弟子たちも、湖の真ん中であらしにまきこまれた時、同じ問いを投げかけました。「イエスさまはこんなたいへんな時に、どこで何をしておられるのですか？」と。すると、はげしい波で舟がしずみかけた、まさにその時、イエスが水の上を歩いて弟子たちのもとに来てくださいました。弟子たちは、まさかイエスがそんなふうに来てくださるとは思ってもいなかったので、それがイエスだと気づきませんでした。神さまがちゃんと祈りにこたえてくださったことがわからなかったのです。

私たちも注意深くしていないと、弟子たちと同じまちがいをしてしまいます。神さまの答えは、夜空にうかぶ星々と同じです。それは数え切れないほど存在しますが、そのほとんどが私たちの目には見えていないのです。

神さまは、この世のさまざまな問いに答えるため、しばしば私たちをつかわし、用いられる。飢えている子どもたちに食べ物を届けるため、病気で入院している人たちをなぐさめるため、そして苦しむ人たちを助けるために。「なぜ？」と思うときは、「私に何ができますか？」と神さまに聞いてみよう。

そして、ペテロ、ヤコブ、ヨハネを一緒に連れて行かれた。
イエスは深く悩み、もだえ始め、……
マルコの福音書 14 章 33 節

イエスは地上におられた時、よく神さまに祈りをささげました。イエスは「自分を死から救い出すことができる方に向かって、大きな叫び声と涙をもって祈りと願いをささげ」たのです（ヘブル5・7）。イエスは、十字架にかかるほんの数時間前も、ゲツセマネという場所で祈られました。その時、イエスの心は悲しみと不安でいっぱいでした。人の体がどれほどもろく弱いものか、よくごぞんじだったのです。

あなたがだれにもわかってもらえず苦しいとき、ゲツセマネで祈られたイエスの姿を思いうかべてください。自分のつらい気持ちを神さまはわかってくださるのだろうかと疑うとき、この時イエスがどのような思いで祈りをささげられたか思い出してほしいのです。イエスも、深くなやみ、もだえながら祈られたことを（マルコ 14・33 ～ 36）。

あなたの友だちは、あなたの一面しか知らない。でも神さまは、あなたのことをすべてごぞんじだ。何を考え、どこに行きたいか、何が得意で、何がきらいか、あなたが伝える前にすでに知っておられる。そして、この地上で人として生きたイエスは、あなたの悲しみやつらさをよくわかっていてくださるのだ。

このみこころにしたがって、イエス・キリストのからだが、
ただ一度だけ献げられたことにより、
私たちは聖なるものとされています。

ヘブル人への手紙 10 章 10 節

きよくならなければ、私たちは天国に入ることはできません。天国で永遠に神さまとともに住むために、私たちは完全な者とならなければなりません。

正しいことをしていれば、良く生きようと努力していれば、天国に入れると思っている人がいます。しかし、私たちの言う「良い」や「正しい」は、神さまの目からごらんになると十分ではありません。イエスは「あなたがたの天の父が完全であるように、完全でありなさい」(マタイ5・48)とおっしゃいました。私たちが、他の人とくらべて自分のほうが正しいと主張しても意味はありません。神さまの前に正しい人など、この世界に一人もいないのですから。

幸いなことに、私たちは自分の力では完全な者になれないことを、神さまはちゃんとわかっていらっしゃいます。私たちを完全な者とするために、イエスをこの世に送ってくださったのですから。

聖書にはさむしおりを作ってみよう！　3 センチ ×15 センチの厚紙に、あなたの好きなみことばを書こう。パンチで紙の上の部分に穴を開け、黒、赤、白、黄色の４本の手芸糸を通し、結ぶ。黒は私たちの罪、赤はイエスの血、白はイエスが流された血によって完全な者となった私たち、黄色は天国へと続く黄金の道を表しているよ。

March

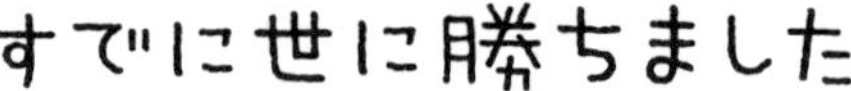

3月25日

すでに世に勝ちました

世にあっては苦難があります。しかし、
勇気を出しなさい。わたしはすでに世に勝ちました。
ヨハネの福音書 16 章 33 節

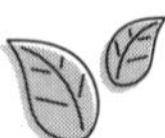

神さまは、この世には苦難があるとはっきりおっしゃいます。『オズの魔法使い』という物語を読んだことはありますか。この物語の主人公のひとりであるドロシーは、オズのいる都にたどり着くまでに、暗い森や曲がりくねった道を通り、悪い魔女たちに出会わなくてはなりませんでした。

同じように私たちも、天国に行くまでのあいだ、さまざまな困難を経験します。この世界にサタンが働いているかぎり、私たちは、病気になったり、傷ついたり、愛する人を失ったり、戦争にまきこまれることもあるかもしれません。悪い魔女のようにサタンがあなたのそばに舞いおりてあなたをあざ笑ったとしても、くじけてはなりません。イエスは、十字架の上で「完了した」(ヨハネ19・30)と宣言されました。思いがけない問題や苦しみがおそっても、おどろいたりあわてたりせず、勇気を出しましょう。イエスは、サタンとのたたかいにすでに勝利しておられるのですから！

ドロシーがエメラルドの都をめざして黄色いレンガの道を歩いたように、今、天国に向かう道を歩いているのだと想像してみよう。道中、どんなサタンのわなが待ち受けていても、おそれることはない。ドロシーとちがって、あなたには力強い味方がいるのだから。そう、イエスがともにいてくださる！

イエスは手を伸ばして…

イエスは手を伸ばして彼にさわり、
「わたしの心だ。きよくなれ」と言われた。
マタイの福音書８章３節

イエスにさわっていただいて、この人はどんな気持ちだったでしょうね。悲しむあなたのほおを伝うなみだを、お母さんがやさしくぬぐってくれた時のように、落ちこむあなたの肩に、友だちがそっと手を置いてくれた時のように、きっとうれしく晴れやかな気持ちになったにちがいありません。

あなたも自分のその手で、人をなぐさめ、はげますことができますよ。学校に来ることができない友だちのためにクッキーを焼くことができます。転んで泣いている小さな子をだき起こしてあげることができます。つかれたお母さんに代わってシンクにたまったお皿を洗うことも。

相手を大切に思っているなら、自分の手を使い、行いを通して、その気持ちをあらわしましょう。イエスはたびたび、困っている人や悲しんでいる人に手をのばしてさわり、助けてくださいました。そう、あなたのことも、愛をこめてふれてくださいますよ。

自分の手を使ってイエスの愛を伝えるにはどうすればよいか、具体的に考えてみよう。いそがしいお兄さんやお姉さんの代わりに家の手伝いをする、ひとりぼっちのクラスメートの手を取って遊びに入れてあげる、病気で学校を休んでいる友だちにカードを書く、遠くに友だちを見つけたら笑顔で手をふるなど、できることがたくさんあるね！

March

3月27日

養ってくださる神さま

あなたの道を主にゆだねよ。
主に信頼せよ。主が成し遂げてくださる。
詩篇 37 篇 5 節

神さまは、あなたに必要なものをあたえると約束してくださいました。空の鳥や野の花を養い育ててくださる神さまが、ご自身の子どもである私たちの必要を満たしてくださらないはずがありません（マタイ6・26 ～ 30)。

神さまは、私たちがみこころにかなった働きができるように、良いものをすべてあたえてくださるお方です（ヘブル 13･20、21)。もちろん、「ほしい」ものがいつもいただけるとはかぎりませんが、「必要な」ものは必ずあたえられます。私たちが神さまのために喜んで働くためには、食べ物や着る物、家が必要であることを、神さまはよくごぞんじなのです。「わたしのために働きなさい、でも必要なものはあげません！」なんておっしゃるはずがないのです。

神さまがあなたにくださったものを、一つひとつ数えてみよう。家、家族、友だち、洋服、本、おもちゃなど。さて、いくつあった？　きっと思っていたよりも、ずっとたくさんあるのでは？　神さまは、私たちが必要としているよりももっと多くのものを、あふれるようにあたえてくださる方なんだね。

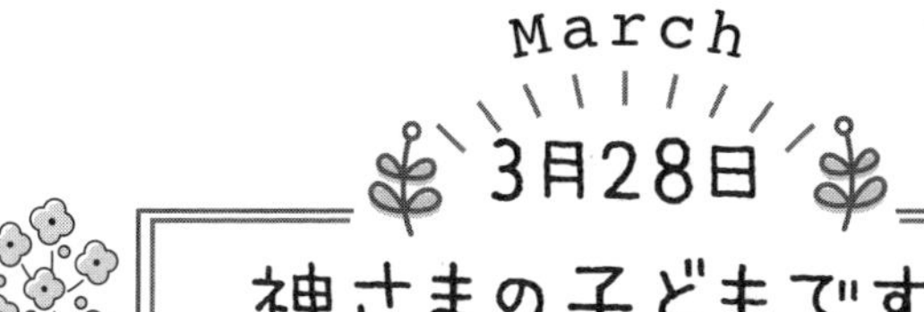

神さまの子どもです！

私たちが神の子どもと呼ばれるために、
御父がどんなにすばらしい愛を与えてくださったかを、
考えなさい。事実、私たちは神の子どもです。
ヨハネの手紙第一３章１節

あなたは神さまにとってどのような存在でしょう。

あなたは……
・イエスとともに神さまの大きな祝福と恵みをいただくことができる（ローマ８・17）。
・天の使いと同じように、永遠に生きることができる（ルカ 20・36）。
・朽ちない冠をいただくことができる（Ｉコリント９・25）。
・神さまの宝物（出エジプト 19・5）。

でも、何よりも心にとめていてほしいいちばん大事なこと、それはあなたが神さまの子どもなのだということです！　そして、神さまの子どもであるあなたにとって大切なことは、神さまにとっても大切なことなのです。

あなたの祈りに、神さまは喜んで耳をかたむけてくださる。なぜって？　それはあなたが神さまの子どもだから。どんなささいな心配やなやみも、神さまにお伝えしよう。お母さんが赤ちゃんのどんな小さな声も聞きもらさないように、神さまはどんなときもあなたの声に耳をすませておられる。

March

3月29日

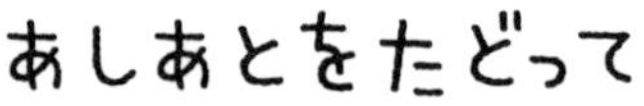

あしあとをたどって

互いの間に愛があるなら、それによって、
あなたがたがわたしの弟子であることを、
すべての人が認めるようになります。

ヨハネの福音書 13 章 35 節

幼いころ、父に連れられて雪道を歩いたことがあります。私の前を行く父のあしあとが雪にくっきりと残ります。私は、そのあしあとをふみながら同じように歩こうとしますが、なかなかうまくいきません。父の歩幅が広いため、子どもの私が足をのばしても、なかなかとどかないのです。でも、父のあしあとのおかげで、道をまちがえないで歩くことができました。

私たちクリスチャンは、先を行く信仰者のあしあとをたどることができるので安心です。そのあしあとのおかげで、神さまの子どもとして生きるとはどういうことか、学ぶことができるからです。あなたはまだ子どもですが、そんなあなたのあしあとをたどって歩く人もいるのですよ。あなたよりも小さな子、イエスを信じて間もない人、あなたの友だち……。

私たちは決してひとりぼっちではありません。人生の旅路をともに歩く信仰の仲間がいるのです。前を行く人、後ろから来る人、ともに手をたずさえ、助け合いながら、イエスの弟子として歩いていきましょう。

紙の上に足を置き、えんぴつであなたの足の形を書き写そう。お父さんかお母さんにも同じことをしてもらおう。どちらが大きいかな？　きっとお父さんやお母さんのほうが大きいよね。あなたよりも長く生きていて、その分成長しているはず。信仰も同じ。信仰の年月が長いほど、「信仰のあしあと」も大きくなるはず！

March

3月30日

神さまの御手

【イエスは】自らを低くして、死にまで、
それも十字架の死にまで従われました。
ピリピ人への手紙２章８節

イエスは、兵士たちの手によって、両手を十字架に釘で打ちつけられました。しかし、イエスを十字架につけたのは、本当は神さまなのです。神さまは私たちを愛するゆえに、その御手でイエスの手に釘を打ちました。

神さまはその御手で海を造り、山を築き、朝日をのぼらせ、空に雲を置かれました。そして同じその御手で、私やあなたの救いの計画を実行されました。神さまは、御手を上げて天使たちに命じ、イエスを十字架から救い出すこともできたでしょう。でも、そうなさいませんでした。なぜでしょう。それはあなたを創造された神さまが、みずからその御手で、あなたを救うために神のひとり子を十字架につけるという約束を聖書に書き記してくださったからです。

神さまは「わたしは手のひらにあなたを刻んだ」（イザヤ 49・16）とおっしゃった。教会の屋根の十字架を見るたびに、イエスの御手を思いうかべよう。その手にはあなたの名前が刻まれている。イエスは、あなたを救うために、進んで十字架についてくださったのだ。イエスへの感謝の気持ちを伝えるために、あなたは今日何ができるだろう。

March

3月31日 羊飼いの声

墓の中にいる者がみな、子の声を聞く時が来るのです。
そのとき、善を行った者はよみがえって
いのちを受けるために……出て来ます。

ヨハネの福音書5章28、29節

いつの日か、この地上のすべての人がイエスの声を聞く時が来ます。ふたたびイエスが天からもどって来られるのです。その日、他のすべての声は静まり、イエスの声だけがひびくのです。その時、初めてイエスの声を聞く人たちがいます。イエスはずっと話しかけておられたのですが、聞く耳をもたなかったのです。そしてその日を最後に、永遠にイエスの声を聞くことができなくなります。

しかし、イエスの声を聞いて喜ぶ人たちがいます。イエスにお会いする前からイエスの声に聞き従っていた人たちです。イエスは、羊飼いが自分の群れの羊にやさしく声をかけるように、一人ひとりその人たちの名前を呼び、天国へと連れて行ってくださるのです（ヨハネ10・3）。

恵みのうちに成長しよう

羊は自分の飼い主の声に従う。友だちと、「羊飼いについて行こう」ゲームをしてみよう。羊役の人に目かくしをし、羊役の人と羊飼い役の人とのあいだにいくつか障害物を置く。羊飼いは、羊が自分のいる場所に来ることができるよう、指示をあたえながら導く。羊が無事に羊飼いのところに行くことができたら、みんなで大きな拍手をしよう！

4月
April

主(しゅ)にあって、その大能(たいのう)の力によって
強められなさい。

エペソ人への手紙 6章10節

April

4月1日

おどろくべきご計画

神が定めた計画と神の予知によって引き渡されたこのイエスを、あなたがたは律法を持たない人々の手によって十字架につけて殺したのです。

使徒の働き2章23節

イエスが十字架にかかられたのは、決して偶然の出来事ではありません。イエスの死は、あなたを、私を、そしてすべての人々を罪から救うために、神さまが立ててくださったおどろくべきご計画なのです。

そのご計画は、なんとイエスがお生まれになるよりもはるか前に立てられたものでした。そう、それはエデンの園において、神さまが食べてはならないと言われた木の実をエバが口にしたその瞬間に、神さまがなんとかして私たちを罪から救おうとして立ててくださったご計画だったのです。

それから何千年もの年月をへて、イエスのお体が十字架に釘づけられたその日に、神さまのご計画は、たしかに成しとげられたのでした。

4月1日は何の日？　そう、エイプリルフール。この日だけは、ちょっとくらい人をだましても笑ってゆるしてもらえることになっている。約2000年前にイエスが十字架にかかられたあの日、サタンはすっかりだまされたんだ。ついに勝ったぞ！と、大喜びしていると……、エイプリルフール！　なんとイエスは墓からよみがえられた。サタンは完全に敗北！　さぞくやしかったことだろうね。

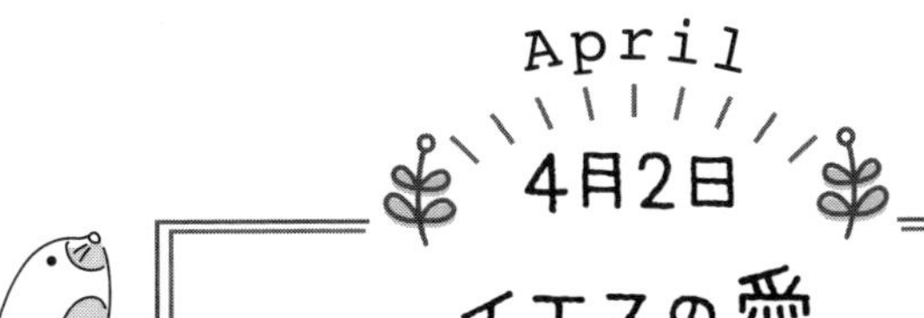

April

4月2日

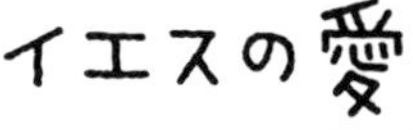

イエスの愛

ヨハネは自分の方にイエスが来られるのを見て言った。
「見よ、世の罪を取り除く神の子羊。」
ヨハネの福音書１章29節

予防注射、テスト、虫歯の治療……。どれもさけて通れないのはわかっているけれど、なかなか気が進みません。やりたくない、でもしなくちゃならないことってありますね。

イエスも、最後にエルサレムにもどられた時、これからどのようなことが待ち受けているのかよくわかっていました。それはとてつもなく苦しいことでしたが、神さまのご計画に従おうと心にかたく決めておられました(ルカ9・51)。イエスは、私たちを罪から救うために、ご自身のいのちを捨てなくてはならないことをごぞんじだったのです（ヨハネ10・15)。人はそれを「恵み」、「救い」または「あがない」と表現しますが、イエスは、それはまぎれもなく「愛」なのだとはっきりおっしゃいました。「神は、実に、そのひとり子をお与えになったほどに世を愛された。それは御子を信じる者が、一人として滅びることなく、永遠のいのちを持つためである」（ヨハネ3・16)。

計画は失敗に終わることがある。しかし、神さまのご計画は必ず実現する。それは神さまが完全なお方だから。そして神さまのタイミングも、また神さまの愛も完全だから。エレミヤ書29章11節を読もう。神さまはあなたのためにすばらしいご計画を立てておられる。神さまのご計画に従って歩むことができるよう祈ろう。

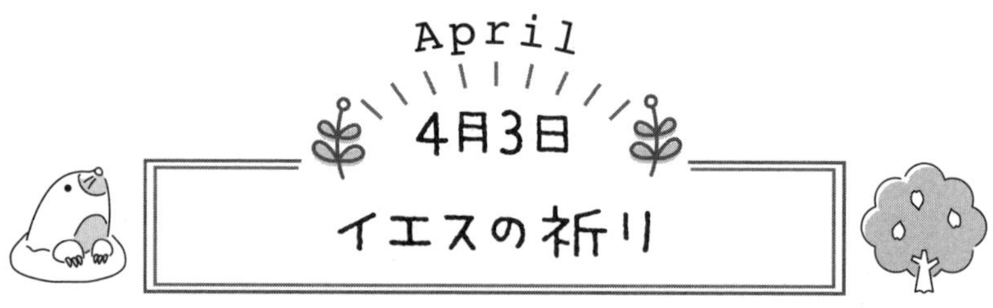

April

4月3日

イエスの祈り

そして、ご自分は弟子たちから離れて、
石を投げて届くほどのところに行き、
ひざまずいて祈られた。

ルカの福音書 22 章 41 節

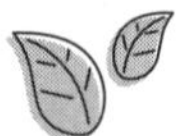

イエスは、ゲツセマネの園でたくさんのことについて祈られました。もちろん、あなたのためにも祈ってくださいましたよ。あなたがいつもイエスとともにいて、イエスの栄光を見ることができるように（ヨハネ17・24)、そしてこの世の悪から守られるように（同 15 節）と、神さまにお願いしてくださいました。

神さまは、あれから 2000 年たった今も、日々イエスの祈りにこたえていてくださいます。神さまは、あなたが直面する問題や罪のゆうわくがどんなにたいへんなものかよく理解しておられます。あなたが経験するあらゆる悲しみ、また喜びをごぞんじなのです。そして、あなたを助けるためにいつもともにいると約束してくださいました（マタイ 28・20)。

イエスは、十字架にかかられる前夜、あなたのためにどんな祈りをささげてくださったのだろう。ヨハネの福音書 17 章 1 ～ 26 節を読もう。あなたを祝福するために、神さまにどんなお願いをなさったか、一つひとつ書き出してみよう。イエスがあなたのために祈ってくださったように、あなたも、家族や友だちのために祈ろう。

April

4月4日

雪のように白く

たとえ、あなたがたの罪が緋のように赤くても、
雪のように白くなる。たとえ、紅のように赤くても、
羊の毛のようになる。

イザヤ書１章18節

イエスは、私たちの罪をゆるしてくださいと祈ると同時に、私たちを傷つける人たちの罪をもゆるしてくださるよう祈りなさいとお命じになりました。すべての人の罪の身代わりとなって死んでくださったイエスがそうおっしゃっているのです。イエスは、十字架の上で「完了した」と宣言し、救いのわざを完全になしとげてくださいました（ヨハネ19・30）。

もしあなたがイエスを信じ、この方に従うならば、あなたの罪はすべてゆるされます。これはまぎれもない事実です。あなたの罪がどんなに赤くとも、神さまはあなたを、まっさらな雪、ふわふわの羊の毛のように真っ白にしてくださるのです！

マタイの福音書18章21～35節を読もう。主君に大きな借金を帳消しにしてもらったのに、仲間のわずかな借金をゆるさなかった家来の話だ。友だちのことを「ゆるせない！」と言う前に、あなたはどれほど多くの罪を神さまにゆるしていただいたか考えてみよう。

April

4月5日

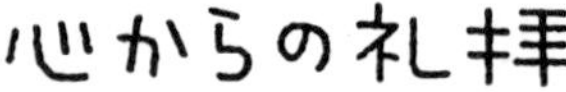

心からの礼拝

来たれ。ひれ伏し 膝をかがめよう。
私たちを造られた方 主の御前にひざまずこう。

詩篇 95 篇 6 節

時々私たちは、どのように礼拝をささげたらよいかわからなくなることがあります。特に、祈る時、自分の思いをうまくことばにできないことがあるのです。

旧約聖書に詩篇という書があります。詩篇は、神さまを礼拝する私たちのために書かれたものです。詩篇にはたくさんの詩がありますね。ある詩は、楽器の音に合わせ大勢で神さまをほめたたえるために、またある詩は、ひとり神さまの前に静まって祈るために書かれています。苦しみや悲しみを神さまにうったえる詩もあれば、神さまの前にへりくだって感謝をささげる詩もあります。

なぜこんなにバラエティーに富んだ詩がたくさん書かれたかというと、それだけ、礼拝にはいろいろなかたちがあるからです。礼拝のかたちはさまざまでも、私たちが心からささげるのであれば、神さまは喜んで受け入れてくださいます。

詩篇を、始めから終わりまで、ゆっくりと読んでみよう。神さまに守りを願い求める詩もあれば（140 篇）、神さまに信頼する詩（27 篇）、あらしのただ中にあっても働かれる神さまをほめたたえる詩（29 篇）もある。どんなふうに祈ってよいかわからなくなったときは、詩篇のことばをそのまま祈ってみよう。

祈りの時間をもつ

わたしは今、あなたのもとに参ります。世にあって
これらのことを話しているのは、わたしの喜びが
彼らのうちに満ちあふれるためです。

ヨハネの福音書 17 章 13 節

イエスは、私たちが罪から救われるためには、ご自身が十字架にかからなければならないことをよくごぞんじでした。その直前、イエスはあまりの責任の大きさに、悲しみもだえながら祈りました。もし十字架にかからなくてもすむのであればそうしてください、と祈られたのです。

イエスは、人々からあざけられたときも、ひとりぼっちになってしまったときも祈りました。大きなわざを成しとげなければならないときも、神さまの前にひざまずいて祈りました。

あなたも、まわりの人たちにきらわれてしまったように感じるときがあるかもしれません。そんなときは祈りましょう。だれからも理解されずひとりぼっちになったように感じるときも、神さまに祈りましょう。イエスのように、大きな責任を果たさなくてはならないこともあるでしょう。そんなときも神さまに祈り、力をいただきましょう。

イエスは、人のいないさみしい場所でよく祈られた。あなたはいつもどこで祈ってる？　食前の祈りだけでなく、神さまの前にしずまって祈る時間をもつようにしよう。そのために、祈る場所を決めよう。部屋のかたすみ、庭の木の下など。一日のうち、短くてもいい、決められた場所で神さまとの交わりの時をもとう。

April

4月7日

イエスの力

確かにわたしはあなたがたに、
……敵のあらゆる力に打ち勝つ権威を授けました。
ルカの福音書 10 章 19 節

イエスが十字架にかかる前の晩、大勢の兵士たちがユダに連れられ、明かりとたいまつと武器を持って、ゲツセマネの園にやってきました。人々の目には、イエス対兵士たちの戦いのように映ったでしょう。しかし、本当は神さまとサタンとの戦いだったのです。イエスが兵士たちに「だれをさがしているのか」とたずねると、兵士たちは「ナザレ人イエスを」と答えました。イエスが「わたしがそれだ」とひとことおっしゃると、なんと兵士たちとともに、サタンも後ずさりし、地にたおれたのです（ヨハネ18·5、6）。イエスに対抗できる者など、一人としていないのです！

そんなイエスが、「あなたを守る」と約束してくださっています。敵であるサタンの攻撃からあなたをかくまい、正しく歩むことができるよう日々導いてくださいます。

サタンがあなたを神さまから引きはなそうとねらっている。でもだいじょうぶ、神さまは、あなたにこう約束してくださっているのだから。「恐れるな。わたしはあなたとともにいる。たじろぐな。わたしがあなたの神だから。わたしはあなたを強くし、あなたを助け、わたしの義の右の手で、あなたを守る」（イザヤ 41・10）と。

信仰の目で見る

主にあって、その大能の力によって強められなさい。

エペソ人への手紙６章10節

あなたは鏡をのぞいた時、そこには何が見えますか。うっかり花びんをこわしたことをお母さんにかくし、ウソをついてしまったことを後ろめたく思う自分、クラスでからかわれた友だちをかばってあげなかった冷たい自分、約束を平気でやぶる自分、失敗してばかりの自分の顔でしょうか。

もしそうならば、今度は信仰の目をもって、もう一度鏡を見てほしいのです。神さまはそこに、愛するご自身の子どもの顔を見ておられます。ひとり子の命さえおしまないほど大切なあなたの顔を……。あなたはそこに、罪と恥にまみれた自分の姿を見るかもしれませんが、神さまは、イエスの血によってゆるされ、すっかり新しくされたあなたをごらんになっているのです。

どうしてもぬけ出せない悪い習慣、くり返し行ってしまう罪はないだろうか。すぐにかんしゃくを起こす、ついウソをついてしまう、不満やぐちばかり口にしてしまう、など。神さまは、そのような悪い習慣からぬけ出すことができるよう、あなたを助けてくださる（Ⅰコリント10・13)。

April

4月9日

愛するゆえに

人知をはるかに超えたキリストの愛を
知ることができますように。
エペソ人への手紙３章19節

ユダが大切な友であるイエスを裏切ったことは、決して起きてはならないことでした。人々がイエスをむち打ち、イエスを罪にさだめるために裁判でウソをつき、イエスにつばをはいたことも、決してあってはならないことでした。そして一度も罪をおかしたことのない方が私たちの罪を丸ごと引き受けて罰を受けたことも、決して正当なことではありませんでした。

正しくもない、正当なことでもないこれらの出来事は、なぜ起きたのでしょう。

それは、「御子を信じる者【が】さばかれない」ため（ヨハネ３・18）、私たちに対する神さまの大きな愛のゆえでした。

皮膚の色や、生まれた場所、体に障がいがあるかどうかで、人を見下し差別すること、それは正しいことではない。神さまは、どんな人も同じように愛しておられるからだ。イエスはすべての人のために十字架にかかられた。あなたも、神さまがごらんになるようにまわりの人を見ることができるよう、神さまに助けていただこう。

April

4月10日

イエスは深くあわれんで

【イエスは】また、群衆を見て深くあわれまれた。
彼らが羊飼いのいない羊の群れのように、
弱り果てて倒れていたからである。
マタイの福音書9章36節

イエスの行くところどこにでも、病気の人や貧しい人、体の不自由な人が、大勢集まりました。イエスも、時にはつかれはて、体を休めたいと思うことがあったでしょう。でも一度たりとも、彼らを追い返すようなことはなさいませんでした。なぜでしょう。イエスは彼らを見て深く心を痛め、あわれんでくださったからです。心も体も傷つき、天に向かって「どうしてこんなことになってしまったのだろう」となげく人たちを見て、心から同情されたからです。

イエスは今日も、傷ついた人のそばにひざまずき、よりそっていてくださいます。その人たちの声に耳をかたむけるイエスの目には、なみだがあふれています。そしてイエスは、その人たちのほおにそっと手をのばし、なみだをぬぐってくださるのです。イエスは私たちの悲しみや苦しみを、わかっていてくださいます。イエスもこの地上で深く傷つかれたからです。

イエスはどんな時も、必ず祈りに耳をかたむけてくださる。あなたは友だちから何かを相談された時、「いつかまたね」と言って断ってしまったことはないかな？　今度そのようなことがあったら、ぜひ友だちのために時間を作ろう。イエスはいつだって、あなたのためにそうしてくださるお方なのだから。

April

4月11日

神さまの愛とは

神は、実に、そのひとり子をお与えになったほどに世を愛された。それは御子を信じる者が、一人として滅びることなく、永遠のいのちを持つためである。

ヨハネの福音書3章16節

どくろと呼ばれる丘の上では、三人の男が十字架にかけられています。真ん中にいるのがイエス。風がふくたびに、三人の口から苦しそうなうめき声がもれます。数人の兵士たちが彼らの足下に座っています。丘のふもとには、大勢の女たちがなみだにむせびながら立ちつくしています。天使の軍勢が、すぐにでもイエスを救い出せるよう、神さまからの指示を待っています（マタイ26・53）。空は暗やみにつつまれ、地はゆれ、岩がさけました。まるで世界にあるものすべてが、イエスの死をなげき悲しむかのように（同27・45、51）。

最後まで、神さまは天使たちに、「イエスを救い出せ」とお命じになることはありませんでした。なぜでしょう。それはひとえに私たちを救うためでした。それほどまでに、神さまは私たちを愛しておられるのです。

恵みのうちに成長しよう

「愛する」とはどういうことだろう。神さまのお示しになる本物の愛とは、他の人のために自分の願っているものを手放すこと。他の人を優先し、自分を最後にすること。たとえ自分は苦しくとも、他の人を助けること。愛とは「ぎせい」をともなうのだ。

April

4月12日

完了した

イエスは酸いぶどう酒を受けると、「完了した」と言われた。そして、頭を垂れて霊をお渡しになった。

ヨハネの福音書19章30節

あなたは今、十字架にかけられたイエスの足もとにいると想像してみてください。耳をすますと、イエスの苦しそうな息づかいが聞こえます。大勢の人のあざけりの声、女たちのすすり泣く声がします。とつぜんあたりが暗くなり、静けさが訪れます。するとイエスは、深く息を吸い、十字架に釘づけられた足にぐっと力を入れて背筋をのばすと、ひとこと「完了した」とさけばれました。

いったい何が完了したのでしょう。

すべての人を罪から救う神さまのご計画が完了したのです。はるか昔エデンの園で始まった神さまの壮大なご計画が、ついに成しとげられたのです。これは、私たち一人ひとりに対する、もっともすばらしいおくり物です。神さまは、大切なひとり子であるイエスの死によって、私たちの罪をすべて洗い流し、私たちを天にむかえ入れてくださるのです。このおくり物を神さまがくださったのは、ただただ私たちに対する愛のゆえなのです。

十字架の出来事は、私たちに対する神さまの愛を表している。大きな画用紙に十字架をえがこう。そのまわりに、神さまへの感謝のことばを書こう。あなたが神さまに「ありがとう」と伝えたいことは何だろう？　具体的に、手紙を書くように、書いてみよう。

April

4月13日

かなめ石

イエスが死んで復活された、と私たちが信じているなら、
神はまた同じように、イエスにあって眠った人たちを、
イエスとともに連れて来られるはずです。

テサロニケ人への手紙第一4章14節

石やれんがでできたアーチのてっぺんに差しこむ石を、「かなめ石」と言います。アーチがこわれずに立つために、かなめ石はなくてはならないものです。キリスト教にとっての「かなめ石」は、イエスの復活です。イエスを信じる私たちにとって最も大事な神さまの約束とは、イエスが死から復活してくださったおかげで、いつの日か私たちもよみがえり、イエスとともに天国に住むことができることです。

パウロは、「もしキリストがよみがえらなかったとしたら、あなたがたの信仰は空しく、あなたがたは今もなお自分の罪の中にいます」（Ⅰコリント15・17）と記しました。言いかえるならば、イエスがたしかに死からよみがえってくださったおかげで、私たちは心からイエスを信じ、罪から解放され、天国に住むことができるということです。

イエスの墓が空っぽであったことに感謝しましょう！

マタイの福音書28章とルカの福音書24章を読もう。イエスのお体が納められた墓が空っぽであったことを見た人は何人いたか、数えてみよう。イエスの敵であったローマの番兵も見ている（マタイ28・4）。これほど多くの目撃者がいることは、イエスの復活の出来事が事実であった、たしかな証拠だと言える！

April

4月14日

イエスを愛する心から

さて、安息日が終わって週の初めの日の明け方、
マグダラのマリアともう一人のマリアが墓を見に行った。

マタイの福音書 28 章 1 節

マグダラのマリアともう一人のマリアは、週の初めの日の朝早くに墓に向かいました。そこに納められているイエスのお体に香料をぬるためです。二人は何の見返りも求めていませんでした。死んでしまった人に何を期待できるというのでしょう。二人はイエスのためにできることなら、何でもしたかったのです。イエスを心から大切に思っていたから、イエスを愛していたからです。

この日の二人のマリアのように、私たちもイエスを愛する心をもって奉仕する者となりましょう。それこそ、本当の意味でイエスに従うということなのです。

教会の奉仕に優劣はない。教会学校の部屋を片づけたり、病気で教会に来ることのできない友だちのためにおみまいのカードを書くことは、講だんに立って聖書の話をしたり、祈るのと同じくらい大切な働き。すべての人（小さな子どもからお年寄りまで）が、教会の大切な一員。そして一人ひとりに大切な働きが用意されているのだ（Ｉコリント 12・12 ～ 26)。

April

4月15日

見ていてくださる神さま

ことばであれ行いであれ、何かをするときには、
主イエスによって父なる神に感謝し、
すべてを主イエスの名において行いなさい。
コロサイ人への手紙3章17節

昨日の話の続きです。マリアたちは、どうしてもイエスのお体に香料をぬらなくてはならないと考え、危険をおかして墓に向かいました。当時のユダヤでは、亡くなった人を墓にほうむる前に、その体に香料をぬってきよめなければならない習慣があったからです。そしてそれは、彼女たちがイエスのためにできる最後の奉仕でした。他にだれも進んで引き受ける人がいなかったので、マリアたちが立ち上がったのです（マルコ16・1、2）。自分たちもつかまって殺されてしまうかもしれない……そんなおそれから、とちゅうであきらめ、引き返したとしても無理はなかったでしょう。

その時、彼女たちは気づいていなかったのです。神さまがちゃんと見守っていてくださったことを。

神さまは私たちの良い行いに、ちゃんと目をとめていてくださいます。

正しいことをしているのに、だれもほめてくれない、気づいてもくれない。そんなふうに思ったことはない？　決してあきらめることなく、正しいことを行い続けよう。「隠れたところで見ておられるあなたの父が、あなたに報いてくださいます」（マタイ6・4）と、聖書に約束されているのだから。

April

4月16日 道はただ一つ

わたしが道であり、真理であり、いのちなのです。
わたしを通してでなければ、
だれも父のみもとに行くことはできません。

ヨハネの福音書 14 章 6 節

天国に行く道はいくつもある、と考える人たちがいます。たくさん良い行いを積めば、あるいはどんな宗教でもよいから一生けんめい信じれば、天国に行けると思っています。そのような人たちは、宗教がちがっても、たがいに認め合うべきだと考えます。

しかし、聖書は、天国に行く道はただ一つ、それはイエスを救い主と信じ、この方に従うことだとはっきり記しています。

神さまは、罪をおかしてしまう私たち、神さまの愛にまだ気づかない私たちが、ただ一つの救いの道であるイエスを信じるのを、忍耐強く待っていてくださいます。

地図を広げよう。行ってみたい場所に印をつけ、そこにたどり着くにはどんな行き方があるか調べてみよう。きっと何通りもの行き方があるだろう。でも、これだけはしっかりと覚えておこう。天国に行く道はたった一つしかないことを。そう、それはイエスを信じ、この方に従うことなんだ。

April

4月17日

がんばるだけではダメ？

しかし、働きがない人であっても、不敬虔な者を義と認める方を信じる人には、その信仰が義と認められます。

ローマ人への手紙４章５節

今、あなたの手元に、「天国銀行」の預金通帳があると想像してみてください。天国に行くためには、預金を増やさなくてはなりません。そこであなたは、思いつくかぎりよい行いをして預金を増やそうとがんばります。友だちに親切にしたり、おとなりの家の庭のそうじをしたり、教会の奉仕にはげみます。そうすれば預金がいっぱいになって、無事に天国に行くことができるでしょうか。

残念ながら答えはノーです。私たちの力では、天国に行くための預金を満たすことはできません。でも、イエスを信じるならば、イエスが代わりに預金をいっぱいにしてくださいます。そう、それが「恵み」なのです。

私たちは、自分の力やがんばりで天国に行くことはできない。救いは神さまのプレゼント、恵みなんだ。あなたが神さまのためにできること、それは礼拝をささげること。神さまの恵みに感謝して、自分のことばで賛美歌を作ってみない？　力いっぱい神さまをほめたたえて歌おう！

April

4月18日

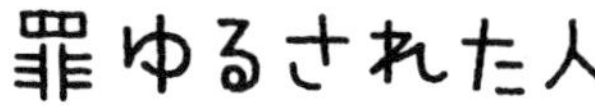

罪ゆるされた人

神は、罪を知らない方を私たちのために罪とされました。
それは、私たちがこの方にあって神の義となるためです。

コリント人への手紙第二5章21節

イエスが十字架にかかって死んでくださったのは、ただただ私たちを愛しておられるからです。罪を一度もおかしたことのないイエスが、私たちの罪をすべて背負って代わりに罰を受けてくださいました。天の父である神さまは、天使の軍勢を送ってイエスを救うこともできたのに、そうはなさいませんでした。私たちが天国に行くことができるようにするために、大切なひとり子をぎせいにされたのです。

たとえあなたが、どんな大きな失敗をしたとしても、神さまに正直にそのことを伝え、ゆるしを願うならば、神さまは喜んであなたをゆるしてくださいます。クリスチャンとは、失敗のないかんぺきな人生を歩んでいる人ではなく、神さまに罪をゆるしていただいている人なのです。

神さまに、あなたのすべての罪を手わたしてしまおう。家にホワイトボードはある？　過去の失敗やまちがいを、思いつくかぎりマーカーで書こう。一つひとつについて、神さまにゆるしを祈ろう。そして白板消しで、全部きれいに消してしまおう。神さまも、あなたのすべての罪を、あなたの心からすっかり消してくださる！

April

4月19日

その名はインマヌエル

「見よ、処女が身ごもっている。そして男の子を産む。
その名はインマヌエルと呼ばれる。」それは、訳すと
「神が私たちとともにおられる」という意味である。
マタイの福音書1章23節

聖書の物語を読みながら、そこに書かれていないことについて、実際のところはどうだったのだろうと思うことはありませんか。たとえば、「エバは、園の中央にある木以外の実も食べたのだろうか」とか、「ノアは、あんなにたくさんの動物が鳴き声を上げる中で、ちゃんとねむれたのかな」とか、「ヨナは、あんな出来事の後でも、晩ごはんに魚料理を食べることができたのだろうか」とか……。

さらには、こんな疑問が頭にうかぶことはないですか？　「神さまは自分のことを本当に気にかけてくださっているのかな」と。ええ、もちろん気にかけてくださっていますとも！　その証拠に、神さまは、あなたのために大切なひとり子をこの世に送ってくださったではありませんか。その方は、「インマヌエル」と呼ばれました。つまり、いつまでもあなたとともにいると約束してくださったのです。

自然をながめているといろいろな疑問がわいてこない？　太陽はなぜ東からのぼるの？　鳥はなぜ鳴くの？　星がかがやいて見えるのはなぜ？　などなど。図書館に行って調べてみよう。神さまは、こんなにもすばらしい自然を私たちにあたえてくださった。神さまが私たちを愛してくださっていることは、疑う余地もないよね！

April

4月20日

燃えるような思い

わが神よ　私は
あなたのみこころを行うことを喜びとします。
あなたのみおしえは　私の心のうちにあります。
詩篇 40 篇 8 節

神さまは、自分の人生にどんなご計画を立てておられるのだろうと思ったことはありませんか。その答えを見つけるために、心にこんな問いかけをしてみてください。神さまの愛を伝えるために「これをしなければ！」と、燃えるような熱い思いになったことはありませんか。

もし歌うことが何よりも好きなら、神さまを賛美しましょう。病気の人や孤独な人を助けたいと心から思うなら、ぜひ行動にうつしましょう。

私は若いころ、伝道者になりたいと思いました。でも、それは神さまが望んでいることなのか、自信がありませんでした。するとある牧師先生から言われたのです。「それをしなくてはならないと心にせまるものを感じるなら、それはあなたへの神さまのご計画なのだよ」と。その時、気づいたのです。神さまは、燃えるような思いをあたえてくださっていることに。

同じようにいつの日か、神さまがあなたの心を燃やしてくださる日が訪れるにちがいありません。

あなたが心からしたいと思うことを挙げてみよう。野球？　歌を歌うこと？　工作？　読書？　自分の好きなことを用いて、神さまを礼拝し、伝道するにはどうしたらよいか、祈って考えてみよう。神さまがきっと道を示してくださる！

April

4月21日

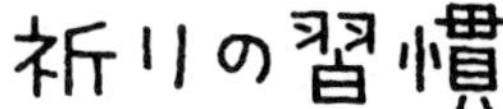

祈りの習慣

だが、イエスご自身は寂しいところに退いて
祈っておられた。

ルカの福音書5章16節

スマホやゲーム、テレビからはなれて、神さまとふたりきりの時間、ただ神さまの声を聞くための静かなひとときをもったことはありますか。

イエスはこの地上におられた時、祈りの時間を大切になさっていました。神さまに心の思いを打ち明け、神さまの声に耳をすませることを習慣にしていたのです。

弟子の一人であったマルコは、イエスが朝早く、まだ暗いうちに起きてさびしいところに出かけて行き、祈っておられたことを記録しています（マルコ1・35）。

一度も罪をおかしたことのない神さまのひとり子であるイエスですら、これほどまでに熱心に祈る方であったのです。私たちも、神さまとともにすごす祈りの時間を大切にしようではありませんか。

一日のタイムスケジュールを円グラフにしてみよう。すいみん、食事、勉強、遊びのために、それぞれどのくらい時間を使っている？　祈りのための時間はどのくらい？　時間の使い方を見直す必要はあるだろうか。ちょっと考えてみよう。

April

4月22日

イエスに似た者に

私たちは、キリストが現(あらわ)れたときに、
キリストに似(に)た者になることは知っています。
キリストをありのままに見るからです。
ヨハネの手紙第一３章２節

私たちがやがて天国にむかえられる時、すばらしい出来事が待っています。私たちは一瞬(いっしゅん)のうちにイエスと同じ姿(すがた)に変えられます（Ⅰコリント15・52)。その時、神さまの働きが完成し、私たちの心はイエスのようになるのです。

天国では……

・私たちは、完全な愛でたがいに愛し合うようになる。
・心からの喜(よろこ)びをもって、神さまに礼拝(れいはい)をささげるようになる。
・神さまのことばをすべて理解(りかい)できるようになる。
・私たちの心と思いは純粋(じゅんすい)なものとなり、私たちのことばはまるで宝石(ほうせき)のように美しいものになる。

私たちは、イエスに似(に)た者とされるのです！

今この地上でも、宝石(ほうせき)のような美しいことばを口にすることを心がけよう。朝、片手(かたて)ににぎれるほどの小石を拾ってポケットにしのばせよう。まわりの人たちに親切でやさしいことばをかけるたびに、小石を一つずつ道に落とそう。一日の終わりにはポケットをからっぽにできるかな？

April

4月23日

神さまとの平和

わたしはもう、あなたがたをしもべとは呼びません。
……わたしはあなたがたを友と呼びました。

ヨハネの福音書 15 章 15 節

イエスが十字架の上で死んでくださったおかげで、私たちは罪ゆるされ、天国に行くことができます。聖書は、「こうして、私たちは信仰によって義と認められたので、私たちの主イエス・キリストによって、神との平和を持っています」（ローマ5・1）と記します。

神さまとの平和とは、いったいどのようなものでしょう。何かのはずみに、ロックが大音量で鳴りひびくコンサート会場にまよいこんでしまった、あるいはどなり合いのけんかをする人たちの中にまぎれこんでしまった、と想像してみてください。その場からぬけ出したとたん、胸のドキドキはおさまります。静けさ、そして平和を取りもどし、ホッと一息つくことができますね。

神さまとの平和は、それよりもはるかに安らかです。天国では、さけび声も、騒音も、言い争いもありません。あるのは愛、喜び、そして平和です。神さまとの平和は、国どうしの平和、友だちどうしの平和、家族の平和よりもはるかにすばらしいのです。

私たちが神さまとの平和を持つことは何よりも大切なことだけど、この地上にある国どうしが平和を築くこともとても大事。世界で紛争のある地域のために祈ろう。戦争をなくすために、私たちにできることはないか考えてみよう。

April

4月24日

罪を告白する

幸いなことよ
その背きを赦され　罪をおおわれた人は。

詩篇 32 篇 1 節

すでに神さまに罪をゆるされているのだとしたら、なぜ、わざわざ罪を告白する必要があるのでしょう。どうしてイエスは「私たちの負い目をお赦しください」（マタイ6・12）と祈るよう、教えたのでしょう。

それは、あなたがまちがったことをした時、お父さんやお母さんに、あやまりなさいと言われるのと同じことです。たとえあなたがまちがったことをしても、「あなたはもうこの家の子どもではない！」と追い出されることはありません。でも、あなたがいつまでもあやまらなければ、お父さん、お母さんとの関係がぎくしゃくしてしまうでしょう？　ちゃんと素直に自分のしたことを反省してあやまれば、お父さんやお母さんへのわだかまりはすっかり消えて、良い関係を取りもどすことができますね。

同じように、あなたが罪をおかしてしまったとしても、あなたが神さまの子どもであることは変わりません。でもすぐに神さまに罪を告白してゆるしていただくことを習慣にすれば、私たちは神さまと、より親しくなれるのです。

お父さんやお母さんの知らないところでまちがったことをしてしまい、今もかくしていることはない？　素直にごめんなさい、とあやまろう。そして神さまにもゆるしを願おう。神さまもすっかりゆるしてくださるよ！　きっとあなたの気持ちも楽に、そして元気になるはず。

April

4月25日

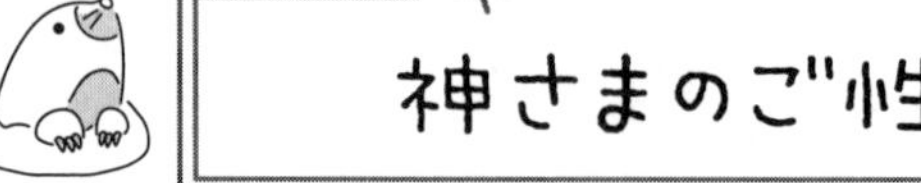

神さまのご性質

神の、目に見えない性質、すなわち神の永遠の力と
神性は、世界が創造されたときから被造物を通して
知られ、はっきりと認められるので、
彼らに弁解の余地はありません。

ローマ人への手紙1章20節

神さまは、ご自身がどのような方か、聖書を通してはっきりと私たちに教えてくださいました。でも、「天は神の栄光を語り告げ」（詩篇 19・1）とあるように、聖書を一度も読んだことのない人も、自然の姿やようすから、神さまについて知ることができるのです。

自然は、神さまのご性質について、はっきりと私たちに教えてくれます（同 19・2～4)。自然の雄大さ、細やかさ、不思議さにふれる時、これを創造した方がきっといらっしゃるにちがいないという思いが、私たちの心にあたえられます。

私たちが、心をつくして神さまをさがし求めるなら、必ず見つけることができると、神さまは約束してくださいました（エレミヤ 29・13)。

神さまは、自然を通し、ご自身がどのような方か、あなたにも教えてくださる。公園をゆっくりと散歩してみよう。鳥を見かけたら、こんな小さな生き物でさえも養ってくださる神さまに感謝しよう。花を見かけたら、こんなに美しいものを創造される神さまをほめたたえよう。顔に風を感じたら、神さまの偉大な力をおそれ、心から礼拝しよう。

April

4月26日 真の強さ

雄々しくあれ。心を強くせよ。
すべて主を待ち望む者よ。

詩篇 31 篇 24 節

インドの小話を一つ。むかしむかし、ネコがこわくて仕方のないネズミがいました。そこで、魔法使いにたのんで姿をネコに変えてもらい一安心。するとそこに強そうなイヌが通りかかったので、今度は姿をイヌに変えてもらいました。そこに、さらにどう猛なトラがやってきたので、もう一度魔法使いにたのみ、トラの姿にしてもらいました。するとトラがやってきて、「近くにりょうしがいるから気をつけろ」と耳打ちしてきました。そこでネズミは、次はりょうしの姿にしてほしいと魔法使いにたのみました。すると、魔法使いはこう言ったのです。「いや、君を元のネズミにもどすことにするよ。どんなに強そうな姿に変えても、君の心の中は、こわがりのネズミのままだからね」と。

真の勇気は、どんなに見た目を変えたところで手に入れられるものではありません。神さまに内側から強くしていただかなくてはならないのです。

お城のある公園に出かけたことはある？　お城は、がんじょうな石でできた砦に囲まれている。敵が急におそってきても、砦の内側にいれば安心だ。神さまは、私たちの「砦」（詩篇 31・3）。私たちをサタンから守ってくださる。神さまによりたのんでいれば、私たちは強い！

April

4月27日

あなたを造ったのは？

あなたこそ　私の内臓を造り
母の胎の内で私を組み立てられた方です。
詩篇 139 篇 13 節

わが家のクローゼットに、今の私には小さくて着られなくなったセーターが一枚あります。でも、私はどうしてもそのセーターを捨てることができません。それは私が幼いころ、母が私のために作ってくれたものだから。ひと針ひと針心をこめて、ていねいに編んでくれた大切なセーターだからです。

さて、あなたを創造し、組み立てた方はどなたでしょう。そう、神さまです。あなたは決して、偶然にできたわけではありません。神さまが愛をこめ、ご自身の手で造ってくださった特別な存在なのです（詩篇 139・13）。人は、あなたの着るものや成績、運動能力であなたの価値を決めるかもしれません。でも覚えていてください、あなたの状態がどうであろうとも、あなたには特別な価値があるということを。なぜって？　あなたをお造りになったのは神さまだからです！

恵みのうちに成長しよう

あなたのとくちょうを一つひとつ紙に書き出してみよう。あなたのかみの毛や目の色、性格、得意なこと……。神さまが、あなたをそのようなすばらしい存在に造ってくださったことを感謝しよう（詩篇 139・14）。

April

4月28日

私を思い出してください

まことに、あなたに言います。あなたは今日、
わたしとともにパラダイスにいます。
ルカの福音書 23 章 43 節

イエスのとなりで十字架にかけられていた犯罪人は、おそらくはとんでもない罪をおかしたのでしょう。それなのに「御国に入られるときには、私を思い出してください」とイエスにお願いするなんて、ずいぶん虫のいい話だと思いませんか？

でもね、胸に手を当ててよく考えてみてください。あなたは一度も失敗したことはないのでしょうか。どんなときも正しく生きているのでしょうか。そうではありませんよね。たとえ良い行いをたくさん積み重ねたとしても、天国に入るには不十分です。私たちもこの犯罪人と同じように、「イエスさま、私を思い出してください」とお願いするしかないのです。イエスは、この犯罪人におっしゃったように、私たちにもこう声をかけてくださるはずです、「もちろんだとも。あなたもわたしとともに天国に入ることができるよ！」と。

恵みのうちに成長しよう

もし神さまにゆるしていただきたいことがあったら、次の詩篇のことばを、心をこめて祈ろう。「神よ　私をあわれんでください。あなたの恵みにしたがって。私の背きをぬぐい去ってください。あなたの豊かなあわれみによって。私の咎を　私からすっかり洗い去り　私の罪から　私をきよめてください」（詩篇 51・1、2）

April

4月29日

あなたにしかできないこと

神に近づきなさい。そうすれば、神はあなたがたに
近づいてくださいます。
ヤコブの手紙４章８節

神さまに祈るのは大切なことだとわかっているけど、毎日は続かないという人は多いかもしれません。しなければならないことが他にたくさんあるし、静かにじっとしているのはがまんがいるからです。

そこで、自分で聖書を読み、自分で神さまの声に耳をすませるよりも、聖書を読んで祈るのは他の人にまかせて、あとでその人の話を聞けばよいと考える人がいます。でもそれってよく考えると、おかしな話ですよね。だって、それなら、いそがしいあなたに代わって他の人に遊びに出かけてもらえばよい、あなたに代わって他の人に食事をしてもらえばよいということになってしまいます。

他の人には代わってもらえないこと、あなたにしかできないことがあるのです。神さまとの交わりの時間をもつこともその一つです。

自分で聖書を読んで、神さまの声を聞く習慣を身につけよう。日曜日に教会に行ったら、牧師先生や教会学校の先生の話をしっかり聞こう。家に帰ったら、聖書の箇所をもう一度読み直し、神さまが何を伝えようとしておられるか、自分の頭で考えてみよう。

April

4月30日

神さまのゆるし

私たちの日ごとの糧を、今日もお与えください。
私たちの負い目をお赦しください。
私たちも、私たちに負い目のある人たちを赦します。
マタイの福音書6章11、12節

私たちはみんな罪人です。失敗をしない人は一人もいません。すべての人は神さまのゆるしが必要なのです。イエスは、「私たちの負い目をお赦しください。私たちも、私たちに負い目のある人たちを赦します。私たちを試みにあわせないで、悪からお救いください」（マタイ6・12、13）と祈りなさいとおっしゃいました。

パウロは次のように言います。「それなのに、あなたはどうして、自分の兄弟をさばくのですか。どうして、自分の兄弟を見下すのですか。私たちはみな、神のさばきの座に立つことになるのです」（ローマ14・10）と。

つい友だちやきょうだいとけんかしてしまうこと、私たちにもありますよね。そんな時、こちらも負けずにやり返すのではなく、ゆるしてあげましょう。私たちも神さまから、大きな恵みによってゆるされているのですから。

きょうだいといつも仲良くするのは難しいね。今度、けんかになりそうになったら、やり返す代わりに、「ちょっとタイム！」と言っていったんその場からはなれよう。そして、短く神さまに祈って心を静めていただこう。気持ちが落ち着いたら、もどって仲直りしよう！

5月
May
あなたのみことばは　私の足のともしび
私の道の光です。
詩篇119篇105節

5月1日
あなたの祈りに

主の目は正しい人たちの上にあり、
主の耳は彼らの叫びに傾けられる。

ペテロの手紙第一3章12節

この世界は、私たちの関心を引くような、楽しくてしげき的な情報にあふれています。ですから、わざわざゲームやスマホをわきに置いて私たちに向き合い、話をじっくりと聞いてくれる人がいたら、感謝しなくてはなりません。そのような人は少ないからです。

でも、天の神さまは、どんなときも熱心にあなたの祈りに耳をかたむけてくださいます。神さまにとって、あなたのことばは、美しい宝石のようなのです。あなたの祈りの一言ひとことは、やさしいそよ風のようにまい上がり、神さまのいらっしゃる御座に届きます。神さまは、あなたの祈りを聞いて、みこころをこの地に実現してくださるのです（マタイ6・10）。

私たちは、祈りの力や不思議さについてすべてを理解することはできないかもしれません。でも、これだけは覚えておいてくださいね。神さまはどんな時もあなたの祈りを聞き、必ずこたえてくださる方なのだということを。

神さまはどんな時も、必ず手を止めてあなたの祈りを聞いてくださる。同じように、あなたも、テレビを消し、スマホを置き、イヤフォンを耳からぬいて、神さまの声を聞く時をもとう。神さまはささやくように語られる。だから、注意深く耳をすませなくてはならないんだ。

May

5月2日

主よ、助けてください。

するとペテロが答えて、「主よ。あなたでしたら、
私に命じて、水の上を歩いてあなたのところに
行かせてください」と言った。

マタイの福音書 14 章 28 節

ペテロはこの時、イエスを試そうとしてこんなことを言ったのではありません。どうしても水の上を自分の足で歩いてイエスのところに行ってみたくなったのでしょう。勇んで水に足をふみ入れたペテロは、そのまま歩き始めます。しかしとちゅうで急にこわくなってしずみかけ、「主よ、助けてください！」とさけぶのです。

私たちの歩みも、この時のペテロとどこか似てはいないでしょうか。私たちも、自分の力で問題に立ち向かおうとしますが、とちゅうでどうしてもイエスの助けが必要であることに気づき、「助けてください！」と祈るのです。

でもね、安心してください。イエスは私たちの弱さをちゃんとごぞんじです。すぐに手をのばして、ペテロを水の中から助けてくださったように、私たちの祈りにもちゃんとこたえてくださいますよ。

湖に遊びに出かけることがあったら、水に手をひたしてみて！　あらしではげしく波立つ水に、足をふみ入れたペテロの気持ちを想像してみよう。真っ暗な中、底の見えない湖の上を歩くのはどんなにかこわかっただろうね。でも、ペテロは、どなたに助けを求めるべきか、よくわかっていた。そう、それはイエス！

たゆみなく祈りなさい。感謝をもって祈りつつ、
目を覚ましていなさい。
コロサイ人への手紙４章２節

家族で出かけた時、お父さんやお母さんが、あなたの願いを全部かなえてくれたとしたら、いったいどんなことになってしまうでしょうね。アイスクリーム屋さんのアイスを全種類食べまくり、おなかをこわしておしまい、でしょうか？

同じように、もし神さまがあなたの願いをすべて聞いてくださったら、あなたの人生はひどいことになります。「神は、私たちが御怒りを受けるようにではなく、主イエス・キリストによる救いを得るように定めてくださったからです」（Ⅰテサロニケ5・9）と聖書は記します。あなたに対して神さまがいちばん望んでいらっしゃるのは、あなたが「救いを得る」こと、天国をめざしてこの人生を歩むことなのです。ですから神さまは、あなたのために立てたご計画をじゃまするような願いを、決してお聞きになりません。

私たちの幸せをいちばんに考えてくださる神さまに信頼し、従いましょう。

あなたのお願いに、お父さんやお母さんから「ダメ」と言われることがあるよね。おこったりすねたりする前に、なぜダメと言われたか、じっくりと考えてみよう。それはあなたの幸せのため、あなたを守るためとわかるはず。「どうして？」と言い返す代わりに「ありがとう」と言おう。きっとびっくりして喜んでくれるよ。

May

5月4日

道の光

あなたのみことばは　私の足のともしび
私の道の光です。
詩篇 119 篇 105 節

聖書には、神さまが私たちのために立ててくださったご計画が書かれています。聖書は、罪をおかした私たちは失われた者であり、救いが必要であること、神さまであるイエスが人となって、私たちを救うためにこの世に来てくださったことが記されているのです。

聖書は一人の人が書いた書物ではありません。1600 年にわたり、約 40 人もの人たちの手で記されました。最初のことばは、モーセがアラビアのさばくで記したと言われています。そして最後のことばは、ヨハネがパトモス島で記しました。長い年月をかけ、さまざまな人たちによって書かれた聖書ですが、伝えているのはただ一つ、神さまが私たちのために立ててくださった救いのご計画です。聖書は始めから終わりまで、私たちに対する神さまの愛につらぬかれているのです。

山登りをする時、必ず方位磁石を持っていきますね。聖書は、人生の行き先を示す方位磁石のようなものです。もし方角を調べなければ（聖書を読まなければ）、目的地（天国）に行き着くことができないのです。

聖書は、私たちの道の光だ。大人の人といっしょに、夜の暗い時間に散歩に出かけて、懐中電灯で、目の前の道を照らしながら歩いてみよう。灯りのおかげで、安全に進むことができる。人生を歩む時も、私たちの行くべき道を照らしてくれる聖書があれば安心だね。

だれが、神に選ばれた者たちを訴えるのですか。
神が義と認めてくださるのです。

ローマ人への手紙８章33節

サタンはひきょうな告げ口屋です。あなたが過去におかした失敗やまちがいをこまかく記録しています。そして、いちいちあなたの心にささやいて思い出させ、立ち直るのをじゃまするのです。

いつの日かあなたが神さまのさばきの座に立つ時、「こいつはたくさん失敗しましたから天国には行けませんよね！」とサタンがそばからさけびます。あなたはそれを聞いて、うなだれます。サタンの言うとおりだからです。

でも神さまはおっしゃいます。「たしかにそうだ。この人は死をもってつぐなわなくてはならないほどのことをした。だが、すでにイエスがこの人の代わりに死んで罰を受けたのだ！」と。

それを聞いたサタンは口をつぐみます。

「あなたの罪はゆるされたのだよ」との神さまのやさしいことばに、あなたの心は喜びおどるはずです。

神さまは、あなたのために救いのご計画を立ててくださった。聖書のことばを信じ、神さまに従うなら、サタンをおそれる必要はない。神さまは、あなたの人生を導いてくださる。毎日聖書を読んで祈り、神さまがあなたに望まれることは何か、教えていただこう。

子どもたち。あなたがたは神から出た者であり、
彼らに勝ちました。あなたがたのうちにおられる方は、
この世にいる者よりも偉大だからです。

ヨハネの手紙第一４章４節

一見すると、サタンがこの世の戦いに勝利しているように思えることがあります。でも、この世界を支配しておられるのは神さまです。サタンのたくらみでさえ、良いことのためにお用いになります。イエスが十字架で死なれた時、サタンは自分たちの勝利を確信しましたが、神さまはイエスをよみがえらせ、私たちに救いをもたらしてくださいました。神さまは、サタンに完全に勝利されたのです。

初代教会のクリスチャンたちは、迫害を受けてあちこちににげましたが、そのおかげで福音が、遠くさまざまな場所に届けられました。神さまを信じていても、悲しいことが起きます。もしつらい出来事があったら、神さまはそれを用いて良いことを実現してくださると信じましょう。「神を愛する人たち……のためには、すべてのことがともに働いて益となる」（ローマ8・28）と約束されているのですから。

イエスを信じていると、人にからかわれ、バカにされることがある。みんながズルをしているとき、一人だけ「それはよくないよ」と言うと、仲間はずれにされることもある。イエスに従って生きるとき、つらいことや苦しいこともあるかもしれない。でも、神さまからいただくごほうびのほうがはるかに大きい！

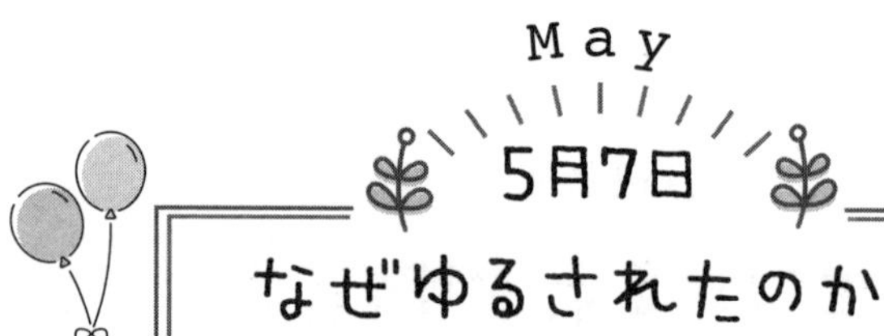

May

5月7日 なぜゆるされたのか…

キリストは、私たちをすべての不法から贖い出し、
良いわざに熱心な選びの民をご自分のものとして
きよめるため、私たちのためにご自分を献げられたのです。

テトスへの手紙2章14節

「どうせ神さまはすべての罪をゆるしてくださるのだから、自分のしたいようにしてもいいのでは？」と思ったことはありませんか。でもね、よく考えてみてください。神さまが大きな恵みによって私たちをゆるしてくださるのはなぜなのでしょう。その目的は何でしょう。大切なひとり子であるイエスが死んでくださったのは、私たちが神さまに逆らって好き勝手に生きるためでしょうか。いいえそうではありません。聖書は、神さまの恵みが私たちに注がれたのは、「私たちが不敬虔とこの世の欲を捨て、今の世にあって、慎み深く、正しく、敬虔に生活」（テトス2・12）するためだと教えています。

せっかく神さまが、恵みによってすっかりきれいにしてくださったのに、けがれた罪の生活にもう一度もどりたくはありませんよね。

自分がブタになったと想像してみよう。沼の中に飛びこみ、全身ドロだらけになった自分。時間がたつにつれ、ドロがかわいてあちこちかゆくなってくる。そこに大雨がふり、体にこびりついたドロが洗い流され、すっかりきれいになった。あなたはもう一度沼の中に飛びこみたい？　もちろんいやだよね！　神さまにゆるしていただきながら、ふたたび罪の生活にもどる人は、まさにこのブタのようなものだ（Ⅱペテロ2・20～22）。

May

5月8日

さばいてはなりません

あなたがたは、自分がさばく、そのさばきでさばかれ、
自分が量るその秤で量り与えられるのです。

マタイの福音書７章２節

朝、校門前でつまずいて転ぶ友だちを見て、「おっちょこちょいだなあ」と笑うあなたは、実はその子が前日につらいことがあって寝不足であることを知りません。足をひきずりながら歩く人のかっこうをおもしろがる私たちは、その人のくつの底に小石がまぎれこんでいるのを知りません。

いつもふざけてばかりいる人は、本当はとてもさみしいのかもしれません。ツンとしてだれとも仲良くなれない人は、過去にひどく裏切られた経験があるのかもしれません。私たちが目にする人の姿や行動の裏に、どんな事情がかくされているのかをごぞんじなのは神さまだけなのです。

ですから、人のことを簡単に決めつけ、さばいてはいけません。私たちはただ、どんな人に対しても、「兄弟愛を示し、心の優しい人となり、謙虚で」（Ｉペテロ3・8）いましょう。「あなたがたの間で良い働きを始められた方は、キリスト・イエスの日が来るまでにそれを完成させてくださる」（ピリピ1・6）のです。つまり、あの人もこの人も、私もあなたも、まだまだ未完成だということ。神さまが一人ひとりに、今も働き続けていてくださるのです。

本の表紙だけ見て、その内容をすべて言い当てることはできる？もちろん、できないよね。人だって同じ。外に現れた態度だけでは、その人の心の中を知ることはできない。本も人も、「表」だけ見て判断しないようにしよう。

May

5月9日

神さまの声を聞くために

主が来て、……「サムエル、サムエル」と呼ばれた。
サムエルは「お話しください。しもべは聞いております」
と言った。

サムエル記第一3章10節

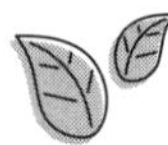

神さまの声を聞くために必要なものは、次の三つです。

一つ目は「時間と場所」。一人になれる場所はありますか。自分の勉強部屋、あるいはベッドの上、どこでもかまいません。朝起きてすぐの時間のほうが頭がさえてよいと考える人もいれば、夜ねる前のほうが集中できる人もいますね。

二つ目は、「聖書」。神さまはみことばを通して語ってくださいます。まずは聖書を読んで、ことばの意味を正しく理解できるよう、神さまに祈りましょう。

三つ目は「聞く心」。あなたがイエスのようになりたいならば、神さまがあなたに何を伝えようとしておられるのか、しばらくのひととき心の耳をすませましょう。そして神さまに教えていただいたことを、勇気を出して行う者となりましょう。

恵みのうちに成長しよう

神さまの声を聞くために必要な三つのことを、いつも覚えていることができるように、しおりを作ろう。しおりに、「時間と場所」、「聖書」、「聞く心」と書いて、いつでも思い出せるように聖書にはさんでおこう。

May

5月10日
ただ信仰によって

心に血が振りかけられて、邪悪な良心をきよめられ、
からだをきよい水で洗われ、全き信仰をもって
真心から神に近づこうではありませんか。

ヘブル人への手紙 10 章 22 節

ある人が日曜日に教会に行き、こんな祈りをささげました。「神さま、先週、私は 15 人の人に親切にし、21 回お父さんとお母さんの言いつけを守り、12 回も良いことをしたので、天国に行くきっぷをください！」と。

おやおや、なんだかおかしな祈りですね。私たちは、どんなに良いことをしても「救い」と交換することはできないからです。もちろん神さまはあなたが正しいことをするのを喜んでくださいます。でも、それで天国行きのきっぷを手にできるわけではありません。

それでは、天国に行くために必要なものとは、いったい何でしょう。パウロは、「この恵みのゆえに、あなたがたは信仰によって救われたのです。それはあなたがたから出たことではなく、神の賜物です。行いによるのではありません」（エペソ2・8、9）とはっきり記しています。神さまの恵みによって救われると信じる人は、必ず天国に行くことができるのです。

恵みのうちに成長しよう

神さまからのいちばんのプレゼント、つまり恵みは、「罪からの救い」。でも、私たちは、他にもたくさんの恵みを神さまからいただいているよ。一つひとつ、思いつくかぎり挙げてみよう。家族があたえられていること、学校に通うことができること、食べ物、空気、……あとどんなものがあるかな？

May

5月11日

それぞれにふさわしい恵み

主はご自分に属する者を知っておられる。

テモテへの手紙第二2章19節

いつの日か、私もあなたも、一人ひとり神さまの前に連れて行かれ、さばきの座につきます。あなたの人生について記した本が開かれ、あなたがしてきたことが読み上げられます。数々のウソ、人への裏切り、いかり、不親切……。でも、あなたの失敗や罪が読み上げられるたびに、神さまが恵みとゆるしを声高らかに宣言なさるのです。

神さまは私たち一人ひとりをよく理解し、一人ひとりにふさわしい恵みをくださる方です。きっとその時初めて、私たちは神さまの恵みの大きさ、豊かさに気づくのかもしれません。

その時、サタンはコソコソと姿をかくし、天使の賛美の声がひびきわたります。私たちはどれほど多くの罪をゆるされ、どれほど神さまに愛されているかを知り、心からの喜びをもって神さまに礼拝をささげることでしょう。

神さまは、あなたのことをよくごぞんじだ。そう、あなたよりも！　そんなことはありえないって？　あなたは自分のかみの毛が何本あるか知っている？　数えたこともないからわからないよね。でも、神さまはごぞんじなんだ。マタイの福音書10章30節にそう書いてあるよ！

いちばん良いこと

キリスト・イエスにあって神が上に召(め)してくださるという、
その賞(しょう)をいただくために、目標を目指して走っているのです。
ピリピ人への手紙3章14節

これからは自分の好き勝手にしていいよって言われたら、うれしいですよね。歯をみがかなくても、おふろに入らなくても、着がえなくても、そうじをしなくても、だれからももんくを言われません。

数日のあいだは楽ちんでいいかもしれませんが、だんだんとあなた自身がたえられなくなってきます。部屋が散らかっていると落ち着かないし、口の中はネバネバするし、体のあちこちがかゆくなってきます。部屋を片(かた)づけ、おふろに入ってきれいな服に着がえ、歯をみがいてさっぱりしたくなるにちがいありません。

なぜでしょう。私たちは、自分にとって本当は何が良いことなのか、心の底ではちゃんとわかっているからです。

イエスに出会うと、罪(つみ)ゆるされて正しく生きるのがいちばん良いことだと気づきます。昔の生活にもどりたいですか。とんでもない！　神さまに従(したが)って生きるのがいちばん心地よくて幸せだということ、もうあなたにはわかっていますよね。

だれかに代わってそうじをしよう。きっと、喜(よろこ)んでもらえるよ！
日曜日に早めに教会に行って、玄関(げんかん)のそうじをしよう。教会学校のあと、先生方に代わって聖書(せいしょ)や賛美歌(さんびか)を戸だなにしまおう。礼拝(れいはい)の後、母子室がおもちゃで散らかっていたら、お母さんたちに代わって片(かた)づけをしよう。

あなたがたは、わたしをだれだと言いますか。

マルコの福音書8章29節

イエスは弟子たちに、「あなたがたは、わたしをだれだと言いますか」とおたずねになりました。「わたしが行った奇跡についてどう思いますか」、「あなたの友だちや親はわたしをだれだと言いますか」と聞いたのではなく、「これは、他でもない、あなたへの質問なのだ、あなたはわたしをだれだと言うのか」、とおたずねになったのです。

これからあなたが大人へと成長するなかで、いろいろな質問をされることでしょう。

「大人になったら何になりたい？」

「どこに住みたい？」

「どんな人と結婚したい？」などなど。

その中でも、イエスがなさったこの質問ほど、あなたの人生にとって大事な問いはありません。

「あなたは、わたしをだれだと言いますか」

さて、あなたはなんと答えますか。

あなたは、イエスのことをだれだと言うだろう？　画用紙の真ん中にイエスの絵をえがこう。そのまわりに、イエスはあなたにとってどんな方か、書いてみよう。救い主？　平和の君？　王なる王？　もしわからなかったら、聖書を開いて、イエスについて書かれていることばをさがしてみよう。

May

5月14日

人生の山

わたしの恵みはあなたに十分である。わたしの力は
弱さのうちに完全に現れるからである。

コリント人への手紙第二 12 章 9 節

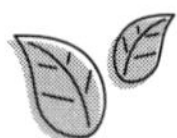

人生とは山登りのようなものです。人生には、あまりにもけわしすぎて自分の力ではとうてい登ることのできない山があります。それは、天国に入るために「罪を取り除く」という山です。この山は、神さましか登ることができません。

「試験合格」という山は、勉強をがんばれば登り切ることができるでしょう。「運動会で一等賞を取る」という山は、毎日走る練習をすればてっぺんに到達できるかもしれない。

でも、「罪から解放される」という山だけは、あなたの力では登れません。神さまご自身が、あなたがすべり落ちないようにしっかりと手をにぎり、時には背負い、その山を登ってくださるのです。

安全に山登りをするためには、ハーネスベルトやロープなどの道具が必要だ。神さまは、あなたが安全に人生の山を登ることができるように、あなたに「力」と「自信」という道具をあたえ、そして道からそれて落ちてしまわないように見守っていてくださるんだ。

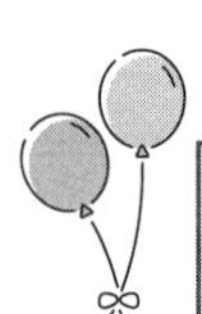

5月15日
進路を変えるには？

義人は信仰によって生きる。

ローマ人への手紙１章17節

以前こんな出来事がありました。私は、コロラドに行くつもりが、うっかり反対に向かう飛行機に乗ってしまったのです。ちかうゲートをくぐってそのままちがう飛行機に乗り、行き着いた先は、なんとテキサスだったのです！

パウロは、私たちも、人生において同じまちがいをしてしまったのだと言います。「義人はいない。一人もいない」（ローマ３・10）、「すべての人は罪を犯して、神の栄光を受けることができ」ない（同３・23）と聖書に記されるとおりです。

私たちは人生においてまちがった道をつき進んでしまったとき、自分の力で正しい道にもどることはできません。まちがって乗ってしまった飛行機から自力で脱出することができないように。

人生の進路を正しく変えるためには、イエスの力が必要なのです。ローマ人への手紙３章21～26節をじっくりと読みましょう。

飛行場に行くと飛行機がならんでいて、どの飛行機も同じように見える。でも、パイロットや客室乗務員は、ちがいをちゃんとわかっている。私たちの人生にはたくさんの道がある。一見正しく見えていても、まちがった道がある。そのちがいがわかるのは神さまだ。どの道に進むべきか、聖書を開いて祈り、神さまにたずねるようにしよう。

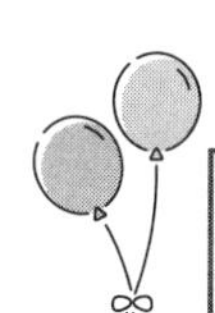

5月16日
あなたの本当の家とは

あなたがたは世のものではありません。
わたしが世からあなたがたを選び出したのです。
ヨハネの福音書 15 章 19 節

親せきや友だちの家、あるいはホテルにとまった経験があるでしょう？ そこでどんなごちそうが出ても、ベッドがふかふかでも、家に帰るとホッとした気持ちになりますよね。なんだかんだ言っても、落ち着くのは自分の家、やっぱり「わが家がいちばん！」なのです。

聖書は、あなたの本当の居場所はこの世ではなく、天の父である神さまがいらっしゃる場所だと記しています。

この世には悲しいこと、つらいことがあります。そしてこの世の楽しみは、私たちに本当の満足や喜びをもたらすものではありません。私たちがやがて天国にむかえられ、神さまと顔を合わせて会うことができる時、私たちは本当の家に帰ったように、心から安心することができるのでしょうね。

神さまの子どもである私たちは、この世にいても、天国の喜びを味わうことができるよ。そのひけつは、聖書を読むこと！　ポケットに入るくらいの小さな聖書を買ってもらおう。リュックやかばんに入れて持ち運んで、ちょっぴり「ホームシック」になったら取り出して、あなたの「本当の家」はどんな場所か読んでみよう。

May

5月17日

神さまとともに働く

私たちは神とともに働く者として、あなたがたに勧めます。

コリント人への手紙第二６章１節

私たちは、神さま「のために」働くだけでなく、神さま「とともに」働くのだということに気づくことができたら、どんなにすばらしいでしょう。私は、何年ものあいだ、神さまは大きな会社の社長さんのような方なのだと思っていました。にこにこしていてやさしいけれど、近よりがたい存在。神さまは、いつも社長室の大きないすにデンと座っていて、私はひとりでせっせと働き、神さまに会うのは仕事の進み具合を報告に行く時だけ。電話やメールをすればいつでもアドバイスをしてくれるけれど、いっしょに働く？　とんでもない！　そう思っていました。

そんなある日、コリント人への手紙第二６章１節「私たちは神とともに働く」というみことばに出合ったのです。そう、私たちが汗水流して神さまのために働く時、その場にはいつも神さまがいて、いっしょに働いていてくださるのです。

恵みのうちに成長しよう

今日あなたが「働く」（家のお手伝いや宿題、神さまのために奉仕をする）時、そばにはどなたがおられるか思い出そう。そう、神さまがあなたとともにいてくださる！　それに気づけば、あなたは何をするにしても、いいかげんなことはできないはず。「何をするにも、人に対してではなく、主に対してするように、心から行いなさい」（コロサイ３・23）。

May

5月18日 神さまが選んでくださった

医者を必要とするのは、丈夫な人ではなく病人です。……わたしが来たのは、正しい人を招くためではなく、罪人を招くためです。

マタイの福音書9章12、13節

イエスは、「あなたが神さまの子どもとしてふさわしく成長したら、あなたのために十字架で死ぬことにしよう」とはおっしゃいませんでした。

神さまは、罪にまみれ、失敗だらけであった私たちをありのまま愛し、ご自身の子どもにしようと思われたのです。

神さまは、私たちを一人ひとり見いだし、召してくださいました。そして私たちの心にふれ、神さまに従いたいという思いをあたえてくださったのです。

次のみことばは真実です。「私たちがまだ罪人であったとき、キリストが私たちのために死なれたことによって、神は私たちに対するご自分の愛を明らかにしておられます」（ローマ5・8）。「あなたはもはや奴隷ではなく、子です。子であれば、神による相続人です」（ガラテヤ4・7）。

神さまは、まだ私たちが罪人であった時に私たちを選び、ご自身の子どもとしてくださいました。神さまに信頼し、安心して生きる者となりましょう。

神さまが「見いだしてくださった」とは、イエスが失われた者（私たちのことです！）を救うために来られたということ（ルカ19・10）。「召してくださった」とは、神さまが私たちの心に語りかけてくださったということ（ローマ1・6）。私たちが神さまの子どもとなったのは（同8・16、17）、偶然でも、何かのまちがいでもなく、神さまが選んでくださったから。

May

5月19日

何も敵対できない！

神が私たちの味方であるなら、
だれが私たちに敵対できるでしょう。

ローマ人への手紙８章31節

さて、あなたに敵対するものとはいったいなんでしょう。スポーツクラブでいつも会う意地悪な子？　あなたのかげ口を言うクラスメート？　あるいは病気、悲しみ、つかれ、孤独……、いろいろ思いうかぶかもしれません。

敵が前に立ちふさがると、心がおしつぶされそうになり、にげ出したくなりますね。でも、パウロは、神さまが味方なのだから、あなたに敵対できるものは何一つないのだ、とはっきりと記しています。

今日も、意地悪な子にいやなことを言われるかもしれない、クラスメートに無視されるかもしれない、つらいことがとつぜん起きるかもしれない。でも、この宇宙を創造された神さまが、助けを求めるあなたの小さな祈りを、決して聞きのがすことはないのです。神さまはあなたの味方です。あなたのためにたたかってくださいます。

いやだなあ、つらいなあと思っていることを一つひとつ紙に書き出してみよう。そしてその紙を、ビリビリに小さくちぎってしまおう。あなたがかかえる問題は、あなたにはとても大きく見えるかもしれないけれど、神さまの力の前では、小さくこなごなになった紙きれにすぎないのだ。

神さまのいかり

ですから、地にあるからだの部分、すなわち、
淫らな行い、汚れ、情欲、悪い欲、そして貪欲を
殺してしまいなさい。……これらのために、
神の怒りが不従順の子らの上に下ります。

コロサイ人への手紙３章5、6節

広い心をもった愛の神さまがいかるとは、いったいどういうことでしょう。神さまのいかりは、私たち人間のいかりとは、性質がまったくちがいます。人間のいかりは、ほとんどの場合とても自己中心的です。かんしゃくを起こす、どなる、暴力をふるうというかたちで表されます。私たちは、無視されたり、軽くあつかわれたり、ほしいものが手に入らないと、イライラし、腹が立つのです。

神さまは、私たちがご自身に従わないとおいかりになります。なぜなら、神さまの望まない道に私たちが進むと、私たち自身が傷つき、幸せになれないからです。愛する子どもが、まちがったことをしているのを見ながら、おこったり悲しんだりしない親がどこにいるでしょう。

神さまがおいかりになるのは、私たちを心から愛してやまないからなのです。

小さな赤ちゃんの世話をしたことはある？　歩き始めの赤ちゃんが、よちよち歩くのをささえるのはとてもたいへん。転びそうになったら、後ろからそっと手でかかえてあげなくてはならない。神さまは、あなたのことも、後ろから見守り、転ばないようにささえていてくださるんだ。

5月21日 神さまの手のひらには…

見よ、わたしは手のひらにあなたを刻んだ。

イザヤ書 49 章 16 節

神さまの手のひらには、あなたの名前が刻まれているのです。それって、よく考えたらすごいことですよね。

あなたは、何か特別な賞をいただいて、トロフィーやたてに自分の名前を刻んでもらったことがあるかもしれません。あるいは、そのようなほこらしい経験をしたことはまだないかもしれません。

たとえあなたがこの人生において、人に注目されるようなことを一度も成しとげることがないとしても、神さまは手のひらにあなたの名前を大切に刻み、いつもあなたを心に覚え、目をとめていてくださることを忘れないでいてくださいね。

目をとじて、やさしくあなたの名前を呼ぶ神さまを思いうかべてみよう。神さまの声が聞こえる？　その手のひらに、美しい字であなたの名前が刻まれているのが見えるかな？　詩篇 139 篇をゆっくりと声に出して読み、神さまがあなたのことをどれほど深く知り、どれほど愛しておられるか、心に刻もう。

May

5月22日 わたしを信頼しなさい

地上での私たちの日々は影のようなもので、……

歴代誌第一 29 章 15 節

神さまは永遠に生きておられます。神さまには始まりも終わりもありません。でも、神さまは、この世に生きる私たちには始まりも終わりもあること、そして私たちの人生の一瞬一瞬をごぞんじです。ですから、私たちの問いにもすべて答えることがおできになります。

「いつまでひとりぼっちでいないといけないの？」

「この病気はいつ治るの？」

「友だちと仲直りできる日は来るの？」

すべてをごぞんじの神さまは、あなたの問いの一つひとつに正確に答えることができますが、あえてそうなさいません。神さまは「答えを知らなくとも、わたしを信頼しなさい」とおっしゃいます。ひとりぼっちのさみしさや病気、悲しみの中で、「わたしに助けを求めなさい。わたしがあなたのそばにいるのだから」と言われるのです。

あなたのつらさや苦しみは永遠に続きません。永遠に続くのは天国です。だから、あきらめないで！　どんなときも神さまに信頼していましょう。

神さまの時は、私たちの時とはちがう。私たちは、つらい時や苦しい時は何千年も続くように感じるが、永遠なる神さまにとっては一日のよう（Ⅱペテロ３・８）。あなたの一日はほんのひとにぎりの砂にすぎないが、神さまの一日は広大な砂浜のようなのだ。

May

5月23日

ひとつとなる

主があなたがたの心を導いて、
神の愛とキリストの忍耐に向けさせてくださいますように。

テサロニケ人への手紙第二３章５節

私たちのあいだに愛があるなら、まわりの人たちは、私たちがイエスの弟子なのだとわかります（ヨハネ13・35）。クリスチャンどうし、たがいに愛し合い、ひとつとなることが、福音を伝えるいちばんの方法なのです。

パウロも、「平和の絆で結ばれて、御霊による一致を熱心に保ちなさい」（エペソ4・3）とすすめています。

もし私たちがたがいにもんくを言い、けんかばかりしているようなギスギスした関係だったら、だれも近よりたくありませんよね。イエスの愛をまわりの人々に伝えたいのであれば、まずは私たちがたがいに愛し合うことが大切です。

悪口を言わず、親切にし、おたがいの考えや気持ちを大切にしましょう。

神さまを信じる私たちは、イエスの愛で結ばれているのです。

たがいに愛で結ばれひとつとなることは、教会にとって大切なこと。そして、家族や友だちにも大事なことだね。エペソ人への手紙４章２節に、そのためのひけつが書いてある。「謙遜と柔和の限りを尽くし、寛容を示し、愛をもって互いに耐え忍」ぶ、つまり、いつもへりくだってやさしくし、おおらかな気持ちでたがいに受け入れ合うことなんだ。

May

5月24日

自分はまだマシ？

もし私たちが自分の罪を告白するなら、
神は真実で正しい方ですから、その罪を赦し、
私たちをすべての不義からきよめてくださいます。

ヨハネの手紙第一１章９節

自分の罪を告白するのはとても難しいことです。プライドがじゃまして、自分が罪人であることを認めたくないのです。

「ぼくが罪人だって？　そりゃあ欠点がないわけではないけれど……。ぼくってけっこういいヤツだと思うけどな」

「私がいい子か悪い子かと聞かれたとしたら、あみちゃんと同じくらいかな。でも、ぜったいにゆかちゃんよりはマシ」

でも、たとえまわりの人とくらべて自分はよいほうだと思っても、神さまの前では、あなたの「いい」や「マシ」は通用しないのです。

あなたが、自分の罪を心から悔い、ゆるしていただきたいと思ったら、自分の罪を解決してくださる方はイエスしかいないことがわかったら、まよわず神さまの前に告白しましょう。

神さまは、喜んであなたの罪をゆるしてくださいますよ。

あなたは、自分をだれとくらべる？　お父さん、お母さん？　友だち？　クラスの人気者？　テレビのタレントや歌手？　自分を、人とではなく、イエスとくらべてみよう。イエスを自分の目標にしよう。

May

5月25日

勇敢に生きる

私は……罪人のかしらです。しかし、私はあわれみを受けました。それは、キリスト・イエスがこの上ない寛容をまず私に示し、私を、ご自分を信じて永遠のいのちを得ることになる人々の先例にするためでした。

テモテへの手紙第一１章15、16節

アメリカの南北戦争での出来事。北軍兵士の一人が、軍からにげだそうとした罪でつかまりました。死刑を言いわたされたその兵士は、罪のゆるしを求めて嘆願書を書きました。その嘆願書を受け取ったリンカーン大統領は兵士をかわいそうに思い、嘆願書にサインをしたのです。

罪をゆるされた兵士は軍にもどり、勇敢に戦いぬき、最後の戦いで命を落としました。亡くなった兵士の胸ポケットには、大統領のサインが記された嘆願書が大切にしまわれていたそうです。兵士は大統領のあわれみにささえられて勇敢に戦うことができたのでしょう。

私たちは大統領よりもはるかに偉大な天の父のあわれみを受け、罪ゆるされているのです。私たちは、神さまの恵みをあふれるほどいただいているのですから、勇気をもって、正しく生きる者となりましょう。

この兵士のように、罪のゆるしを願う「嘆願書」を、神さまにあてて書こう。ヨハネの手紙第一１章９節のみことば、「もし私たちが自分の罪を告白するなら、神は真実で正しい方ですから、その罪を赦し、私たちをすべての不義からきよめてくださいます」を紙に書き、あなたのリュックやさいふに大切にしまっておこう。

May

5月26日

おとぎ話じゃない！

主は心の打ち砕かれた者の近くにおられ
霊の砕かれた者を救われる。

詩篇 34 篇 18 節

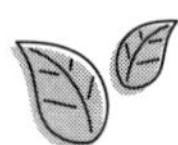

聖書は、人が作ったおとぎ話などではありません。実際におられる神さまが、実際にこの世に生きて痛みや苦しみを経験した人々を助けてくださった出来事が記されています。それは、「私が苦しい時、神さまはどこにいるの？」というあなたの問いに答えるためです。

あなたが希望を失うような出来事に出会ったときは、娘が死にかけていたヤイロの話を読みましょう（ルカ8・40～56）。

病に苦しむ人たちをイエスがどのようにごらんになっているか知りたいときは、ベテスダの池での奇跡の話を読みましょう（ヨハネ5・1～9）。

さみしくて神さまの声を聞きたいときは、エマオに向かっていた弟子たちの話を読みましょう（ルカ 24・13～35）。

イエスは、当時と同じように、今を生きるあなたのもとを訪れ、助けの手をさしのべてくださいます。

イエスは、今も生きて働いておられるのです。

聖書は、神さまがご自身の民にあてて書かれたことばだ。神さまのことばはすべて、信じるに価する（箴言３０・５）。聖書は、どのようにして今のかたちになったのだろう。教会学校の先生に聞いてみよう。

May

5月27日

神さまの声を聞く

鹿が谷川の流れを慕いあえぐように
神よ　私のたましいはあなたを慕いあえぎます。
詩篇 42 篇 1 節

イエスは、考えも行動も、まわりの人たちとはまったくちがいました。なぜでしょう。それは、イエスが神さまの声を聞くことができたからです。ある人が生まれつき目が見えないのは、その人の罪のせいだとみんなが決めつけた時、イエスだけは、その人に神さまのわざが現れるためだとおっしゃいました（ヨハネ9・3）。

ラザロが死んでしまった時、人々はみな、なげき悲しみましたが、イエスだけは希望を持っていました。ラザロは必ずよみがえることを、神さまから教えていただいたからでしょう。

あなたもイエスのように神さまの声を聞きたいですか？　神さまもあなたと親しく語り合いたいと思っていらっしゃいます。

テレビを消し、スマホを置いて、家の外に出てみよう。静かにまわりの音に耳をかたむけてみよう。何が聞こえる？　イヌのほえる声、風の音、ブンブン言いながらハチが飛ぶ音……。それまで気づかなかった音が聞こえてこない？　私たちが手を止めて静かに耳をすませるなら、きっと神さまの声も聞こえるはず（詩篇 46・10）。

May

5月28日

神さまのわざは続く！

主はあなたがたを最後まで堅く保って、
私たちの主イエス・キリストの日に
責められるところがない者としてくださいます。
コリント人への手紙第一１章８節

神さまは、今もあなたの心に働いておられます。「いえいえ、神さまを信じた時にすっかり心を新しくしていただいたのでだいじょうぶ、もうかんぺきな私です！」そう思ってはいませんか。

いえ、あなたはまだ成長する必要があるのです。パウロは、「あなたがたの間で良い働きを始められた方は、キリスト・イエスの日が来るまでにそれを完成させてくださると、私は確信しています」（ピリピ1・6）と記しています。

神さまは、あなたの心のうちに「良い働き」を始めてくださいました。その働きはいつ完成するとありますか？　そう、それはイエスがふたたび来てくださる日。その時が来るまで、あなたの心に働いてくださる神さまのわざは、まだまだ続くのです！

恵みのうちに成長しよう

イエスが来られる日、あなたはいったいどんな姿に変えられているだろう。きっとやさしさと正義にあふれ、喜びにかがやいているのだろう。その時あなたは、どんな表情をうかべ、どんなことを考えているだろう。その時のあなたの姿を想像して、絵にえがいてみよう。

ちりの大地の中に眠っている者のうち、多くの者が目を覚ます。
ある者は永遠のいのちに、ある者は恥辱と、永遠の嫌悪に。

ダニエル書 12 章 2 節

「永遠のほろび」はない、なぜなら、愛の神さまが人をそんな目にあわせるはずがないから、と言う人がいます。でも、聖書から「罰」を取り除いたら、同時に「神の正しさ」も存在しないことになります。つまり、神さまは、私たちがウソをつこうが、ぬすもうが、人を殺そうが、気にしない、そして私たちが人にだまされ、物をぬすまれ、殺されても何とも思わないということです。でも神さまは、はっきりと「復讐はわたしのもの。わたしが報復する」(ローマ 12・19) とおっしゃいます。

もし、すべての人が無条件に天国に行けるとしたら、なぜイエスは十字架にかかる必要があったのでしょう。イエスご自身が「わたしを通してでなければ、だれも父のみもとに行くことはできません」(ヨハネ 14・6) とおっしゃいました。イエスを信じようとしない者に罰はないと言うなら、聖書に書かれていることはみんなウソっぱちということになります。

聖書はくり返し、ある者は救われ、ある者は失われると記しています (マタイ 25・33 など)。ですから、私たちはしんけんにイエスを信じる道を選ばなくてはなりません。

天国とはどのような場所だろう。ヨハネの黙示録 21 章 10 〜 26 節を読んでみよう。イエスを救い主として信じる私たちには、おどろくような美しい場所が用意されているんだね！

May

5月30日

どんな人であろうとも

そして【イエスは】彼らを深くあわれんで、
彼らの中の病人たちを癒やされた。
マタイの福音書 14 章 14 節

マタイは、イエスが「病人たちを癒やされた」と記しています。病人たちの中には、正しい心をもたない人もたくさんいたはずです。

イエスは、病気を治す力だけでなく、人の心を見通す力もお持ちでした。ですから、とんでもないウソつきを前に、「おまえなんか病気を治す必要はない！」と追い返したくなったりはしなかったのかなと、私などは思ってしまうのです。

でも、イエスは、その人が過去にどんなひどいことをしていようとも、そして将来どんな罪をおかすことになるとわかっていても、深くあわれんで病気をいやしてくださったのです。

今もそうなのです。イエスは、私たちがどんな心の持ち主であったとしても、愛をもって助けてくださいます。

私たちは、やさしい人、感謝にあふれた人、魅力的な人なら喜んで助けても、意地悪な人、もんくばかり言う人を助けるのは気が進まないものだ。でも、イエスはどんな人にも手をさしのべ、助けてくださるお方。イエスのような広い心で、まわりの人に接することができるようになりたいね。

May

5月31日

神さまのために力をつくす

あなたこそ　私の内臓を造り
母の胎の内で私を組み立てられた方です。
私は感謝します。
あなたは私に奇しいことをなさって　恐ろしいほどです。

詩篇139篇13、14節

アントニオ・ストラディバリは、1700年代に活躍したバイオリン作りの名人です。アントニオは、「自分が作れるかぎり最高のバイオリンを製作しなければ、神さまにぬすみを働くことになる。神さまは私を通してでなければ、ストラディバリウスと呼ばれる名器をお作りになることはできないのだから」と言ったそうです。

そのことばのとおり、神さまは、アントニオにすぐれた才能をおあたえになり、アントニオも神さまの期待にせいいっぱいこたえました。

同じように、神さまのために、あなたにしかできない働きがあります。神さまは、そのための力と才能を、あなたにあたえられました。

この世界は、大勢の人からなるオーケストラです。あなたはその団員のひとり、指揮者は神さまです。

あなたの楽器を、力のかぎり美しくひびかせましょう。

あなたは、神さまからすばらしい才能をいただいている。それが何か今はまだわからないかもしれない。お祈りして、神さまに聞いてみよう。いつか必ずわかる時がくる。その時は、あなたの才能を、まよわず神さまのために用いよう。

6月
June

私たちは見えるものにではなく、
見えないものに目を留めます。
見えるものは一時的であり、
見えないものは永遠に続くからです。

コリント人への手紙第二 4章18節

June

6月1日

神さまの招き

イエスは彼らに言われた。「わたしについて来なさい。
人間をとる漁師にしてあげよう。」

マタイの福音書４章19節

「ぜひ来てね！」友だちの誕生パーティや遊びにさそってもらうとうれしいですね。でもいちばんうれしいのは、神さまからさそわれ、招かれる時。イエスは、弟子たちに「人間をとる漁師にしてあげよう」とおさそいになりました。罪をおかした女の人に「新しい生き方をしなさい」と声をおかけになりました。うたがい深いトマスには、「その手をのばして、わたしのわき腹をさわってごらん」とおっしゃいました。

神さまは、くり返し私たちに「さあ、おいで！」、「やってごらん！」と招いてくださる方なのです。

「さあ、来たれ。論じ合おう。……たとえ、あなたがたの罪が緋のように赤くても、雪のように白くなる」（イザヤ1・18）、「ああ、渇いている者はみな、水を求めて出て来るがよい」（イザヤ55・1）、「すべて疲れた人、重荷を負っている人はわたしのもとに来なさい」（マタイ11・28）と……。

神さまは、あなたのことも、招いてくださっていますよ！

仲間はずれにされた経験はある？　みんながさそわれているのに自分だけ声をかけられず、悲しい思いをしたことは？　神さまは決してあなたのことを仲間はずれにはしない。あなたも、もしクラスにひとりぼっちでさみしそうな人がいたら、ぜひ自分から声をかけ、遊びにさそってあげよう。

June

6月2日

木と枝の関係

わたしにとどまりなさい。わたしもあなたがたの中に
とどまります。枝がぶどうの木にとどまっていなければ、
自分では実を結ぶことができないのと同じように、
あなたがたもわたしにとどまっていなければ、
実を結ぶことはできません。

ヨハネの福音書 15 章４節

枝は、実をつける時だけ木につながっているのではありません。庭師は、ふだん枝を箱の中にしまっていて、実を収穫したい時だけあわてて取り出し、木につなぐわけではありません。枝は、いつも木につながり、木から栄養をもらっているのです。

神さまは、あなたと、木と枝のような関係を築きたいと思っていらっしゃいます。困ったことが起きたときだけ、あるいは何かしてほしいときだけ神さまを見上げるのではなく、いつもご自身につながっていてほしいと願っておられるのです。

神さまからはなれてしまったら、私たちの心はとたんにしおれてしまいます。神さまにしっかりつながっていましょう。神さまからいつも心の栄養をいただき、実を結ぶ者となりましょう。

お父さん、お母さんのゆるしを得て、庭の木から枝を一本切り取り、毎日観察してみよう。数時間、数日間と時間がたつにつれて、その枝の葉はどのように変化するだろう。あなたがその枝で、神さまは木だと想像してみよう。神さまから切りはなされてしまうと、どんなふうに変わってしまうと思う？

本物のヒーローとは

私は、……ありとあらゆる境遇に対処する秘訣を
心得ています。

ピリピ人への手紙4章12節

暗い牢獄の中をそっとのぞいてみてください。そこには、ぽつんとひとり、くさりに手をつながれた男の姿が……。その人こそ使徒パウロ。家族も財産もなく、目もほとんど見えず、みすぼらしく弱りはてたパウロは、およそヒーローには見えません。

今や自分を「罪人のかしら」と名乗るパウロは、かつてはイエスを信じる人たちをかたっぱしからつかまえ、迫害していました。パウロは、そんな過去の自分を思い出し、「私は本当にみじめな人間です。だれがこの死のからだから、私を救い出してくれるのでしょうか」(ローマ7・24)となげきました。パウロは、過去におかしたあやまち、失敗をどれほど悔いたことでしょう。

そしてパウロは、そんな自分が神さまの恵みによって罪ゆるされ、福音を伝える者へと変えていただいたことに、心からの感謝をささげたのです。「私たちの主イエス・キリストを通して、神に感謝します」(同25節)と。

パウロこそ、本物のヒーロー、信仰の勇者です。

あなたのまわりにも、きっとヒーローがいるはず。スポーツ選手やスターのようにはなばなしい活躍はしなくても、心に神さまの愛を宿し、だれが見ていなくても勇気をもって正しいことを行う本物のヒーローが……。それは、あなたのお父さん、お母さん、あるいは教会で毎週会う人たちかもしれない。生きるお手本にすべきはそのような人たちだ。

June

6月4日

この世の権力

この世の知恵は神の御前では愚かだからです。

コリント人への手紙第一３章19節

この世の「権力者」は私たちの身近にも存在します。妹にやさしくしないお兄ちゃん、成績の良い生徒をえこひいきする先生、気に入らない友だちを無視するクラスの人気者……。

さらに広く世界に目を向けるならば、弱い国の人々の財産や生命を平気でうばう独裁者もいます。

かたちや立場はさまざまですが、権力をふるう人の目的は一つ、それは「たとえだれかを傷つけても、私はほしいものを手に入れる、自分のしたいようにする」。

でも、この世の権力は永遠には続かず、いつか、必ずほろびます。

今から百年後、あなたを軽んじ、のけ者にした人は生きていると思いますか。いいえ。でも、あなたを愛し守られる方は、永遠に生きておられるのです。私たちにとって大切なことはただひとつ、人にどう思われるかではなく、神さまにどう思われているかです。

今度だれかにひどいことを言われたら、「このことは、来週、さらには来年になっても、自分にとってたいした問題だろうか」と心に問いかけてみて。永遠に続くことのために、自分の大切な時間やエネルギーを使おう。そう、神さまの子どもとして生きることに。

6月5日
神さまの創造のみわざ

天と地にあるすべてのものは、見えるものも見えないものも、……御子にあって造られたからです。

コロサイ人への手紙１章16節

この世界は、神さまのことばによって造られました。

「光、あれ」のひとことで光が創造されました。続いて夕と朝、空と陸が分かたれました。神さまは、その手で谷をけずり、水を集めて海をお造りになりました。平らな地に高い山をきずき、夜のあいだも地を明るく照らすよう、空に星をちりばめてくださいました。

神さまの力を知りたいなら山々を見上げましょう。神さまのやさしさにふれたいなら野にさく花々をながめましょう。神さまの偉大さ、力強さを感じたいなら、かみなりの音に耳をすませましょう。

自然の美しさ、壮大さに目を注ぎ、神さまがこの世界を創造してくださったことを感謝しましょう。

６月は、一年の中でも自然の景色がひときわ美しく感じられる季節。梅雨の晴れ間に散歩に出かけよう。深呼吸してきれいな空気を胸いっぱい吸いこもう。季節の花々をながめて楽しもう。神さまの創造のわざをほめたたえよう。

June

6月6日 わたしは背負う

あなたがたが年をとっても、わたしは同じようにする。
あなたがたが白髪になっても、わたしは背負う。
わたしはそうしてきたのだ。
わたしは運ぶ。背負って救い出す。

イザヤ書46章4節

　あなたは、これから少しずつ大人へと成長するなかで、自分の考えで判断し行動する機会が増えていきます。どの道を選ぶべきか、まようときもあるでしょう。罪のゆうわくを受ける機会も多くなってくるかもしれません。しかし、神さまはあなたをどんなときも決して見放すことはなさいません。「わたしはあなたを背負って救い出す」と約束してくださいました。

　いつも聖書を読みましょう。神さまの大切なアドバイスがたくさん書かれています。今あなたが毎日の生活の中で何を選び取っていくかは、あなたが将来大きなことで正しい選択をするためのよい練習になります。

　どんなに小さなことについても、神さまに信頼し、従う道を選ぶことができますように。

あなたが通う教会に、お手本にしたいお兄さんやお姉さん、大人の人はいるかな？　もしどうすべきかまよったら、遠慮せずに質問をしてみよう。あなたが今かかえているなやみやまよいはすでに経験ずみだろうから、きっとよいアドバイスをもらえるよ！

June

6月7日 つらいときには

私たちは見えるものにではなく、見えないものに
目を留めます。見えるものは一時的であり、
見えないものは永遠に続くからです。

コリント人への手紙第二4章18節

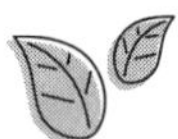

私たちは、人生を歩む中でつらく苦しい経験を何度もするでしょう。まだ子どものあなたも、すでにそんな経験があるかもしれません。クラスメートから仲間はずれにされる、引っこしをして仲の良い友だちからはなれてしまう、大きな病気をするなど。

もしかしたら大切な家族を亡くしたことがある人もいるかもしれません。つらいことがあると、心が落ちこみ、希望を失いそうになります。

でも、どうかあきらめないで。この世の旅路はいつも楽しいことばかりではないけれど、神さまは必ずご自身に信頼する者とともにいて、天国までの道のりを、一歩一歩導いてくださるのですから。

苦しいときは、神さまの約束を思い出しそう。問題に立ち向かう力をもらえる。おそれで心がいっぱいのときは詩篇34篇4節、ひとりぼっちでさみしいときはヨシュア記1章5節のみことばがはげましになる。毎日聖書を読み、心に残る神さまの約束をノートに書きとめ、覚えよう。

June

6月8日
洗礼者ヨハネの生き方

世の友となりたいと思う者はだれでも、
自分を神の敵としているのです。
ヤコブの手紙４章４節

洗礼者ヨハネは、かなり風変わりな人でした。なにしろ、らくだの毛でできた服を着ているし、毎日の食事はイナゴと野みつ（マルコ1・6）なのですから！

ヨハネの語ることばも、当時の人たちの耳には、ひどくきびしく聞こえたことでしょう。ヨハネは、人々に「悔い改めなさい。天の御国が近づいたから」とまっすぐに説いたのです（マタイ3・2）。

ヨハネにとっては、神さまに従うことがいちばん大切なことでした。世の中の人たちと生き方がちがっていても、ちっとも気にしませんでした。

私たちも、クリスチャンとして生きるとき、人から「変わっている」と思われることがあるかもしれません。でも、人に合わせるよりも、イエスのように生きるほうが、私たちにとって大事なことなのです。

まわりの人たちに自分を合わせていない？　どんな服を着るか、どんなテレビ番組を見るか、どんな本を読むか、どんなことに関心をもつか、など。それは本当に大切なことなのか、神さまは喜んでくださるのか、立ち止まって考えてみよう。考えや行動を変える必要があれば、勇気をもって変えていこう。

June

6月9日
選ぶのは私たち

私たちはみな、羊のようにさまよい、
それぞれ自分勝手な道に向かって行った。
イザヤ書 53 章 6 節

神さまは愛の方なのだから、私たちに永遠の罰をおあたえになることはない、と言う人がいます。今日はこのことについて考えてみましょう。

まず一つ目に、神さまはご自身から進んで罰をあたえることはなさいません。神さまは、ご自身のことばに従わない道を選ぶとどうなるか、聖書を通して私たちにはっきりと教えてくださいました。罰を受けるか救いをいただくか、選ぶのは私たちのほうなのです。神さまはいつも私たちの選択を大切にしてくださいます。

二つ目に、神さまは、私たちを理由もなく罰する方ではありません。あえて神さまに逆らい、まちがった道を選ぶ人に罰をおあたえになります。

三つ目に、罰を受けなくてすむ道は、すべての人に備えられています。神さまは、すべての人が救われることを願っておられます。イエスの救いを信じ、神さまに従う決心をした人を、神さまは喜んでゆるし、神さまの子どもとしてくださるのです。

恵みのうちに成長しよう

「あなたの若い日に、あなたの創造者を覚えよ」（伝道者 12・1）と聖書は記している。イエスの救いを信じるのを、先延ばしにしないようにしよう。神さまを信じる道を今選び取るならば、神さまが用意してくださった祝福の人生を早いうちから歩むことができるよ！

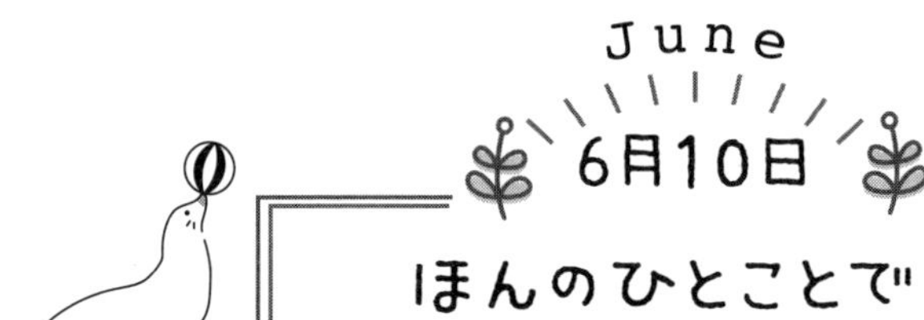

June

6月10日

ほんのひとことでも

また、祈るとき、異邦人のように、同じことばを
ただ繰り返してはいけません。彼らは、
ことば数が多いことで聞かれると思っているのです。

マタイの福音書６章７節

短いことばは心に残りますね。私が考えた短い文章をいくつか紹介します。気に入ったものがあれば、ぜひ覚えてください。

・いつも祈ろう。ほんのひとことでもだいじょうぶ！
・過去の罪を忘れてくださる神さま、あなたも忘れてしまおう。
・ひとりじめするよりも、みんなで分け合うほうがずっと幸せ！
・自分の願いのためよりも、正しく生きるために祈ろう。
・神さまにとっては、どんな人も大切！
・イエスを十字架にかけたのは、釘ではなく神さまの愛。
・私のゆるしなどよりも、神さまのゆるしのほうがはるかに大きい。

上に記した文章の一つを選び、一週間のあいだ毎日、その意味を深く考えてみよう。一週間後に、あなたの考えや行動になにか変化はあったか、ふり返ってみよう。

6月11日

心配を神さまにゆだねる

あなたがたの思い煩いを、いっさい神にゆだねなさい。
神があなたがたのことを心配してくださるからです。

ペテロの手紙第一５章７節

私たちが思いわずらうのは、神さまから目をそらしてしまうから。神さまがすべてを治めていてくださることを忘れてしまうからです。私たちはいろいろなことを心配します。

なぜ友だちにはできることが、自分にはできないのだろう……。

自分には何の才能も力もないのでは？

どんなにがんばっても何も変わらない……。

失敗してしまったらどうしよう……。

自分の願いにばかり心を向け、神さまは自分に何を求めておられるかを考えないと、むだな心配をしてしまいます。

神さまは、すべての人にそれぞれちがう才能や力をあたえてくださっています。そう、もちろんあなたにも！　自分をまわりとくらべ、人をうらやましく思うのはやめましょう。

神さまが、自分のためにどんなご計画を立てておられるのか、祈って教えていただきましょう。

あなたにどんな才能があたえられているか考えてみよう。歌がうまい、ダンスができる、などの才能だけでなく、共感をもって人の話を聞ける、まわりの人をはげますことができる、じょうずに人に教えることができるのも、すばらしい才能だ。自分にあたえられた才能をどのように用いれば神さまに喜んでいただけるか、考えてみよう。

6月12日

いつもいっしょにいると…

【その教えとは】……あなたがたが霊と心において
新しくされ続け、真理に基づく義と聖をもって、
神にかたどり造られた新しい人を着ることでした。

エペソ人への手紙４章23、24節

あなたのまわりにいる友だちグループや、仲の良いご夫婦をそっと観察してみてください。いつもいっしょに行動している人たちって、おたがいなんとなく似てくると思いませんか。考え方や話し方、ちょっとしたしぐさなど……。不思議ですね！

私たちも、神さまに礼拝をささげ、毎日聖書を読んで祈ることをしていると、少しずつ神さまに似た者へと変えられていきます。

パウロも、「私たちはみな、……栄光から栄光へと、主と同じかたちに姿を変えられていきます」（Ⅱコリント３・18）と記しています。

神さまのように考え、行動できる人になれたらすてきだと思いませんか？

あなたの通う教会に、長年連れそった仲良しなご夫婦はいるかな？　二人が結婚してから今までの写真アルバムを見せてもらおう。二人はどんなところが似ている？　共通する趣味はある？　「アレ」とか「コレ」のひとことだけで、おたがい言いたいことがわかっちゃうのか、たずねてみよう！

June

6月13日

天国とは…

私はまた、聖なる都、新しいエルサレムが、
夫のために飾られた花嫁のように整えられて、
神のみもとから、天から降って来るのを見た。

ヨハネの黙示録21章2節

結婚式に出席したことはありますか。真っ白なウェディングドレスに身を包み、キラキラと目をかがやかせ、幸せそうな笑顔をうかべる花嫁さんの姿は、うっとりするほどきれいですね！

花嫁さんは、花婿さんに「これからはいつまでもあなたとともにいます」と約束をするのです。

ヨハネは、天国とは、「夫のために飾られた花嫁」のようだと、聖書に記しました。天国は、この地上でイエスを信じ続けた私たちのために、神さまが備えてくださったすばらしい約束の住まいです。私たちはそこで、いつまでも神さまとともに生きることができるのです。

いつか将来、あなたも結婚する時をむかえるかもしれないね。結婚式の日、どんなちかい（約束）を立てるのだろう。相手の人を愛し、敬い、大切にすることだろうか。それは神さまがあなたに対して立ててくださったちかいでもあるんだ。神さまの子どもとなったあなたを、神さまは愛し、敬い、大切にしてくださる。そう、いつまでも。

人生を導かれるのは？

見よ。わたしはすべての肉なる者の神、主である。
わたしにとって不可能(ふかのう)なことが一つでもあろうか。
エレミヤ書 32 章 27 節

コーリー・テン・ブームは、オランダ人クリスチャンです。第二次世界大戦中、たくさんの苦労を重ねながらも、家族とともに、大勢(おおぜい)のユダヤ人をナチスから助けました。コーリーはよくこう言っていたそうです。「列車がトンネルの中に入り、急にあたりが暗くなったからと言って、あわてて列車から飛びおりたりしませんよね。列車の運転手を信頼(しんらい)し、必ずトンネルをぬけ出せると信じて、じっとしているでしょう？」と。

私たちも苦しい出来事に出会うことがありますが、私たちの人生を導(みちび)かれるのは、神さまです。自分の人生が暗いトンネルに入りこんでしまったように感じたときは、安全な導き手である神さまに信頼し、必ずそこを通りぬけることができると信じましょう。

くり返し聖書(せいしょ)を読みましょう。そこには、苦しみの中から神さまに救(すく)い出していただいた人の話がたくさん記されています。

神さまは、ご自身を信じる者を必ず助けてくださいます。聖書の物語はそのことを私たちにはっきりと教えています。

人生はジェットコースターみたいだと思う時があるかもしれない。上昇(じょうしょう)しては急降下(こうか)し、左に右に向きを変えたり。あなたにできることはただ一つ。神さまに信頼(しんらい)し、無事にゴールするまでしっかり席にしがみついている(あきらめないでいる)こと。今度ジェットコースターに乗ったら、安全バーと神さまに守られていることを感謝(かんしゃ)しよう！

June

6月15日

大きな決断

主に仕えることが不満なら、……
あなたがたが仕えようと思うものを、今日選ぶがよい。
ヨシュア記 24 章 15 節

神さまは、「わたしに従いなさい。そして、永遠にわたしの愛の中に生きる者となりなさい」と招いていらっしゃいます。しかし、この招きを受け入れるかどうかは、私たちの決断に任されています。

私たちが人生において選べないことは、たくさんあります。まず、私たちは家族を選ぶことができません。その日の天気、背の高さやはだの色、あるいはまわりの人たちの自分への態度やふるまいも選ぶことができません。

しかし、私たちは、自分のたましいの行き先については、自分で選ぶことができるのです。これは、私たちがしなければならない、いちばん大きくて、いちばん大切な決断です。

あなたは大人へと成長する中で、さまざまなことを決断していかなくてはならない。中でも、イエスの救いを受け入れ、神さまを信じて生きていくかどうかは、あなたが人生の中でしなくてはならない最も大切な決断だ。ヨハネの福音書３章、マルコの福音書 16 章、ローマ人への手紙８章を読み、祈って考えよう。

June

6月16日

イエスさえいてくだされば

すべての人は罪を犯して、神の栄光を受けることができず、
神の恵みにより、キリスト・イエスによる贖いを通して、
価なしに義と認められるからです。

ローマ人への手紙３章23、24節

私たちが救われるのは、ただ神さまの恵みによるのです。私たちの行いや力によるのではありません。

ダマスコへ向かうとちゅうでイエスに出会ったパウロのように、私たちも、自分が罪人のかしらであること、そしてイエスこそが救い主であることを知らなくてはなりません。

また、あらしの中、水の上を歩こうとしてしずみかけ、イエスに助けていただいたペテロのように、私たちも、自分の力では自分を救うことはできないこと、イエスに呼び求めれば、必ず救っていただけることを知らなくてはなりません。

人生のあらしにあう時、神さまは恵みをもって私たちに近づき「わたしだ。恐れることはない」(ヨハネ6・20) と声をかけてくださいます。過去の失敗、すべての心配やなやみを手放し、ご自身にたよるよう招いておられるのです。

私たちが神さまによりたのむなら、私たちはすべての罪をゆるしていただくことができます。神さまは私たちのすぐそばにおられるのです。

ボートで海にこぎ出す時、私たちは必ずライフジャケットを着るよね。うっかり水の中に放り出されても、これを着ていればしずむことはない。このライフジャケット、少しイエスに似ているかもしれない。人生の途上で大変な出来事があっても、イエスがいてくだされば、私たちは、真っ逆さまにしずむことはないんだ。

June 6月17日

憤りを捨てる

怒ることをやめ　憤りを捨てよ。
腹を立てるな。それはただ悪への道だ。

詩篇 37 篇 8 節

いかりでいっぱいになってしまうこと、ありますよね。

学校の勉強はつまらないし、クラスにはいじめっ子がいるし、お父さんもお母さんもうるさいことばっかり言うし……。私たちのまわりにはいろいろな人がいますし、毎日はいつも良いことばかりではありません。

今あなたの心には、いかりがうず巻いているのかもしれません。でも、そのいかりの気持ちに正しく向き合わないと、あなたの将来はみじめなものになってしまいます。だれかにいかりを感じても、私たちはその人を変えることはできません。

でも、その人に対して、私たちがどのような態度を取るかについては変えることができるのです。いかりの感情がわくのはしかたのないことですが、いかりを感じた時、どのようにふるまい、どんな態度を取るかは、自分でコントロールできます。腹が立ったときはどうすべきか、神さまにたずねてみましょう。必ず助けてくださいます。

恵みのうちに成長しよう

いかりのスイッチが入る原因は？　ちょっかいを出すきょうだい？　ひどいことばを投げてくるいじめっ子？　宿題の山？　いかり自体は悪くはない。でも、いかりで罪をおかしてはダメだ。いかりを感じても落ち着いているにはどうしたらいいか、具体的な方法を考えてみよう（深呼吸する、その場からはなれる、しゃべる前に10秒数えるなど）。

June

6月18日

かんぺきな人なんていない

「主よ。兄弟が私に対して罪を犯した場合、
何回赦すべきでしょうか。七回まででしょうか。」
イエスは言われた。「わたしは七回までとは言いません。
七回を七十倍するまでです。」

マタイの福音書 18 章 21、22 節

私もあなたもふくめ、かんぺきな人なんてひとりもいません。神さまは、そんな私たちをありのまま受け入れ、私たちの足りないところ、そしてたくさんの欠けを、大きな心でゆるしてくださいました。

そして私たちに、「同じように、あなたも、まわりの人たちの足りないところを受け入れ、大らかな気持ちでゆるしてあげなさい」とおっしゃっています。

きょうだいに意地悪されることもあるでしょう。仲の良い友だちや、時には、お父さんやお母さんからひどいことを言われて傷つくことも。もしそんなことがあっても、いつまでも根に持たないで、ゆるしてあげましょう。神さまは、はるかに多くの恵みをもって、あなたをゆるしてくださっているのですから。

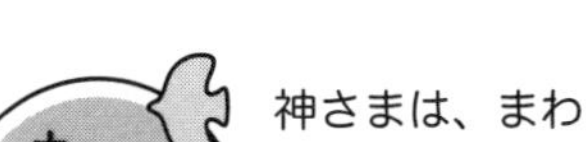

神さまは、まわりの人たちをゆるすと同時に、自分のこともゆるしなさい、と私たちにおっしゃっている。あなた自身もかんぺきな人ではない。まちがいや失敗をしてしまったときは、まず真っ先に神さまにゆるしていただこう。そしてあなた自身も、自分のことをゆるしてあげよう。

June

6月19日

どんなときにも祈る

あらゆる祈りと願いによって、どんなときにも御霊によって祈りなさい。そのために、目を覚ましていて、すべての聖徒のために、忍耐の限りを尽くして祈りなさい。

エペソ人への手紙6章18節

どんなときも神さまのやさしい手を肩に感じ、静かに語りかけてくださる神さまの声を聞くために、私たちはどのように一日をすごせばよいのでしょう。

まず、朝起きたらすぐに神さまに祈り、その日一日を導いてくださるようお願いしましょう。

ちょっとした待ち時間を、神さまとともにすごすひとときとしましょう。静かに神さまの声に耳をすませましょう。

困った時、まよった時、神さまにどうしたらよいか心の中でたずねましょう。うれしい時はそっと感謝をささげましょう。

夜ねる前、その日の出来事を一つひとつふり返り、感謝と悔い改めの祈りをささげましょう。

どんなときにも祈る人になるためには、ほんの少し意識して祈る時間を「作り出す」必要がある。朝起きてベッドから出る前に「今日一日を導いてください」と、シャワーをあびながら「私の罪も洗い流してください」と、車に乗った時は「正しい道に導いてください」と、そして夜ねる前に「一日の守りをありがとうございます」と、祈ろう。

June

6月20日

神さまが最善になさる

求めなさい。そうすれば与えられます。探しなさい。
そうすれば見出します。たたきなさい。そうすれば開かれます。
マタイによる福音書7章7節

バプテスマのヨハネは牢獄の中で、ふと疑いの気持ちが頭をもたげます。なぜイエスは、自分を牢獄から助け出してくださらないのだろうと。そこで使いを送り、「おいでになるはずの方はあなたですか。それとも、別の方を待つべきでしょうか」（マタイ11・3）とイエスにたずねました。

イエスはヨハネの気持ちを十分にわかってくださいました。ヨハネが疑っていることに決して腹を立てたりなさいませんでした。そして、使いに、「自分たちが見たり聞いたりしていることをヨハネに伝えなさい。目の見えない者たちが見、足の不自由な者たちが歩き……貧しい者たちに福音が伝えられています」とおっしゃいました（同11・4、5）。

ヨハネはその答えを聞いて納得しました。イエスは、自分を牢獄から出すことよりももっと大切なこと、自分をふくむすべての人のたましいを救いに導くため、一生けんめい働いておられることがわかったのです。

なぜ祈りが聞かれないのだろうと思ったときは、この出来事を思い出してください。

神さまは生きて働いておられるのだろうかと疑いたくなることがあるかもしれない。でも、たとえつらく悲しいことが起きても、その出来事を用いて必ず良いことを実現してくださる。神さまは「神を愛する人たち……のためには、すべてのことがともに働いて益となる」（ローマ8・28）と約束してくださっている。

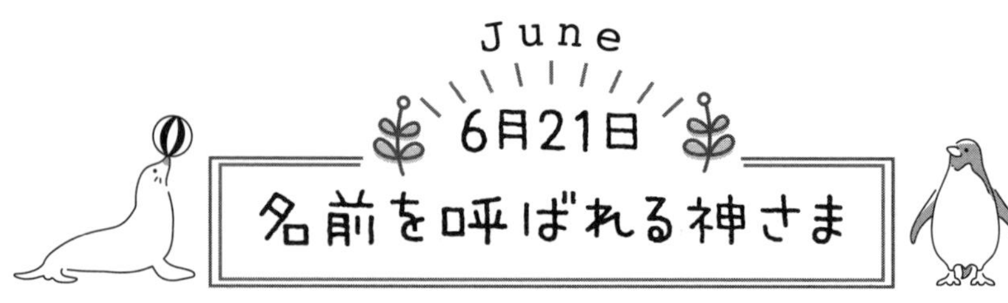

June

6月21日 名前を呼ばれる神さま

「見よ。わたしは自分でわたしの羊の群れを捜し求め、
これを捜し出す。」
エゼキエル書 34 章 11 節

天国の門に立つ神さまの姿を想像してください。その目は遠い地平線に向けられています。大切なわが子の姿がちらりとでも見えないか、目をこらし、背伸びをしながらながめておられます。神さまがさがしておられるのはあなたです。

神さまは、そんなほうとう息子を待ちわびるお父さんであると同時に、迷子になった子羊をさがし求める羊飼いでもあります。高いがけを登り、広い野原をかけ回り、足はすり傷だらけ。一つひとつの洞窟をていねいにのぞきこみ、深い谷底にむかってあなたの名前をさけばれます。

神さまは天国にいて、あなたが神さまをさがし当てるまで、心配もせずに放っておかれるような方ではありません。神さまのほうからさがしに来てくださるのです、あなたの名前を呼びながら……。

あなたはただ、神さまの呼びかけにこたえればよいのです。

友だちとかくれんぼして遊ぶ時、ぜったいに見つからないお気に入りのかくれ場所があるよね？　でも、私たちは、神さまからかくれることはぜったいにできない。いすの裏やベッドの下にかくれてもすぐに見つかってしまう。たとえ魚のおなかの中にかくれたとしてもね！　ヨナに聞けばくわしく教えてくれるよ！

June

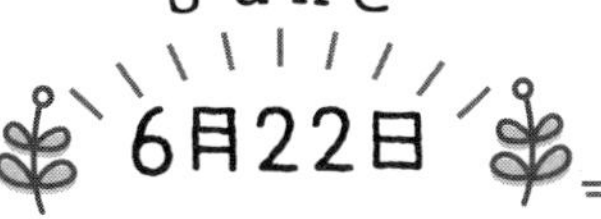

6月22日

その光、助けに気づく

夜明けが近づいたころ、イエスは湖の上を歩いて
弟子たちのところに来られた。イエスが湖の上を
歩いておられるのを見た弟子たちは
「あれは幽霊だ」と言っておびえ、恐ろしさのあまり叫んだ。

マタイの福音書 14 章 25、26 節

あらしの中、弟子たちは必死で神さまに助けを求めたことでしょう。すると、ある人がヒタヒタと近づいてくるのを見て、弟子たちはふるえ上がりました。

弟子たちは、神さまからどんな助けを期待したのでしょう。急にあらしがやむ、あるいは天使たちが舞いおりてきて自分たちをかかえ上げてくれる、そんなことでしょうか。まさかイエス本人がこんなかたちで来てくださるなんて想像もしていなかったにちがいありません。弟子たちは、神さまが彼らの祈りにちゃんとこたえてくださったのに、そのことに気づかなかったのです。

私たちも弟子たちと同じまちがいをすることがあります。私たちの人生にもあらしが訪れることがあります。神さまは助けを求める私たちの祈りに、ちゃんとこたえてくださいます。私たちが神さまを見上げてさえいれば、神さまが示してくださる光に、そして助けに、気づくことができますよ。

ほんのかすかな光でも、暗やみを明るく照らすことができる。真っ暗な部屋で、小さな懐中電灯のスイッチをつけてみて。部屋全体がおどろくほど明るくなるよね？　あなたもこの暗やみのような世の中にあって、イエスの光をかがやかせる人になろう！

June

6月23日 愛することを選ぶ

だれも、悪に対して悪を返さないように気をつけ、
互いの間で、またすべての人に対して、
いつも善を行うように努めなさい。

テサロニケ人への手紙第一5章15節

どんな友情も、家族も、人も、かんぺきではありません。そう、あなたも。人というものは、失敗やあやまちをくり返し、たがいの神経を逆なでし、傷つけ合う存在なのだということを覚えていなくてはなりません。

それでは、人と良い関係を築くために、私たちはどうすればよいのでしょう。

聖書はこう教えています。「兄弟愛をもって……互いに相手をすぐれた者として尊敬し合いなさい。……あなたがたを迫害する者たちを祝福しなさい。……喜んでいる者たちとともに喜び、泣いている者たちとともに泣きなさい。……だれに対しても悪に悪を返さず、すべての人が良いと思うことを行うように心がけなさい。……できる限り、すべての人と平和を保ちなさい」(ローマ12・10～18)と。

つまり、その人を愛することを選択するということです。

神さまの愛は、「にもかかわらず、愛する」という愛だ。それは自然にわきあがる感情ではなく、たとえその人が自分を傷つけ、だまし、ばかにしたとしても、その人の最善を願うこと、その人に対して、自分がしてほしいことを行う愛なんだ。

June

6月24日

大切な務め

ですから、あなたがたは行って、あらゆる国の人々を
弟子としなさい。父、子、聖霊の名において
彼らにバプテスマを授け……なさい。
マタイの福音書 28 章 19、20 節

天国とはどのようなところなのでしょう。ヨハネの黙示録 21 章には次のように書かれています。天国は、「神の栄光」（11 節）があり、「純金」でできていて（18 節）、「どの門もそれぞれ一つの真珠」（21 節）からできており、「大通りは純金で、透明なガラスのよう」（同節）、そして 「夜がない」（25 節）場所なのだと。なんとすばらしいところなのでしょう！

イエスを救い主として信じるならば、神さまは私たちを恵みによって天国に入れてくださいます。私たちはそこで永遠に神さまとともに住むことができるのです。

私たちのまわりにいる、まだ神さまを知らない人たちのために祈りましょう。あらゆる機会をとらえて神さまを伝えましょう。すべての人が天国に行く道を選ぶことができるよう福音を伝えることは、神さまが私たちにおあたえになった大切な務めです。

神さまについて伝えたいと思っている友だちはいる？　まずは、その人のために毎日祈ることから始めよう。神さまがその人の心を開いてくださるようにお願いしよう。その人にイエスの愛を示すことができるよう助けていただこう。そして、思い切って教会にさそってみよう。

June

6月25日

いのちと財産

……人があり余るほど持っていても、その人のいのちは
財産にあるのではないからです。

ルカの福音書 12 章 15 節

「人の価値はその人の持ち物やさいふの中身で決まる」と考える人のなんと多いことでしょう。もしこの考えが真実ならば、私たちは必死になって持ち物や財産をふやさなくてはなりません。手段を選ぶ必要はありません。さあ、財産を手に入れるために、多少のウソをついてもいいでしょう。人をおしのけ、おとしめたとしてもかまわないでしょう。だって多くのものを手に入れれば入れるほど、私たちはえらくなり、人気者になり、幸せになれるのですから！

それって本当でしょうか？　いいえ、そうではありませんよね。そんなことをしたら、家族や友だちの信頼を失い、何よりも神さまを悲しませてしまいます。持ち物を手に入れる代わりに、何にも代えがたい大切なものを失ってしまうのです。

持ち物やお金をもっともっと手に入れたい、そんな思いを「どん欲」と言う。新しい服、最新式のゲーム機やスマホを手に入れても、いつかそれらは古びてしまい、さらに新しいものを手に入れたくなる。物を追い求める人生は、本当の平安、幸せをもたらさない。新しいものを手に入れる代わりに、今あるものを感謝し、大切にしよう。

June

6月26日

たとえころんでも

あなたがたを、つまずかないように守ることが……できる方

ユダの手紙 24 節

クリスチャンの人生は、高くそびえる岩を登るボルダリング競技(きょうぎ)にたとえることができるかもしれません。

イエスを救(すく)い主(ぬし)と告白(こくはく)した私たちは、神さまから安全ベルト（聖霊(せいれい)）と命綱(いのちづな)(聖書(せいしょ))をいただき、元気に信仰(しんこう)生活をふみ出します。しかし、高く登れば登るほど私たちはつかれ、そしてこわくなってきます。集中力がとぎれ、足がすべり、とうとう落下してしまうのです。やってはいけないと知りつつ罪(つみ)をおかし、このままはてしなく人生をころがり落ちてしまうのではないかとあせります。

しかしその時、命綱がピンと張(は)り、私たちはふみとどまることができます。安全ベルトに支(ささ)えられ、もう一度上へと登ることができるとわかり、ホッと安心するのです。

神さまを信頼(しんらい)していれば、真っ逆(さか)さまに落ちてしまうことは決してありません。神さまが力強く私たちを支(ささ)えてくださるのです。

足をふみはずしてころがり落ちたら、きっとすごくこわいよね！　でも、下に大きなトランポリンがあればポーンとうき上がることができるね。もし私たちが失敗して落ちてしまうようなことがあっても、神さまはトランポリンのように、もう一度私たちを持ち上げてくださるよ！

あなたの顔はどんな顔？

私たちはみな、覆いを取り除かれた顔に、
鏡のように主の栄光を映しつつ、栄光から栄光へと、
主と同じかたちに姿を変えられていきます。

コリント人への手紙第二３章18節

礼拝をささげると、私たちの顔が変わるって知っていましたか？

イエスも、高い山を登られた時、顔が「太陽のように輝」いたと聖書は記しています（マタイ17・2）。

礼拝をささげると、私たちの顔は神さまの愛を光のように受けてかがやくのです。

私たちの体の中でいちばん人の目を引くのが「顔」ですね。その人がだれなのか顔を見ればすぐわかります。当然のことながら、卒業アルバムには、生徒たちの顔写真がのります。まさか「顔」の代わりに「足の裏」の写真をのせる学校なんてないでしょう？

神さまは、私たちがいちばんよく目にし、いちばん覚えやすい「顔」に、鏡のようにご自身の栄光を映し出してくださるのです。

神さまを心から礼拝しましょう。あなたの顔も、神さまを信じる喜びにかがやくことができますように。

鏡をのぞいてみよう。そこにあるのはあなたの顔だね！　あなたはお母さん似かな、それともお父さん似？　もしかしたらおばあちゃんやおじいちゃんに似ているのかもしれないね。でも、神さまは、あなたに、ご自身にいちばん似てほしいと思っておられるんだ！

June

6月28日

いかりの炎をしずめる

善を行って苦しみを受け、それを耐え忍ぶなら、
それは神の御前に喜ばれることです。

ペテロの手紙第一2章20節

だれかにひどいことをされたら、いかりの炎が燃え上がるのにまかせて、すぐにやり返しますか。

それとも、すぐにイエスのところに行って、いかりの炎をしずめていただくようお願いしますか。イエスに、心のバケツをゆるしとやさしさでいっぱいにしていただき、いかりの炎の上に勢いよくかけますか。

神さまを信じる私たちは、いかりやにくしみに飲みこまれないようにしましょう。「たしかにひどいことをされたけれど、そんなときこそ、イエスの生き方に従おう」と言えたらいいですね。

イエスは、十字架の苦しみの中で、「父よ、彼らをお赦しください。彼らは、自分が何をしているのかが分かっていないのです」（ルカ 23・34）と祈られました。いかりの炎を消し去ることができるよう、イエスに力をいただきましょう。

だれかを「ゆるせない！」と思った時は、十字架で血を流されるイエスの姿を思いうかべよう。イエスは、あなたがうらみやいかりを引きずったまま生きるために十字架におかかりになったのではない。イエスにお願いすれば、ゆるす心をいただくことができる。

June

6月29日

あなたをさそう声

あなたがたを召された聖なる方に倣い、あなたがた
自身、生活のすべてにおいて聖なる者となりなさい。

ペテロの手紙第一1章15節

神さまに従わないようにと、あなたをさそう声がします。それは、テレビから、あなたがよく耳にしている音楽から、あるいはクラスメートのさりげないおしゃべりの中から聞こえてきます。

「成績を上げるためなら、ちょっとくらいズルしたっていい」、「自分をよく見せるためなら、他の子をけなしてもかまわない」、「人気者になりたいなら、神さまを信じているなんて言っちゃダメ」、「だいじょうぶ、心配しないで、だれにもわかりゃしないから」とささやくのです。

もしそんな声が聞こえてきたら、神さまのことばに耳をすませましょう。「目を覚ましていなさい。堅く信仰に立ちなさい。雄々しく、強くありなさい」（Ⅰコリント16・13）とおっしゃるその声に。

神さまは、あなたに、ご自身から引きはなそうとする声に立ち向かう力を必ずあたえてくださいます。

「同調圧力」ということばを知ってる？　仲間がまちがったことをしていても、自分もそれに合わせなくてはと思ってしまうことだ。聖書を毎日読んで、そんなゆうわくに負けないようにしよう。箴言を毎日一章ずつ読む習慣をつけるといいよ！「私はあなたのみことばを心に蓄えます。あなたの前に罪ある者とならないために」（詩篇119・11）。

June

6月30日

シンプルな答え

御子を信じる者は永遠のいのちを持っているが、
御子に聞き従わない者はいのちを見ることがなく、
神の怒りがその上にとどまる。

ヨハネの福音書3章36節

私たちはどうすれば救われるのでしょう。答えはシンプルです。イエスを救い主であると信じ、この方に従うという決心をすればよいのです。

ヨハネの福音書3章16節に「神は、実に、そのひとり子をお与えになったほどに世を愛された。それは御子を信じる者が、一人として滅びることなく、永遠のいのちを持つためである」と書かれているとおりです。これは私たちへの神さまの約束です。イエスを信じ、この方に従うならば、私たちは罪から救われ、新しいいのちをいただくことができるのです。

しかし、この神さまの約束を信じることができない人が大勢います。ですから、すでに救われている私たちが、イエスを信じて生きることがどれほど幸せなことか、私たちの生き方を通してみんなに見せてあげましょう。そして神さまは、すべての人を救いに招いておられることを知らせましょう。

恵みのうちに成長しよう

教会に初めて行くのは、勇気がいるし、緊張するね。教会学校に初めて来た子がいたら、あなたのほうから声をかけよう。教会の中を案内し、わからないことがあったら説明してあげよう。また来てもらえるように、その子のために祈ろう。

7月

July

イエスはすぐに彼らに話しかけ、
「しっかりしなさい。わたしだ。
恐れることはない」と言われた。

マタイの福音書 14章27節

July

7月1日

さばきは神さまが

主を待ち望め。主があなたを救われる。

箴言20章22節

過去に起きた出来事に、いつまでもこだわる人がいます。話を聞いてくれる人がいれば、だれかれかまわず、自分がどれほど傷ついたか、ぐちをこぼし、もんくを言い続けるのです。

でも、ここで一つ、大切なことを思い出してほしいのです。私たちは神さまではないということを！　神さまは、「復讐はわたしのもの、わたしが報復する」（ヘブル10・30）とおっしゃいました。

人をさばくのは神さまのなさることで、あなたのすることではありません。復讐は、きよい行いではありません。私たちは、ゆるすことで、神さまのきよさをまわりに示すことができるのです。神さまに心の傷をいやしていただき、あなたは勇気を出してゆるしましょう。人をゆるすとは、あなたを傷つけた人は正しいと認めることではありません。神さまは誠実な方であり、必ず正義を行ってくださると宣言することなのです。

傷ついた気持ちを手放すのに、こんな方法がある。拾った小石に、傷ついた気持ちを書こう。それを、川や湖にポンと放り投げよう。その小石はいつまでもうかんでいる？　そんなことはないよね。すぐにしずんで消えてしまう。あなたの気持ちもいっしょにしずめてしまおう。そして、ひどいことをした人を、思い切ってゆるそう！

July

7月2日

いつでも、どこにいても

神よ　私を探り　私の心を知ってください。
私を調べ　私の思い煩いを知ってください。

詩篇 139 篇 23 節

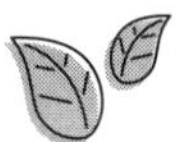

私たちは、どんな時も、どんな場所にいても、神さまと話をすることができるって知っていましたか。

ある統計によると、私たちは一生のあいだに、信号を待つのに６か月間、なくした物をさがすのに１年半、そしてなんと、まるまる５年間を、何かの列にならんでいるのだそうです。

せっかくなら、これらの「むだな時間」を、神さまに祈る時間にしてみてはどうでしょう。声に出して祈らなくてもよいのです。目をとじる必要もありません。神さまにだけ聞こえればよいのです。心の中で、またはささやくような声でもだいじょうぶ。

「神さま、ありがとう」、「今日もいっしょにいてください」、「イエスさま、あなたに信頼します」、そんなひとことでいいのです。場所はどこでもかまいません。あなたが祈れば、あなたの部屋が教会へ、教室が礼拝堂へと変わるはずです。

教会や家以外の場所で祈ったことはある？　食事の前やねる前にしか祈らないのでは？　今日から、「いつでもどこでも神さまに祈る」ことにチャレンジしてみよう。校門をくぐる時、授業が始まる前のほんのひととき、体操着に着がえている時などなど。一日の終わりに、何回祈れたか思い出してみよう。

July

7月3日

神さまを賛美しよう

主はこの口に授けてくださった。
新しい歌を　私たちの神への賛美を。

詩篇 40 篇 3 節

神さまは、私たちの顔を変えたいと思っていらっしゃいます。顔と言っても、顔の作りのことではなく、表情のこと。いつもおだやかで晴れやかな表情の人といっしょにいると、楽しいし、ホッとしますよね。

神さまは、私たちの顔の表情を変えてくださるのです。神さまは、その指で、おそれや心配のためにできたみけんのしわをそっと消し、不満やイライラでへの字になっている口角を上げ、いかりでつり上がった目元をやわらげてくださいます。私たちが流す悲しみのなみだを、安心と喜びのなみだに変えてくださるのです。

神さまに顔を変えていただくために、私たちはどうしたらよいのでしょう。それは、神さまに礼拝をささげ、賛美することです！　神さまのお名前をほめたたえ、賛美しましょう。神さまは私たちの心を喜びでいっぱいにし、神さまの子どもにふさわしい顔に変えてくださいますよ。

天気のいい日に公園に出かけよう。静かなベンチで空を見上げよう。太陽を浴び、神さまの愛のあたたかさを感じよう。風の音に耳をすませ、神さまがともにいてくださることを思い出そう。鳥のさえずりを聞き、力ある神さまをほめたたえよう。ひととき礼拝をささげ、内側から私たちを変えてくださる神さまのみわざに感謝しよう。

July

7月4日

神さまの恵み

【あなたは】恵みをもって私にいのちを与え、
あなたの顧みが私の霊を守りました。
ヨブ記 10 章 12 節

罪をおかしたら罰があたえられる、それならわかるのです。でも、罪をおかしたのに神さまの恵みがあたえられる、というのはなかなか理解しづらいですね。実は、聖書にはそんな人がたくさん登場します。

たとえば……

- 詩篇の作者であるダビデ王は殺人をおかしたのに、恵みによって神さまにゆるされ、ふたたび詩篇を書くことができた。
- おくびょうなペテロはイエスを三度知らないと言ったのに、恵みによって立ち直り、やがて大説教家になった。
- 欲深なザアカイは、人をだましてお金を横取りしていたが、恵みによってイエスを家に招くことができた。
- イエスといっしょに十字架にかかった強盗は、恵みによって死ぬ直前にイエスのすばらしさに気づき、天国に行くことができた。

神さまは、私たちがどんなに罪深くても、なんとかしてご自身に立ち返らせ、天国へ導こうと、あらゆるチャンスをさがしておられるのです。

以上の人たちの他にも、恵みによってゆるされ、やり直すチャンスをあたえられた人はたくさんいるよ。聖書でさがしてみよう。あなたも、失敗やまちがいをして、家族や友だち、そして神さまにゆるされた経験はある？　その時の気持ちを思い出そう。あなたも、神さまのように人をゆるせるようになれたらいいね。

July

7月5日

うらみという名の牢獄

もし人の過ち(あやま)を赦(ゆる)すなら、あなたがたの天の父も
あなたがたを赦してくださいます。

マタイの福音書6章14節

いつまでも人に対していかり続け、いつか仕返しをしてやりたいと思っていると、知らず知らずのうちに「うらみ」という名の牢獄(ろうごく)にとじこめられてしまいます。

この牢獄のかべにはあちこち「にくしみ」というシミがあり、ゆかは「いかり」という黒い水たまりができていて、「裏切り(うらぎ)」という悪臭(あくしゅう)がただよっています。鉄格子(てつごうし)ごしに太陽を見上げようとしても「自己憐憫(れんびん)」という雲が立ちこめ、何も見えないのです。

友だちにウソをつかれ、いじめっ子に意地悪をされると、私たちは自分からこの牢獄に入りこんでしまいます。いつまでも傷(きず)ついてしまったことにこだわり、ゆるすことよりもにくしみ続けることを選ぶなら、私たちの心はいつまでたってもこの牢獄からぬけ出すことができません。

もし私たちが、受けた傷を手放し、人をゆるし、神さまの愛と恵み(めぐ)を受け取る道を選ぶなら、その牢獄から解(と)き放たれ、自由になれるのです。

「うらみ」は、あなたにどんな影響(えいきょう)をあたえるのだろう。レモンを半分に切り、しぼった汁(しる)を口にふくんでみよう。あまりの酸(す)っぱさに、思わずぎゅっと口がすぼまってしまうね。同じように、うらみも、私たちの心を縮(ちぢ)こませ、何もできなくさせてしまうのだ。

July

7月6日

大祭司イエス

その日に主イエスは来て、……
信じたすべての者たちの間で感嘆の的となられます。

テサロニケ人への手紙第二1章10節

イエスは、私たちにとって、大祭司のようなお方です。

聖書の時代において、祭司は、人々に神さまのみこころを伝え、人々の願いや思いを神さまにお伝えするという大切な仕事を任されていました。ヨハネの黙示録には、天においてイエスは、「足まで垂れた衣をまとい、胸に金の帯を締めてい」（1・13）る、つまり祭司の姿をしておられると記します。

聖書にはたくさんの祭司が登場します。どの祭司も、神さまからあたえられた務めを果たそうと力をつくしましたが、罪やあやまちをおかし、私たちと同じように本物の大祭司が必要でした。

イエスこそが、本物の完全なる大祭司なのです。「このような方、敬虔で、悪も汚れもなく、罪人から離され、また天よりも高く上げられた大祭司こそ、私たちにとってまさに必要な方です」（ヘブル7・26）と聖書が記すとおりです。

あなたに神さまのことを教え、神さまと親しい関係を築くことができるよう助けてくれる人はだれだろう？　お父さんやお母さん、教会学校の先生、友だち？　その人たちをあなたのそばに置いてくださった神さまに感謝しよう。そして、その人たちに直接感謝のことばを伝えよう。あなたも、まわりの人たちに神さまを伝える人になろう。

July

7月7日

あなたが思うよりも近くに

イエスはすぐに彼らに話しかけ、「しっかりしなさい。
わたしだ。恐れることはない」と言われた。

マタイの福音書 14 章 27 節

弟子たちははげしいあらしに巻きこまれてしまいました。風はうなり、波は何度も舟に打ちつけ、弟子たちはいのちの危険を感じるほどでした。しかしそんな時、水の上を歩いて近づくイエスを見て、弟子たちはあろうことか「ゆうれいだ！」とさけびました。弟子たちを助けるため、神さまがイエスをつかわしてくださったことに、気づかなかったのです。

私たちも、人生のあらしがふきあれる時、思いもかけずまわりの人からやさしいことばをかけてもらったり、助けの手が差しのべられることがあります。そんなとき、弟子たちのようなかんちがいをしてしまうことはないでしょうか。せっかくの神さまからの助けを、ただの偶然だと受け止め、運が良かったと思うのです。

神さまは、私たちを助けるため、天使の大軍を送る代わりに、しばしばまわりの人々をお用いになります。困ったときに受ける友だちの親切、お父さんやお母さんの忠告や先生の気づかいは、偶然でなく、神さまからの助けなのです。神さまはあなたが思うよりもずっと近くにいてくださいます。

預言者エリヤは、はげしい大風、地震、火の中に神さまをさがしたが、どこにも見つけられなかった。でも、最後に「かすかな細い声」を聞き、その声こそが神さまご自身であることに気づいた（Ⅰ列王 19・11～13）。私たちも、神さまの「かすかな細い声」を聞くことができる。美しい朝焼け、まわりの人からのあたたかいひとことや、助けの中に。

July

7月8日

死に至るまで忠実で

……私はあなたにこの命令を委(ゆだ)ねます。それは、あなたがあの預言(よげん)によって、信仰(しんこう)と健全な良心を保(たも)ち、立派(りっぱ)に戦い抜(ぬ)くためです。

テモテへの手紙第一1章18節

もし、タイムスリップして、死刑囚(しけいしゅう)として牢獄(ろうごく)に入れられているパウロに会うことができたとしたら、どんな質問(しつもん)をしますか。

「パウロさん、あなたには家族がいますか？」「いいや、私は天涯孤独(てんがいこどく)の身だ」

「お体の具合はどうですか？」「あちこちむち打たれているから、もうぼろぼろさ。それにひどくつかれている」

「何かごほうびはもらえましたか？」「この世では何も」

「それでは、あなたにはいったい何があるんですか？　家族もいない、なんのごほうびももらえない、体もぼろぼろだなんて」「私にあるのはイエスへの信仰(しんこう)、それだけだ。でも、それがあれば他には何もいらない」

パウロはそう答えると、かべによりかかり、そっとほほえむことでしょう。なぜなら、パウロはちゃんと知っているからです。「死に至(いた)るまで忠実(ちゅうじつ)でありなさい。そうすれば、わたしはあなたにいのちの冠(かんむり)を与(あた)える」と、神さまが約束してくださったことを（黙示録(もくしろく)2・10）。

信仰(しんこう)は種にたとえられる。種はとても小さいが、大切に育てれば芽が出て成長し、やがて花がさき、実をつける。そしてまわりの人々を養い、守るのだ。あなたの信仰はどんなふうに花開くのだろう。あなたの「信仰の花」を想像(そうぞう)して、画用紙にえがいてみよう。乾燥(かんそう)した豆やポップコーン、ひまわりの種などをボンドではり、美しく仕上げよう。

July

7月9日

新しいいのち

主は、ある人たちが遅れていると思っているように、約束
したことを遅らせているのではなく、あなたがたに対して
忍耐しておられるのです。だれも滅びることがなく、
すべての人が悔い改めに進むことを望んでおられるのです。

ペテロの手紙第二３章９節

私たちは、イエスを救い主と信じたとき、新しいいのちがあたえられます。過去の罪やあやまちから解放され、天国の希望にあふれる新しい人生を歩み始めることができるのです。

さて、新しいいのちをいただくと、私たちは二度と罪のゆうわくに負けることなく、あやまちをおかさなくなるのでしょうか。

ちょっと考えてみてください。生まれたての赤ちゃんは歩くことができますか。自分で食事をしたり、歌ったり、本を読むことはできますか。いいえ、今はできませんよね。でも、やがて必ずできるようになります。

赤ちゃんが時間をかけて学び、成長していくように、神さまから新しいいのちをいただいたばかりの私たちも、少しずつ成長し、神さまの子どもとしてふさわしくされていくのです。

お母さんが赤ちゃんを大切に育てるように、神さまも私たちの成長を見守ってくださいます。

アルバムを開いて、自分が赤ちゃんだったころの写真を見てみよう。あなたはずいぶんと学び、変わり、成長したよね。よちよち歩きをしていたころ、転んだからってしかられることはなかったよね？　同じように、あなたが失敗して転んでも、神さまはやさしくだき上げ、ひざのほこりをはらい、次の一歩をふみ出せるよう助けてくださる。

July

7月10日

生きる意味

あなたは心を尽くし、いのちを尽くし、知性を尽くして、
あなたの神、主を愛しなさい。

マタイの福音書 22 章 37 節

どうして私はこの世に生まれてきたのだろう、と思ったことはありませんか。神さまが私を創造なさったのはなぜなのだろう、と。

ある人たちは、仕事や働きにその答えを見つけようとします。そういう人は、自分の価値は「何を成しとげるか」で決まると考えているので、良い成績を取って良い学校に入り、良い仕事につくことを目標にします。しかしそのこと自体はすばらしくても、私たちが生きる理由にはなりません。

また、たくさんのモノ、つまり立派な家やおしゃれな服を手に入れることに価値があると考える人もいれば、楽しい経験をたくさんすることに意味があると考える人もいます。でも、そのどちらも「私はなぜこの世に生まれてきたか」という問いの答えにはなりません。

私たちの人生の目的はただ一つ、神さまを愛し、ほめたたえることです。

自分はどんな人かとまわりの人に聞いたら、なんて答えてくれるだろう？　イエスはどんな方だっただろう？　聖書を読んで、思いつくかぎり紙に書いてみよう。親切、弱い人たちに心から同情する、人の失敗をゆるす、よく祈る、などなど。神さまに助けていただきながら、イエスのような人になることを目標にしよう。それこそが、神さまを愛し、ほめたたえることなんだ。

July

7月11日

神さまは偉大な方

聖なる、聖なる、聖なる、
主なる神、全能者。
昔おられ、今もおられ、やがて来られる方。
ヨハネの黙示録４章８節

ダビデ王は、「私とともに主をほめよ。一つになって 御名をあがめよう」(詩篇 34・3) と呼びかけました。神さまを賛美するとは、神さまが偉大ですばらしい方であると、心から告白することです。

神さまはいつも変わることなく偉大な方です。でも私たちは、神さまを信じ始めたころは、そのことに気づかないのです。神さまに近づき、神さまのことを深く知るようになるにつれて、神さまの力と権威がどれほど大きいか理解できるようになります。

時々、私たちの前に大きな試練、大きな疑問、大きななやみが立ちふさがります。そんなときこそ、神さまのほうがはるかに大きく偉大な方であることを思い出しましょう。

神さまを信じる私たちは一つになって、「聖なる、聖なる、聖なる、主なる神さま！」と賛美する者となりましょう。

虫めがねをのぞいて見ることがあるよね？　自分の目ではよく見えなかったものが、グッと近く、そして大きくはっきりと見えるね。神さまを礼拝し賛美するとは、神さまを虫めがねでのぞくことだ。礼拝をささげることを通して、私たちは、神さまがより近くに、そしてはっきりと見えるようになるんだ！

July

7月12日

グイッとUターン

それとも、神のいつくしみ深さがあなたを悔い改めに導くことも知らないで、その豊かないつくしみと忍耐と寛容を軽んじているのですか。

ローマ人への手紙２章４節

教会でよく耳にすることばに、「悔い改め」がありますね。悔い改めるとは、自分のあやまちや失敗を、「なんであんなことをしてしまったのだろう」と、ただ後悔することではありません。

悔い改めとは、まちがったことをやめて正しいことをする、わがままで自己中心的な生き方から神さまに従う生き方へと変える、今まで進んでいた道を神さまに向かってグイッとUターン、つまり方向転換することです。

私たちは、神さまの愛を知ると、罪のためにくすんでしまった自分の心がいかにみじめでみにくいか、はっきりとわかるようになります。こんな失敗だらけの自分を愛し、大切にしてくださる神さまへの感謝の思いが、新しい生き方へ向かう原動力となります。それこそが「悔い改める」ということなのです。

家族でドライブをしている時、目的地とはちがう方向に進んでると気づいたことはない？　その時、そのままその方向に進んで行く？　すぐに路肩に車を止めるよね。でも止めるだけでは不十分。車をUターンさせ、正しい道にもどるよね。そう、それが「悔い改め」。止まるだけでなく、方向転換して正しい道を進み始めるということなんだ。

July

7月13日

みこころを知るには

わたしの父のみこころは、子を見て信じる者がみな
永遠のいのちを持ち、わたしがその人を終わりの日に
よみがえらせることなのです。

ヨハネの福音書６章40節

私たちは、神さまのみこころを知るために、毎日神さまとすごす時間をもつことが大切です。神さまは、私たち一人ひとりに、それぞれちがう方法で語りかけをなさいます。

神さまがモーセに柴の中から話されたからと言って、私たちも柴のそばに座る必要はありませんし、ヨナが魚のおなかの中で神さまの声に従う決心をしたからと言って、水族館で礼拝をささげる必要もありません。神さまは、私たちの性格や状況に合わせて、みこころを伝えてくださるのです。だからこそ、一週間に一度だけでなく、毎日神さまに向き合う時間をすごし、神さまのみこころは何か、耳をすませる習慣をもつことが大切です。

最初はがまんがいりますが、毎日少しずつでも神さまといっしょに時間をすごすようにすると、神さまがあなたに何を望んでおられるのか、わかるようになりますよ。

あなたには、仲良しの友だちがいるよね。その友だちの好きな歌手はだれ？　好きな色、好きな食べ物は？　きっとすぐに答えられるよね。なぜだろう。それは、その友だちとよくいっしょに時間をすごしているから。同じように、神さまといっしょにすごす時間をもつようにすると、神さまのことがよくわかるようになるよ。

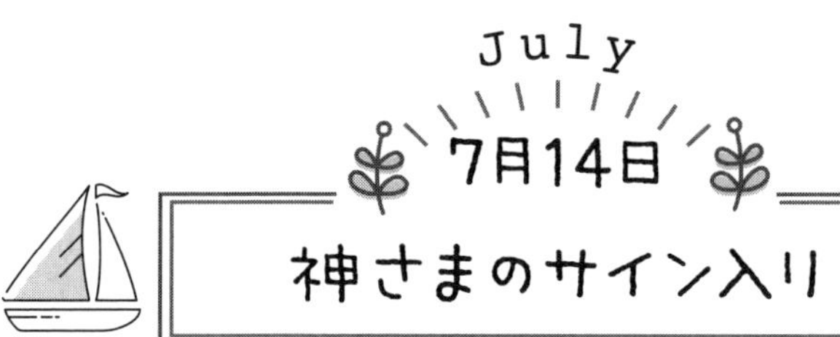

July

7月14日

神さまのサイン入り

わたしは、あなたを胎内に形造る前からあなたを知り、……

エレミヤ書1章5節

あなたは、偶然に、何かのはずみでこの世に現れ出たわけではありません。あなたは、神さまの手によって、ていねいに形づくられたのです。私たちは一人ひとり、創造主である神さまの名前が刻まれた大切な存在です。

以前私は、歴代のクォーターバックのサインの入ったアメリカンフットボールの球をプレゼントされたことがあります。私のじまんの宝物です。これがとても貴重なのは、その球自体に価値があるからではなく、サインが入っているからです。

私たちもそうなのです。人間が他の動物とちがって特別な存在なのは、私たちには神さまの名前が刻まれているから、神さまのかたちに造られているからです。私たちが何かすばらしいことを行うからではなく、神さまのすばらしい作品だからなのです。

恵みのうちに成長しよう

お父さんやお母さんは、あなたが幼いころに作った作品やえがいた絵を、いつまでも大事に取っておいたりしていない？　なぜそんなに大切にしているのだろう。理由は簡単、それはあなたが作ったものだから。作品の価値は、それをだれが作ったかで決まる。そうそう、ところであなたは、どなたの作品だったっけ？

July

7月15日

信仰とは

さて、信仰は、望んでいることを保証し、
目に見えないものを確信させるものです。

ヘブル人への手紙11章1節

信仰とは、神さまを信頼する目で物事を見るということです。

・人が目にするのは、おなかをすかせてうろつくライオン。しかし神さまに信頼するダニエルは、そこにライオンの口をふさぐ天使の姿を見る。
・人々の目には、ふりしきる大雨しか映らない。しかし神さまに信頼するノアは、神さまの約束のしるしである虹がかかるのを見つける。
・人々は、おそろしい大男の姿しか見ない。しかし、神さまに信頼するダビデは、神さまの力によって必ず大男ゴリヤテをたおすことができると信じる。
・あなたは今、自分の失敗やあやまちしか見えないかもしれない。しかし、神さまに信頼するならば、罪からあがなってくださる救い主イエスを見ることができる。

私たちは、「信仰の目」で、つまり神さまに信頼する目で、物事を見る必要があります。信仰の目で鏡を見た時、そこに映るのは、罪人であるあなたではなく、神さまの大切な子どもであるあなたの姿なのです。

目には見えないけれどもたしかに存在するものは何だろう？　風、電気、愛、親切……。他に何がある？　それ自体は目に見えなくても、その働きを見ることはできるよね。神さまは見えないけれど、神さまの働きはちゃんと見ることができるように。

July

7月16日

すべての人に

恵みによるのであれば、もはや行いによるのではありません。そうでなければ、恵みが恵みでなくなります。

ローマ人への手紙 11 章6節

神さまが恵みとゆるしをくださるのは、どんな人でしょう。頭の良い人だけでしょうか。それとも、きれいな人やおもしろい人だけ？　いいえ、神さまはお金持ちの人にも貧しい人にも、スポーツ選手にも鉄道オタクにも、人気者にも目立つのがきらいな人にも、そう、どんな人にも、おしまず恵みをあたえてくださいます。

神さまは、欠けだらけの私たちをありのまま受け止め、愛してくださいます。神さまの救いにあずかるために、私たちがかんぺきになる必要はないのです（そもそも私たちは自分の力ではかんぺきにはなれないことは、神さまがいちばんごぞんじです！）。

イエスは、私たちがまだ罪人であったとき、私たちのために死んでくださいました（ローマ5・8参照）。神さまの救いは、私たちの行いが正しいからではなく、神さまが私たちを愛してくださるからあたえられるのです。

恵みのうちに成長しよう

残り物には福があるとは言うけれど、実際にはそんなことはないよね。残ったピザには、大好きなソーセージがのってないし、チーズも心なしか少ない気が……。でも神さまのおくり物である愛とあわれみは、すべての神さまの子どもに、平等に、そしてあふれるように注がれる。残り物をつかんでため息をつく人など、一人もいない！

July

7月17日

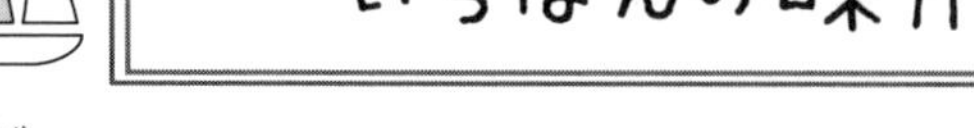

いちばんの味方

主ご自身があなたに先立って進まれる。主があなたとともにおられる。主はあなたを見放さず、あなたを見捨てない。

申命記31章8節

私は七歳の時に、家出をしました。父が決めた家のきまりにうんざりし、紙ぶくろに手当たりしだい物をつっこんで、家の裏門からいきおいよく飛び出したのです。しかし、路地のつきあたりまで来たとたんおなかがすいているのに気づき、くるりと向きを変え、そのまま家に引き返したのでした。

父への反抗は実にあっけなく終わりましたが、その時の私は、「もうお父さんなんていらない！　お父さんのきまりを守らなくたってちゃんと生きていける」と本気で思っていたのです。

私は、ペテロのように、にわとりが三度鳴く声を聞いたわけではありません。ヨナのように、魚の口からペッとはき出されたわけでもありません。放蕩息子のように、いちばん良い衣を着せてもらい祝宴を開いてもらったのでもありません。でもその後、少しずつですが、父から大切なことを学びました。それは、地上の父がそうであるように、天の父である神さまは、どんなときも、私がどんな状態でも、いちばんの味方だということを。そして神さまのきまりに従っていればまちがいはないのだということを。

どんな家にも、お父さんやお母さんが決めたきまりがあるよね。「だれにでも親切にしなさい」、「家に帰ったら手を洗いなさい」、「何かしてもらったらお礼を言いなさい」などなど。神さまの家族も、守らなくてはならない大切なきまりが二つある。さてどんなきまりだったかな？　ルカの福音書10章27節を読んで考えよう。

July

7月18日

病気の人をたずねるイエス

彼は私たちのわずらいを担い、私たちの病を負った。

マタイの福音書8章17節

イエスが生きておられたころ、ベテスダと呼ばれる池のまわりには、体の不自由な人、病気の人が大勢集まっていました（ヨハネ5・1〜9)。天使が水をかき回したすきに、池に飛びこめばいやされるという言い伝えを信じ、わらをもつかむ思いで水に入るチャンスをねらっていたのです。

しかし、ほとんどの人は、いやされることなく、時折うめき声をあげながら、なにもできず、ただ横たわっていました。きっとそれは、戦場で、けがを負って傷ついた人々が折り重なるようにしてたおれている光景と、どこか似ていたことでしょう。

人々は彼らの姿をちらりとながめるだけで、さっさとその場を後にします。しかしイエスはあえて彼らのもとを訪れ、彼らのあいだを歩き、彼らの顔をのぞきこみ、彼らにやさしくふれてくださいました。

傷つき苦しむ人のそばには、必ずイエスがいてくださるのです。

この世界には、今も、病気の人、体の不自由な人、貧しい人、苦しみをかかえた人が大勢いる。イエスが実際にこの地上で彼らのあいだを歩かれることはもうないけれど、代わりにご自身の民をつかわされる。さまざまな団体を通して、困っている人を支援する方法がある。具体的にどんなことができるか、家族で話し合ってみよう。

July

7月19日

ばんそうこうをはるだけ？

もし自分には罪がないと言うなら、私たちは自分自身を
欺いており、私たちのうちに真理はありません。

ヨハネの手紙第一１章８節

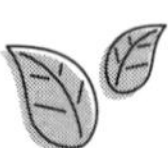

私の娘のアンドレアがまだ幼かったころの話です。アンドレアの指の先に大きなトゲがささりました。そこで私が、薬箱から、トゲをぬくためのピンセット、消毒液、そしてばんそうこうを取り出すと、痛いことが大きらいなアンドレアはこう言うではありませんか。「パパ、だいじょうぶ、たいしたことないから。そっと上にばんそうこうをはるだけでいいからね！」と。

実は私たち、アンドレアとちょっと似ています。神さまの子どもにしていただきたいけれども、自分の罪は神さまの目からかくし、なかったことにしてしまいたいのです。私たちが、「そんなものはない！」と言い張るものを、神さまはゆるすことができません。

私たちの失敗やあやまちを、つつみかくさず正直に神さまに告白しましょう。だいじょうぶ、神さまはあなたの心から罪のトゲを取り除き、たましいをすっかりいやしてくださいます。そう、ピンセットやばんそうこうなんか、なくってもね。

恵みのうちに成長しよう

ばんそうこうって便利だよね。ちょっとした切り傷、かすり傷くらいなら、ばんそうこうさえあれば、すぐに治ってしまう。でも、罪を治すことのできるばんそうこうはどこにもない。罪を解決できるのはただ一つ、神さまの恵み、あわれみだけなんだ。

July

7月20日

イエスにお会いする日

今、私たちは鏡にぼんやり映るものを見ていますが、
……そのときには、……私も完全に知ることになります。
コリント人への手紙第一 13 章 12 節

やがて、私たちがイエスと顔と顔を合わせてお会いできる日が来ます。その時、私たちはどんな気持ちになるのでしょう。

きっと、クリスマスの日の朝、誕生日、そしてアイスクリーム食べ放題の日が同時にやって来るよりも、ずっとずっとうれしいでしょうね！

この世界にいるだれよりも私たちを愛していてくださるイエス。私たちをごらんになる時、イエスはどんな表情をうかべておられるのでしょう。

その時、私たちの罪はすべて洗い流されます。うしろめたさやひとりぼっちのさみしさから、すっかり解放していただけるのです。私たちが、失敗したり、つまずいたり、神さまの愛を疑うことは、もう二度とありません。なぜって？　それは私たちが、「キリストが現れたときに、キリストに似た者になる」（Ⅰヨハネ3・2）からです。

その日が待ち遠しいですね！

今日の聖句には、「今、私たちは鏡にぼんやり映るものを見ていますが、そのときには、……私も完全に知ることになります」とある。暗い部屋で鏡を見てみよう。目をこらさないと自分の顔がよく見えない。でも、電気をつけたら細かいところまで見える。天国に行ったら神さまの光に照らされて、イエスの顔もはっきりと見えるようになるよ！

July

7月21日

さがしてくださる神さま

あなたがたの神、主に立ち返れ。
主は情け深く、あわれみ深い。
怒るのに遅く、恵み豊かで、
わざわいを思い直してくださる。
ヨエル書２章13節

神さまは、あなたの心をご自身に向けてほしいと心から願っておられます。あなたが、この地上でただ楽しくすごし満足するのではなく、ご自身とともに永遠の幸せを手にしてほしいと思っていらっしゃるのです。

神さまは、アブラハムに、住みなれた土地を後にし、知らない場所へと旅立つようお命じになりました。ヨセフが、人に売られ、奴隷として働き、無実の罪で牢獄に放りこまれるのをおゆるしになりました。さらにパウロは、ある日イエスに声をかけられ、とつぜん目が見えなくなりました。すべて神さまが、彼らの心をご自身に向けるためになさったことです。

神さまは、失われた者に永遠のいのちをあたえるために、私たちが神さまを信頼する者となるために、どこまでも私たちを追い求め、さがし続けてくださるのです。

大切にしているぬいぐるみや人形をいくつか選び、お父さんやお母さんにお願いして、家のあちこちにかくしてもらおう。さあ、全部見つけ出すまで、どのくらい時間がかかるかな？　ベッドの中、クッションの下、おし入れの奥など、いろんな場所をさがさないといけないね。神さまもあなたのことを、そんなふうにさがし続けてくださるんだ！

July

7月22日

～だったらいいのに

ですから、あなたはもはや奴隷(どれい)ではなく、子です。
子であれば、神による相続人(そうぞくにん)です。
ガラテヤ人への手紙４章７節

「～だったらいいのに」が口ぐせになっている人はいませんか。「かわいい洋服がたくさんあればいいのに」、「お母さんがもっとやさしければいいのに」、「お金がたくさんあればいいのに」、「もっと頭がよければいいのに」……。言い出したらきりがありませんね。

もしかしたら、神さまも「～だったらいいのに」と思っていらっしゃるかもしれませんよ。「わたしがこんなに愛していることを、ちゃんとわかってくれたらいいのに」、「もっとわたしに信頼(しんらい)してくれたらいいのに」、「いつも祈(いの)ってわたしに助けを求めてくれたらいいのに」ってね。

神さまの「～だったらいいのに」をかなえるために、あなたにできることはなんでしょう。神さまに信頼し、聖書(せいしょ)の教えに従(したが)い、どんなときも祈(いの)る人になりましょう。

あなたは将来(しょうらい)どんな人になりたい？　結婚(けっこん)して大家族をもちたい？　外国へ行って仕事がしたい？　会社を経営(けいえい)する人になりたい？　どれもすてきな夢(ゆめ)だけど、神さまのいちばんの願いは、あなたにご自身のようになってほしいということ。あなたは、神さまの大切な子どもであり、相続人(そうぞくにん)なのだから。

July

7月23日

神さまのきまり

神を恐れよ。神の命令を守れ。
これが人間にとってすべてである。
伝道者の書 12 章 13 節

学年が変わった最初の授業の日、新しい担任の先生から、「クラスのきまり」が書かれたプリントがわたされますよね。クラスのみんながおたがいに楽しく一年をすごすために、きまりを守ることはとても大切です。神さまも、私たちが人生を安全に、そして喜びをもってすごすために、きまりをあたえてくださいました。

- 神さまを何よりも大切にし、愛そう。
- 人が見ていなくても正しいことをしよう。
- どんなときも、ベストをつくそう。
- 親に従おう。
- 人に親切にしよう。
- いつも祈ろう。
- 自分のことをゆるそう、神さまがゆるしてくださっているのだから。
- 神さまが愛してくださっていることを思い出そう、どんなときも。

今度家族でドライブに行くことがあったら、窓から外をながめ、信号機をさがそう。信号が赤の時は、イエスが私たちの罪のために十字架で血を流されたことを思い出そう。黄色の時は、自分のことばや行いが神さまのみこころにかなっているかどうかふり返ろう。青の時は、神さまの恵みを感謝しよう。

July

7月24日

神さまを賛美しよう!

どうか、世々の王、すなわち、朽ちることなく、
目に見えない唯一の神に、
誉れと栄光が世々限りなくありますように。アーメン。

テモテへの手紙第一1章17節

「神さまを賛美する」とは、簡単に言うと、神さまがどんなにすばらしい方であるかを、神さまに告白することです。神さまの力をほめたたえましょう。神さまがたくさんの恵みをくださっていることに、心から感謝の思いを表しましょう。神さまを大切に思っていることを素直に伝えましょう。

私たちは、歌や楽器の演奏を通して神さまを賛美することができます。

神さまのために奉仕し、献金し、まわりの人を助けるのも、神さまを賛美することです。

神さまに祈ること、聖書を学ぶこと、自然の営みの中に働く創造主のみわざに感謝することも、広い意味で神さまへの賛美なのです。

日々、神さまを賛美する者となりましょう!

祈ることも賛美の一つ。聖書にはさまざまな祈り方が記されている。あなたも試してみない?　パウロがすすめるように手を上げて祈ってみよう(Iテモテ2・8)。モーセのようにひれふして祈ってみよう(申命記9・25)。ダニエルのようにひざまずいて祈ってみよう(ダニエル6・10)。どんな祈り方をしても、神さまは耳をかたむけてくださる!

July

7月25日

神さまはどんな方？

神にはどんなことでもできます。

マタイの福音書 19 章 26 節

神さまがどんな方か知りたいですか。自然に目を向け、神さまの創造のみわざのすばらしさにふれましょう。神さまは、壮大で、一つも欠けがなく、何でもおできになる方です。罪から遠くはなれ、時間を超越し、私たちのような体をもたないので何の限界もありません。私たちを支配する何ものにも支配されず、私たちをなやませる何ものにもなやむことはありません。

ワシは道路のへこみにつまずいたりしますか？　いいえ、空を高くまうワシはそんなものにわずらわされません。クジラは、台風が来るとふき飛ばされてしまいますか？　いいえ、海底に深くもぐるクジラは、どれほど大きな台風がやってこようとも気にしません。ライオンは、ネズミがそばに走りよるとこわくてにげますか。いいえ、ちっぽけなネズミなどまったく相手にしないでしょう。

どんなに問題やなやみが大きくとも、神さまは、高くまい上がり、底深くもぐり、軽々とそれをふみこえてしまわれます。神さまは何があっても、まったく動じることはないのです。

恵みのうちに成長しよう

あなたは、空の星を数え、海岸の砂の数を数えることができる？　いいえ、でも神さまにはおできになる。神さまは、私たちが思うよりもはるかに大きく、強く、力ある方だ。神さまがどんなに大きく力ある方かを心に思いえがきながら、「主われを愛す」の１番を歌おう。

July

7月26日

心を一つにするためには

互いに忍耐し合い、だれかがほかの人に不満を抱いたとしても、互いに赦し合いなさい。主があなたがたを赦してくださったように、あなたがたもそうしなさい。

コロサイ人への手紙３章13節

神さまを信じる私たちが、たがいに良い関係を築き、心を一つにして神さまに仕えるためには、どうすればよいのでしょう。

いちばんのひけつは、まわりの人たちの願いや必要は何かを考え、大切にすることです。

他のだれかのことばや行いに腹が立っても、そのいかりをおさえることです。

だれかに傷つけられても、やり返さないことです。

がまんならないと思っても、ゆるすことです。

相手が攻撃してきても、あなたは親切にすることです。

腹が立っても忍耐強くいることです。

この世の人たちはさまざまな手を使って、神さまを信じる私たちの関係をこわそうとしますが、そんなときこそ、おたがいを思いやり、心を一つにし、愛の関係を保ちましょう。

教会だけでなく、家族も一つになれたらすばらしいよね。そのためには、家族一人ひとりの欠点ではなく、良いところに目を注ぎ、たがいに似たところがないかさがしてみよう。苦手な食べ物や好きな音楽など、共通点がたくさんあるかもしれないね。

July

7月27日

将来の目標

人の子も、仕えられるためではなく仕えるために、
また多くの人のための贖いの代価として、
自分のいのちを与えるために来たのです。

マルコの福音書 10 章 45 節

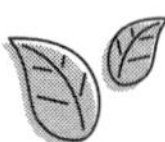

イエスのすばらしいところは、何があっても決してぶれないことにありました。イエスは、わき道にそれることなく、定められた目標に向かってまっすぐに歩まれました。

イエスの前には、いくつもの可能性が広がっていたことでしょう。りっぱな戦士となって、ローマ帝国からユダヤ人を守ることもできたでしょう。祭司となって、人々の教育に生涯をささげることもできたでしょう。イエスなら、どの道を選んでもきっと成功したにちがいありません。しかし、イエスがまようことなく選ばれたのは、救い主となって人々のたましいをあがなう道でした。

イエスと行動をともにした人々も、イエスが「人の子は、失われた者を捜して救うために来た」(ルカ 19・10) と語るのを耳にしていました。イエスは、生まれ育ったナザレの村を出たその日から、十字架の死をめざして一心に歩まれたのです。

あなたには将来の目標がある？　めざしている学校、大人になったらつきたい仕事、住んでみたい場所があるかもしれないね。日記に書きとめておこう。少しずつ成長するにつれて、目標も変わっていくかもしれない。でも、私たちのいちばん大きな目標は、イエスのような人になることだ。このことを忘れないでいてね。

July

7月28日

わたしに信頼していなさい

主に信頼する者に祝福があるように。
その人は主を頼みとする。
エレミヤ書 17 章 7 節

イエスは十字架にかかる直前、ペテロに「わたしが行くところに、あなたは今ついて来ることができません」（ヨハネ13・36）と言われました。

それを聞いたペテロが、「主よ、なぜ今ついて行けないのですか」（同37節）とたずねると、イエスは、まるでお母さんがやさしく子どもをさとすように弟子たちにこうおっしゃいました。

「あなたがたは心を騒がせてはなりません。神を信じ、またわたしを信じなさい。わたしの父の家には住む所がたくさんあります。……わたしが行って、あなたがたに場所を用意したら、また来て、あなたがたをわたしのもとに迎えます」（同14・1～3）と。

イエスは弟子たちにこう伝えたかったのです。「わたしに信頼していなさい。わたしがあなたがたのめんどうをみてあげるのだから、心配はいらないよ」と。

私たちは、お父さんやお母さんに、いろいろなことをしてもらっているね。住む家を整え、毎日のごはんを作ってもらっている。習い事の送りむかえもしてくれるね。地上の親でさえ、子どもの世話をちゃんとしてくれるのだから、ましてや天の父である神さまがあなたのめんどうをみてくださらないはずがない！

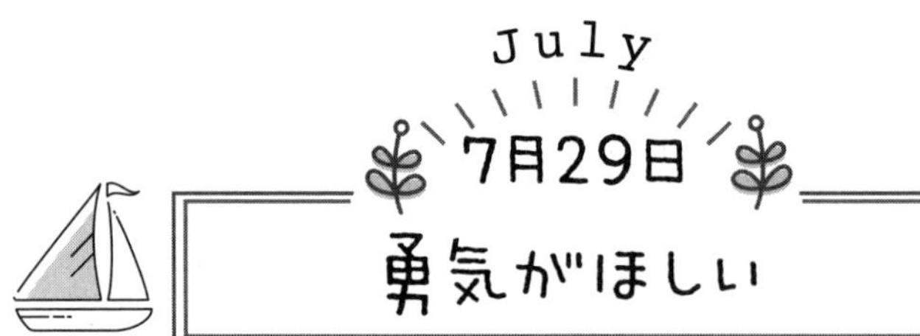

July

7月29日

勇気がほしい

わたしがあなたの神、主であり、
あなたの右の手を固く握り、
「恐れるな。わたしがあなたを助ける」
と言う者だからである。
イザヤ書 41 章 13 節

　イエスの弟子たちは、神さまからおどろくほどの大仕事を任されましたが、もともとはごく平凡なふつうの人たちでした。弟子たちはやがて聖人とみなされ、りっぱな教会のステンドグラスにえがかれるほどになりましたが、イエスと出会ったころ、彼らは特別な家柄の人たちでも、英雄でもありませんでした。

　彼らがあのような大きな働きができたのは、イエスを心から愛する思いがあったから、それだけなのです。

　私たちも、イエスに従う道を選ぶなら、神さまは私たちの心からおそれや心配を取り除いてくださいます。弟子たちを勇気づけてくださったイエスは、あなたにも必要な力を必ずあたえてくださいます。

あなたの心配、おそれは何？　暗い部屋のゆうれい？　両親の仲が悪いこと？　友だちがいないこと？　実際に起きている問題もあれば、ただの想像にすぎない場合もあるだろう。もし心がおそれでいっぱいになったら、このみことばを思い出そう。「主は　すべてのわざわいからあなたを守り　あなたのたましいを守られる」（詩篇 121・7）。

July

7月30日

自分自身のように

わたしのくびきは負いやすく、わたしの荷は軽いからです。
マタイの福音書 11 章 30 節

イエスは、私たちに二つのことをお命じになりました。一つ目は、「あなたは心を尽くし、いのちを尽くし、知性を尽くして、あなたの神、主を愛しなさい」。二つ目は「あなたの隣人を自分自身のように愛しなさい」です（マタイ 22・37 ～ 39）。

ところで、「あなたの隣人」とはだれのことでしょう。それは、あなたのまわりにいるすべての人のことです。その人たちを「自分を愛するように愛しなさい」とイエスは言われました。人を正しく愛するためには、私たちは、まず自分自身を愛し、自分が人からどのようにしてもらいたいのかをちゃんとわかっていなくてはなりません。あなたも神さまに創造された大切な存在だからです。

自分のことをちゃんと愛していないと、人からひどいことを言われたりされたりした時、正しい態度を取ることができません。ですから、ちゃんと自分を愛しましょう。そして人を愛する者となりましょう。

だれからも愛されず、必要とされず、大切にされていないように感じることはある？　小さな紙に、詩篇 139 篇 14 節、ヨハネの手紙第一3章1節、マタイの福音書6章 31 ～ 33 節、ゼパニヤ書3章 17 節をそれぞれ書いて四つ折りにし、びんに入れよう。落ちこんだら、その中から一枚取り出し、選んだみことばを声に出して読んでみよう。

July

7月31日

イエスはふたたび来られる

アダムにあってすべての人が死んでいるように、
キリストにあってすべての人が生かされるのです。しかし、
それぞれに順序があります。まず初穂であるキリスト、
次にその来臨のときにキリストに属している人たちです。

コリント人への手紙第一 15 章 22、23 節

イエスは、いつの日かふたたびこの地上に来て、イエスを信じる人たちを天国に連れて行くと約束してくださいました（ヨハネ14・3）。

私たちはどうすれば、その約束を信じることができるでしょう。イエスがおっしゃったことは本当なのだと、どうしたらわかるのでしょう。イエスは、私たちを罪から救い自由にしてくださるのだと、どうしたら確信できるでしょう。必ず私たちをむかえにもどって来てくださると、信じることができる理由は何でしょう。

それは、イエスが死からよみがえられたからです。イエスのお体がおさめられていた墓の前の石が転がされ、墓の中が空になっていたからです。イエスは今も、生きておられるからなのです。

イエスがふたたびこの世に来てくださる時、いったいどんなことが起こるのだろう。コリント人への手紙第一 15 章 52 節はこのように記している。「終わりのラッパとともに、たちまち、一瞬のうちに変えられます。ラッパが鳴ると、死者は朽ちないものによみがえり、私たちは変えられるのです」と。

8月
August
私たちの主であり、救い主である
イエス・キリストの恵みと
知識において成長しなさい。
ペテロの手紙第二 3章18節

August

8月1日

この地上には…

私たちは、何もこの世に持って来なかったし、また、
何かを持って出ることもできません。衣食があれば、
それで満足すべきです。

テモテへの手紙第一6章7、8節

あなたは、今の状況（じょうきょう）に満足していますか。「はい！」と心から言える人は少ないかもしれません。

私たちは、小学生のころは「ティーンエージャーになったらいろんなことができるのに」と思います。ティーンエージャーになると、「大人になったら自由になれるのに」と思います。でも、大人になったらなったで、「結婚（けっこん）したら幸せになれるのに」と思い、結婚すると、今度は「子どもがいれば楽しいのに」と思います。

なぜ私たちは、いつまでたっても、今のままで十分満足だと思えないのでしょう。それは、この地上には、私たちの心の底にある本当の願いをかなえるものがないからです。「神さまにお会いしたい！」、これこそが私たちの心からの願いなのです。

神さまによって造（つく）られたこの世界は、いたるところで「いつか神さまにお会いできるよ」と私たちにささやきかけます。私たちはその日がくるまで、本当の満足を手にすることはできないのです。

これさえあればいいのに、こうなれば、あれがあれば幸せになれるのに。そんなふうに思いなやんでいるうちに、時間はあっという間にすぎ去る。今、あなたが手にしているものに目を向けよう。大切な家族や友だちとすごす時間、ペットと遊ぶ時間、あなたを愛してくださる神さまとの交わりのひとときを、心から楽しみ、喜（よろこ）び、感謝（かんしゃ）しよう。

August

8月2日
すっかり新しくなる

主は私のたましいを生き返らせ
御名のゆえに　私を義の道に導かれます。

詩篇 23 篇 3 節

大切なものが古びていくのを見るのはつらいものです。私が生まれ育った町もずいぶんとすたれてしまいました。かつてにぎわっていたお店はいくつも閉店し、取りこわされた家もたくさんあります。昔友だちと連れだって通った映画館の扉には「借り主募集」の張り紙が……。

町全体を新しく生まれ変わらせることができたら、どんなにいいでしょう。建物や通りから、ほこりやよごれを取ってピカピカにすることができたら、どんなに気持ちがいいでしょう。でも、そんなことが私にできるわけがありません。

そう、私のたましいから罪を取り除き、すっかりきれいにすることなど、自分の力ではできないように。

でも、神さまにはおできになります。神さまは、私たちのたましいを生き返らせることができるのです。神さまは、私たちのたましいにいのちをふきこみ、希望と力をあたえ、すっかり新しくしてくださるのです。

恵みのうちに成長しよう

私たちが大切にしている物は、いつかは古びてしまう。私たちも、やがて成長し、それまで大切にしていた物から卒業してしまうことがある。持っているおもちゃを点検してみよう。もう使わなくなってしまったものはない？　汚れをふき取り、こわれているところがあれば直し、喜んで遊んでくれそうな小さな子にゆずってあげよう。

August

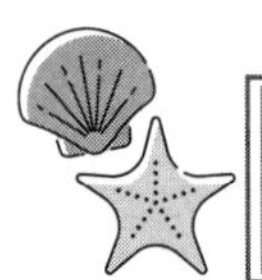

8月3日

いかりを手放す

私は神のあわれみによって、あなたがたに勧めます。
あなたがたのからだを、神に喜ばれる、
聖なる生きたささげ物として献げなさい。

ローマ人への手紙 12 章 1 節

いかりとにくしみがいったん私たちの心に芽生えると、しだいに大きくふくらんでいきます。心の中にとどまらず、行動となって現れると実に危険です。

いかりやにくしみによる行動は、ほとんどの場合まちがっているからです。やり返したいという思いが強くなればなるほど、ゆるすことが難しくなり、私たちはどんどん神さまからはなれていきます。

にくしみとは、飼い主にはむかう狂犬のよう、復讐とは、火を付けた本人を焼き殺す炎のよう。いかりとは、しかけた本人をとらえ、動けなくするわなのようです。

私たちが神さまのあわれみにすがるならば、神さまは、そのすべてから私たちを解放し、自由にしてくださいます。

恵みのうちに成長しよう

いかりで心がいっぱいになったら、次のことをためしてみよう。まず、大きく深呼吸し、しばらく何もしない。そのあいだ、自分はどんなことばを口にし、どう行動するべきか考える。次に、神さまに、知恵をあたえてくださるよう祈ろう。三番目に、勇気をもってゆるそう。たとえ気持ちの上ではそうしたくなくても。

August

8月4日

あなたは神さまの喜び

花婿が花嫁を喜ぶように、あなたの神はあなたを喜ぶ。

イザヤ書 62 章5節

結婚式のあいだ花婿さんが花嫁さんに向けるまなざしは、どんなにあたたかく愛に満ちていることでしょう。牧師として結婚式に何度も立ち会ってきた私は、よく知っています。

花婿さんの瞳には花嫁さんの姿が小さく映りこみ、その口元にはやさしいほほえみがうかんでいます。ふだん着慣れないタキシードに身を包んでいることも忘れ、シャツが汗でぐっしょりぬれていることも気にしません。その表情は、「この女性なしに、自分は片時も生きていくことはできない！」、そんな思いにあふれています。

実はイエスも、あなたをそのような目でごらんになるのです。イエスの目にはあなたが映っています。恵みという名の真っ白な衣に身を包んだあなたの姿が。

イエスが喜びをもってむかえようとしておられるのは、そう、あなたです。あなたこそ、神さまの喜びの源なのです。

あなたは神さまにとって、とびっきりのお気に入りだって知ってた？　英語で「目に映るおいしそうなリンゴ」と言うとき、それは「お気に入り」という意味。リンゴを横半分に切ってみよう。中心が星の形をしてない？　あなたは、神さまが創造された世界の中で、光りかがやく星のような存在なんだよ！

August

8月5日

神さまのご計画

主を自らの喜びとせよ。
主はあなたの心の願いをかなえてくださる。
詩篇 37 篇 4 節

神さまは、あなたの人生にどんな計画を立てておられるのでしょう。

そのことを探るために、次の問いに答えてみてください。「あなたが好きなことは何ですか」「どんなことに楽しみややりがいを感じますか」。

神さまは、あなたの心の願いや喜びを用いて、ご自身の計画や働きを実現してくださるお方です。

ある人は、貧しい人を助ける働きにやりがいを覚えます。またある人は、教会で人々の指導にあたることに喜びを感じます。私たちは、それぞれのやり方で神さまに仕えるように造られているのです。

あなたの心の声に耳をかたむけてください。心の願いを大切にしてください。風が、風見鶏の向きを決めるように、神さまは、あなたが好きなこと、楽しいと感じることを用いて、あなたの人生の方向を指し示してくださいます。

あなたはどんなことをしている時、いちばん夢中になれる？　教会でどんな活動をしているとうれしい？　あなたが笑顔になれるのはどんな時だろう。同じことに関心をもつ人を教会の中に見つけよう。その関心をどんなふうに用いたら神さまの役に立つことができるか、その人たちといっしょに考えてみよう。

8月6日

内側から変わる

心を新たにすることで、自分を変えていただきなさい。
そうすれば、神のみこころは何か、すなわち、何が良いことで、
神に喜ばれ、完全であるのかを見分けるようになります。
ローマ人への手紙12章2節

自分を変えたい！　と思ったことはありませんか。いわゆる変身願望というものです。服やかみ型など、見た目を変えるのは、少しくふうすれば簡単です。

でも私たちが本当に変わるためには、心が変えられなくてはなりません。実は私たちがかかえる本当の問題は、心の中にひそんでいるからです。それが罪です。

罪とは、私たちを創造された神さまに逆らうこと、まちがいだと知りながらそれを行うことです。罪は、私たちを神さまから遠ざけてしまいます。しかし私たちを愛してやまない神さまは、なんとかして私たちに近づきたいと願われました。そこで、大切なひとり子であるイエスを私たちにあたえてくださったのです。

イエスに従うならば、イエスは私たちの罪をすべて洗い流してくださいます。イエスこそ、私たちを内側からすっかり変えることのできるお方です。

あなたは心の中の何を変えたい？　どうしたらイエスに似た者となれる？　神さまに助けをいただこう。神さまは、祈り求める者に必ずこたえてくださる。「あなたがたのうちに、知恵に欠けている人がいるなら、その人は、だれにでも惜しみなく、とがめることなく与えてくださる神に求めなさい。そうすれば与えられます」（ヤコブ１・５）。

August

8月7日

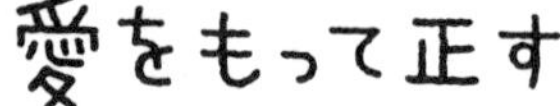

愛をもって正す

義と公正は　あなたの王座の基。
恵みとまことが御前を進みます。

詩篇 89 篇 14 節

人を愛すること、正しさを表明すること、そのどちらも神さまが私たちに望んでおられることです。

神さまが私たちを愛してくださるように人を愛する、つまり「アガペー」の愛で人を愛し受け入れることは、とても難しいことですね。

聖書の真理をきちんと表明し、人を正しく神さまに導くことも難しいことです。

その人を愛しつつ、その人を正すのは、さらに難しいことです。

しかし、愛と真理は、切っても切りはなせないのです。

もし、神さまについてまちがったことを信じている人がいたら、聖書の真理をきちんと伝え、その人のまちがいを正さなくてはなりません。それが本当の意味でその人を愛するということです。しかしそのとき問われるのは、私たちの動機です。私たちは、自分の正しさをただ主張したいからではなく、その人を愛する思いからそれをしなければならないのです。

だれかが聖書をまちがって理解していることに気づき、そのことを指摘したくなったら、自分にこう問いかけてみて。「私は、その人を大切に思い、正しい信仰をもってほしいと願ってる？　それとも、自分のほうが正しいことをただ言いたいだけ？」と。イエスは自分にどうすることを望んでおられるのか考えてみよう。

August

8月8日

たしかな証拠

私たちは知っています。キリストは死者の中からよみがえって、もはや死ぬことはありません。死はもはやキリストを支配しないのです。なぜなら、キリストが死なれたのは、ただ一度罪に対して死なれたのであり、キリストが生きておられるのは、神に対して生きておられるのだからです。

ローマ人への手紙６章９、10節

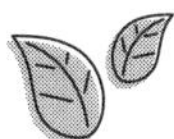

イエスは死者の中からよみがえられました。この出来事は、イエスが死を打ち負かしてくださった、たしかな証拠となりました。

キリストが復活されたからこそ、私たちは、永遠の正しさ、永遠のいのちがあると信じることができます。

キリストが復活されたからこそ、私たちは、もう心配やなやみに支配されることはありません。

キリストが復活されたからこそ、私たちは、苦しみや病には終わりがあると信じることができます。

キリストが復活されたからこそ、私たちは、天国は存在すると信じることができます。

キリストの復活の物語が事実であるからこそ、私たちは、聖書のすべての物語が本当であると信じることができるのです。

好きな聖書の物語を読み返してみよう。ライオンの穴から救い出されたダニエルの話、あるいはダマスコへの道でイエスに出会ったパウロの話？　イエスがあらしをしずめた話かな？　これらの物語とシンデレラやアラジンの話とのちがいは何？　そう、聖書はすべて、本当に存在する神さまに仕えた、本当に存在する人たちの話だということなんだ。

August

8月9日

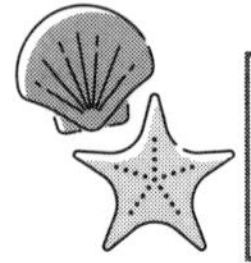

救われたから

弟子たちは近寄ってイエスを起こして、「主よ、助けてください。私たちは死んでしまいます」と言った。イエスは言われた。「どうして怖がるのか、信仰の薄い者たち。」

マタイの福音書８章 25、26 節

イエスがあらしをしずめた後、「舟の中にいた弟子たちは『まことに、あなたは神の子です』と言って、イエスを礼拝」しました（マタイ 14・33）。

おもしろいことに、弟子たちがそろってイエスを礼拝したのは、実はこの時が初めてだったのです。

弟子たちは、イエスが病人をいやした時も、井戸を訪れたサマリアの女性の身の上をイエスが言い当てた時も、大勢の群衆の前でイエスが説教された時も、イエスを礼拝することはありませんでした。もちろん、それまでもイエスに従う気持ちはありました。しかし、弟子たちが心からイエスに礼拝をささげたのは、イエスがあらしをしずめた、その時なのです。

なぜでしょう。答えはシンプルです。それは、その時イエスに救っていただいたのが、彼ら自身であったからなのです。

神さまの救いの恵みは、広く一般にあたえられるというよりも、あなた個人に注がれている。イザヤ書 43 章１節を読もう。「恐れるな。わたしがあなたを贖ったからだ。わたしはあなたの名を呼んだ。あなたは、わたしのもの」。神さまはあなたの名前を呼んでおられる。その呼びかけにぜひともこたえてほしい。

August

8月10日

親のために祈る

あなたの子たちはみな、主（しゅ）によって教えられ、
あなたの子たちには豊（ゆた）かな平安がある。
イザヤ書 54 章 13 節

神さまを信じるお父さん、お母さんが子どものためにささげる祈りに、神さまは必ず耳をかたむけていてくださいます。今ささげられるその祈りは、10 年後、20 年後にかなえられ、あなたの人生に豊かな平安をもたらすことでしょう。神さまは子どもを愛するお父さん、お母さんの祈（いの）りを聞いてくださいます。

同じように、神さまは、お父さん、お母さんを愛する子どもの祈りも聞いてくださるのですよ。あなたも、お父さん、お母さんのために心をこめて祈りましょう。すでに大人になっていても、お父さん、お母さんは神さまの大切な子どもです。あなたと同じように、神さまの知恵（ちえ）と導（みちび）きが必要なのです。子どもが神さまの前に祈りをささげる姿（すがた）ほど、尊（とうと）いものはありません。

神さまは、あなたの祈りを聞き、いちばんよい時に、いちばんよいかたちで答えをくださいます。

だれかが自分のために祈（いの）りをささげているのを聞くと、本当に心強く感じ、うれしくなるね。お父さん、お母さんといっしょに祈る時をもとう。お父さん、お母さんがあなたのためにささげる祈りに耳をかたむけよう。その後、あなたが、お父さん、お母さんのために祈りをささげるのを聞いてもらおう。

August

8月11日

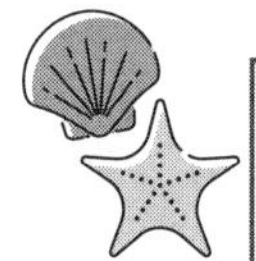

思うところのすべてを超えて

【主は】疲れた者には力を与え、
精力のない者には勢いを与えられる。

イザヤ書 40 章 29 節

「たいへんなことになっちゃった！　さすがの神さまもお手上げかも……」。そんなふうに思ったことはありますか。私たちの問題があまりにも大きいと、神さまは困ってしまうのでしょうか。

聖書はこう記します。神さまは「私たちのうちに働く御力によって、私たちが願うところ、思うところのすべてをはるかに超えて行うことのできる方」（エペソ3・20）なのだと。

神さまは、想像もできないくらいすばらしいことを行ってくださるのです、私たちのために、そして私たちを通して。

私たちのかかえる問題が難しければ難しいほど、熱心に、そして心をこめて神さまに助けを願い求めましょう。神さまに信頼し、祈り続けましょう。

必ず神さまは、すばらしいみわざをなしてくださいます。

自分の力ではどうすることもできない問題に直面したら、こう祈ろう。「神さま、あなたは私が知っているどんなものよりも、大きく、強く、力ある方です。あなたがこの問題をどんなふうに解決してくださるかはわかりません。でも、あなたなら、必ず解決できると信じます。そして必ず解決してくださる方だと信じます。私の祈りにこたえてくださることを感謝します。イエスさまの御名によってお祈りします、アーメン」

August

8月12日

自分に対して忍耐強く

忍耐が練られた品性を生み出し、練られた品性が希望を
生み出すと、私たちは知っているからです。この希望は
失望に終わることがありません。

ローマ人への手紙５章４、５節

神さまは、あなたに対してとても忍耐強い方です。むしろあなたに対して忍耐が足りないのは、神さまではなく、あなた自身なのかもしれません。「ああ、また罪をおかしてしまった、失敗をしてしまった……。私は、救われていないのかな、神さまの子どもではないのかな」と思ってしまうのです。聖書は、「だれでもキリストのうちにあるなら、その人は新しく造られた者」（IIコリント5・17）だと記します。でも、イエスの救いを信じているのに、ふとしたはずみに昔の古い性質が出てしまうと、自分は新しくされてなどいないのでは？　と悲しくなってしまうのです。

そんなときは、ぜひ、ピリピ人への手紙１章６節を読んでください。「あなたがたの間で良い働きを始められた方は、キリスト・イエスの日が来るまでにそれを完成させてくださる」と書かれています。

だから心配しないで。神さまは、イエスがもう一度この世に来られるその日まで、決してあきらめることなくあなたの心に働き続けてくださるのですから。

あなたは、この地上に生きているあいだは、かんぺきにはなれないかもしれない。でも、神さまはあなたの考え方や行動を、少しずつイエスに近づけてくださる。そのために、あなたにできることがある。毎日、聖書を読もう。毎日、祈る時をもとう。そしてイエスの生き方をお手本にしよう。そう、毎日！

August

8月13日

神さまに告白する

私が黙っていたとき　私の骨は疲れきり
私は一日中うめきました。
詩篇 32 篇 3 節

あなたに、二つ質問があります。

神さまにまだ告白していない罪はありませんか。

神さまはあなたのすることなすこと、すべてごぞんじですから、わざわざ告白しなくてもいいのではないかと思うかもしれません。でも、神さまはあなたが自分から罪を告白することを待っておられます。あなたと、何のかくし事もない、親しい関係を築きたいと思っていらっしゃいます。

もう一つ、あなたは神さまに告白していない心配やなやみはありませんか。「あなたがたの思い煩いを、いっさい神にゆだねなさい。神があなたがたのことを心配してくださるからです」（Ｉペテロ5・7）と聖書は記します。ドイツ語で「思い煩い」ということばは「首をしめる」、ギリシア語では「心を分割する」という意味なのだそうです。たしかに「思い煩い」は、私たちを息ができなくなるほどなやませ、混乱させます。

すべてを神さまに告白してゆだね、代わりに安心と喜びをいただきましょう。

もし心に、おそれやなやみ、罪があるなら、神さまに告白し、ゆだねてしまおう。たとえそれが、どんなにささいなことであっても。神さまは小さなことにも、ちゃんと目をとめてくださる方だから。神さまは小さな砂粒も、顕微鏡でしか見ることのできないアメーバも創造された。神さまがお造りになった小さなものは、ほかに何がある？

August

8月14日

あなたの得意なことは？

私たちは、与えられた恵みにしたがって、
異なる賜物を持っている……
ローマ人への手紙 12 章 6 節

私は、歌うことは好きなのですが、残念なことにあまりじょうずではありません。歌を通して人に喜びをあたえるのは歌の得意な人にお任せし、私はもっぱら聞き手に回ることにしています。

パウロは、「思うべき限度を超えて思い上がってはいけません。むしろ、神が各自に分け与えてくださった信仰の量りに応じて、慎み深く考えなさい」（ローマ 12・3）と記しています。つまり、冷静に自分を見つめ、自分の得意なことや長所は何か見きわめなさい、ということです。

あなたは、教会の母子室で小さな子どもたちのお世話をするのを楽しいと感じますか。あるいは人の前に立って話をするのが得意ですか。どんな小さなことでもいいのです。神さまがあなたにあたえてくださったたまものが、必ずあるはずです。得意なことを見つけ、少しずつ育てていきましょう。それを生かして、神さまのために活躍できる日が必ず訪れるはずです。

神さまが、あなたに将来たずさわってほしいと願っておられる働きがある。それが何であるかを見つけるために、おそれずにいろいろなことに挑戦してみよう。少しずつ、自分の得意なことが見えてくるよ！　今週はどんな新しいことにチャレンジできるだろう。祈って考えてみよう。

August

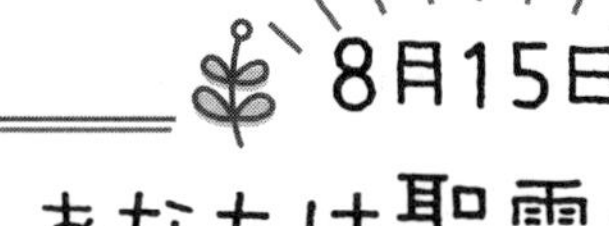

8月15日

あなたは聖霊の宮です

あなたがたは知らないのですか。あなたがたのからだは、
あなたがたのうちにおられる、神から受けた聖霊の宮であり、
あなたがたはもはや自分自身のものではありません。

コリント人への手紙第一6章19節

あなたは天国で、今の体のまま生き続けることになるって知っていましたか？　あなたの体の傷ついたところはいやされ、欠けたところは補われます。しかし、今の体が、そっくり別の体に取りかえられるわけではありません。あなたの体は天国ですっかり新しくされ、かんぺきな状態にされますが、やはり今と同じ体のままなのです。

神さまは、あなたの体を、愛をこめてていねいにお造りになりました。ですからあなたも、自分の体を、愛をこめてていねいにあつかわなくてはなりません。聖書は、私たちの体は「聖霊の宮」であると記します。私たちの体には聖霊が住んでいてくださるのです。ですから、何を食べ、どのように用いるべきか、気をつけなくてはなりません。あなたは、ゴミだらけのよごれた家になど住みたくはありませんよね。神さまも同じように思っておられます。あなたの体は、神さまのお住まいなのです。そのことをいつも覚えていましょう。

「歯をみがきなさい」、「野菜を食べなさい」、「外に出て体を動かしなさい」……お父さん、お母さんからよく言われるよね。それはなぜだと思う？　あなたに健康でいてほしいから。今週、これに二つほど付け加えてほしいことがある。「テレビを消して早くねよう」、「スナック菓子の代わりに果物を食べよう」。どう、できるかな？　「聖霊の宮」である自分の体を大切にしよう。

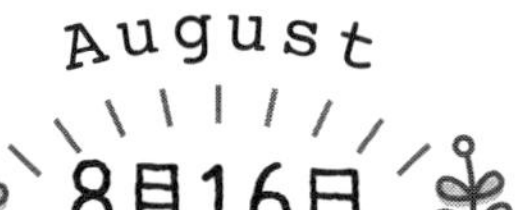

8月16日

神さまの宝物

わたしは……人が見るようには見ないからだ。
人はうわべを見るが、主は心を見る。

サムエル記第一 16 章 7 節

　神さまは、愛情深いお父さんのような目で私たちをごらんになります。私たちのあやまちや失敗、欠点をごぞんじですが、同時に私たちのことを、宝物のような大切な存在として見てくださいます。

　イエスは、なぜ十字架の上であれほどの苦しみにたえてくださったのでしょう。それは、私たちが神さまにとって、どれほど大切で価値があるかをよくごぞんじだったからです。ですからイエスは、この地上で生きておられた時も、喜んで人々に助けの手を差しのべ、病をいやし、仕えてくださいました。イエスは、今を生きる私たちにも、愛のまなざしを向けてくださいます。

　イエスの目に映るあなたは、罪にまみれた失敗者ではありません。

　あなたは神さまの喜び、神さまの宝物なのです。

あなたは、どんなものを目にすると、自然と笑顔になれるかな？　古い雑誌からあなたを笑顔にする絵や写真を切りぬいてコラージュを作り、部屋にかざろう。もしイエスが同じテーマでコラージュ作品を作られたとしたら、まちがいなくそこにはあなたの写真があるはず。あなたをごらんになるイエスは、きっと笑顔のはず！

August 8月17日

ただイエスだけ

主のあわれみは、代々にわたって
主を恐れる者に及びます。

ルカの福音書1章50節

神さまは、私たちが教会で奉仕をしたり、よい行いにはげんだり、献金をささげるから救ってくださるのではありません。救いは、神さまの恵みによってあたえられるものなのです。私たちの良い行いやささげ物によって勝ち取るものではありません。聖書の神さまと、他の宗教の神との決定的なちがいはそこにあります。

救いをいただくために私たちがすべきことはただひとつ、自分の罪を神さまの前に素直に認め、ゆるしてくださいと祈ることです。神さまは、私たちを喜んでゆるしてくださるだけでなく、私たちの生涯を、喜びと希望で満たしてくださいます。

それだけではありませんよ。神さまは、私たちをご自身の子どもとしてくださるのです。

世界にはたくさんの宗教が存在する。しかし、本当の神さまへとたどりつく道を示したのはイエスだけだ（ヨハネ14・6）。お父さんやお母さん、教会学校の先生に、他の宗教と聖書の教えとのちがいについて教えてもらおう。他の宗教を信じる人たちが、本当の神さまと出会うことができるよう祈ろう。

August

8月18日

私たちは神さまのもの

主は信頼すべき神であり、ご自分を愛し、ご自分の命令を守る者には恵みの契約を千代までも守られる。

申命記7章9節

私たちは、神さまの御思いそのものです。鏡に映る自分の顔、そしてまわりの人たちの顔をじっくりとながめてみてください。神さまの面影をそこに見ることができるはずです。だって、私たちはみんな、神さまのかたちに造られているのですから。

私たちはキリストのからだです（Ｉコリント12・27）。たしかに私たちは、いつも神さまのように考え、ふるまうことはできません、しかし、私たちが、神さまに属するもの、神さまにとって大切な存在であることに変わりはありません。

何ものも、神さまの愛、そしてイエスの愛から私たちを引きはなすことはできないのです（ローマ8・38、39）。

物どうし、人どうしをへだてる物を挙げてみよう。たとえば、かべ、扉、山……。目に見えないけれど人どうしをへだてるものとしては、いかりやにくしみが挙げられる。でも、私たちとイエスの愛をへだてるものは何もない！

神さまとともに

主は絶えずあなたを導いて、……

イザヤ書 58 章 11 節

　私は、神さまに祈る静かな時間をすごす時、よく一人で山を登る自分の姿を想像するのです。そうぞうしい世間をあとにし、山道を歩く自分の姿を。風の中にかすかな神さまの声がします。職場や学校からはなれ、家族からもはなれ、そこは神さまと自分のふたりだけの世界。神さまといっしょに岩にこしかけると、眼下に広がるのは緑の山々。

　神さまが、そっと私に語りかけてくださいます。

「わたしはいつもあなたのそばにいて、あなたを助けるからね」

「あなたの行くところどこまでもわたしも行くのだ」

「わたしはすでに悪に勝利している」

「天国に、あなたのすまいを用意しているよ」と。

　あなたも、聖なる山頂で神さまとともにすごす祈りの時をもってください。つねに変わりゆく世界にあって、そこはとこしえに変わることのない場所です。

私たちの生活の中で、変わることのない、たしかなことって何だろう。朝になると太陽がのぼる、地球が太陽のまわりを回っている、お父さん、お母さんがどんなときもあなたの味方でいてくれる、神さまがいつもあなたを見守っていてくださる……。他にも何かあるかな。

四つの習慣

私たちの主であり、救い主である
イエス・キリストの恵みと知識において成長しなさい。

ペテロの手紙第二3章18節

私たちは、イエスの救いをいただいたならば、信仰者として成長しなければなりません。もしあなたの体が小学生のまま、これ以上大きくならなかったとしたら、お父さんもお母さんも、とても心配しますよね。病院で検査を受け、なんらかの治療を受けなくてはならないでしょう。

同じように、もしあなたがクリスチャンとしていつまでも成長することがなかったら、やはり検査が必要かもしれません。

次に挙げる四つの習慣がちゃんとできているかチェックしてみましょう。

一つ目、毎日祈りの時をもとう。

二つ目、聖書を学ぼう。

三つ目、神さまが喜ばれることは何かを考え、実行しよう。

四つ目、同じ神さまを信じる人たちと友だちになろう。

上に挙げた四つの習慣のチェックリストを作り、毎日目にする場所にはろう。ちゃんとできているか、時々チェックしてみよう。この四つの習慣ができていなければ天国に行くことはできない、ということでは決してない。でも、この四つができていれば、この地上にあって、いつも神さまとともに歩むことができる！

August

8月21日

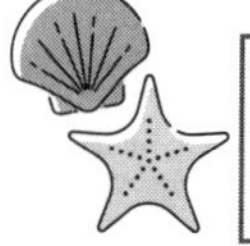

福音宣教は家庭から

何をするにも、人に対してではなく、
主に対してするように、心から行いなさい。
コロサイ人への手紙3章23節

イエスは少年のころ、すでにご自身が神さまのひとり子であることをごぞんじでした。そのエピソードが、ルカの福音書2章41〜51節に記されています。イエスはその時、12歳。過越の祭りのために、両親とともにエルサレムに行かれました。両親は、祭りの期間が終わって家に帰るとちゅう、イエスがいないことに気づきます。あわてて引き返すと、イエスはエルサレムにとどまり、宮で教師たちの話を聞いたり質問をしたりしていたのでした。

イエスはまだ12歳にして、神さまからあたえられた使命は何か、わかっておられたのです。むかえに来た両親とともに家に帰ったイエスはどうしたでしょう。すぐさま群衆に説教し、奇跡を行われたでしょうか。いいえ、イエスはふだんどおり両親に仕え、必要な学びを続けました。

あなたも将来、神さまから大きな働きを任されることでしょう。その時のためにあなたがすべきことは、家族や身近な人たちを大切にし、日々学び、今あたえられている小さな責任を、ていねいにはたしていくことなのです。そう、少年イエスのように。

恵みのうちに成長しよう

あなたは将来、ペテロやパウロのように、福音を伝える働きにつきたいかな？　そのためには、日ごろの態度や行いが大切。まずは家族や友だちに、親切で誠実な態度で接するようにしよう。福音宣教は身近なところから始まるんだ。

August

8月22日

私たちのリーダーはだれ？

主は……私がおとしめられたとき　私を救ってくださった。

詩篇 116 篇 6 節

私が子どものころ、放課後に近所の原っぱでフットボールをして遊ぶのがはやっていました。集まった仲間で二手に分かれてチームを作り、試合をするのです。ある友だちのお父さんは、フットボールが得意で、仕事の帰りが早いと、チームに加わってくれることがありました。そんな時は、公平になるよう、必ず負けているチームのほうに入るのです。救いようがないほど負けているのは、ほとんどの場合、私のいるチームでしたけれどね。

そのお父さんはまず、チームのみんなを集めて短く作戦会議を行い、こう声をかけてくれます。「いいかい、ぼくの言うとおりに動けばぜったいに勝てるからね！」と。新しいリーダーをむかえた私のチームは、その瞬間から生まれ変わったように強くなり、試合に勝つことができたのです。

神さまも、罪深い世界に生きる私たちにとって、たのもしいリーダーのような方です。

神さまをリーダーとしてむかえ入れるならば、私たちがはた目にはどんなに弱く見えようとも、勝利を約束されたようなものなのです。

恵みのうちに成長しよう

何人かの友だちと、「リーダーに従え」というゲームをしてみよう。リーダーを一人決め、他の人たちはリーダーのすることを正確にまねする。リーダーを順番に代えると、それぞれのリーダーのくせがわかっておもしろい。あなたの人生のリーダーはイエスだ。イエスに従って生きるならば、必ず勝利を手にすることができる！

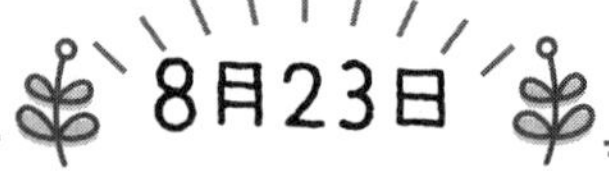

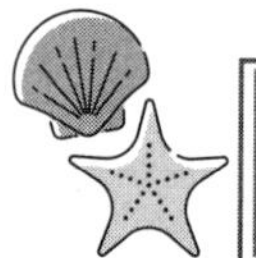

永遠に完成された

わたしは、もはや彼らの罪と不法を思い起こさない。

ヘブル人への手紙 10 章 17 節

今日のみことばの少し前には、こう記されています。「キリストは聖なるものとされる人々を、一つのささげ物によって永遠に完成された」（14 節）と。

神さまは、イエスを救い主と信じた私たちを、前よりはましな状態へと「改善」したのではなく、「永遠に完成」してくださったのです。

私たちは、自分が「完成された」と言われても、あまりピンとこないかもしれません。相変わらず私たちは失敗しますし、あやまちをおかしてしまいます。正しいことをしたいと願っていても、できないことが多いからです。

でも、神さまの目に映る私たちは、「永遠に完成された」者なのです。なぜなら、真に完成された方、罪のないかんぺきな方であるイエス・キリストを通して私たちをごらんになるからです。

「かんぺき」「完成」ということばを辞書で調べてみよう。あなたの状態を正確に言い表していることばだろうか。きっとそうではないよね。もちろん、私もそう。でも、イエスを信じ、この方に従う私たちを、神さまはそのように見ていてくださるんだ。

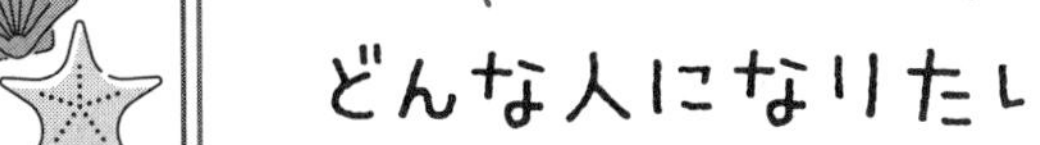

どんな人になりたい？

御霊の実は、愛、喜び、平安、寛容、親切、
善意、誠実、柔和、自制です。

ガラテヤ人への手紙５章22、23節

あなたは、よく「大人になったら何になりたい？」って聞かれませんか。でもそれよりももっと大切な問いは、「大人になったらどんな人になりたい？」ではないでしょうか。

何になりたいかと問われれば、それこそ警察官、建築家など、答えはたくさんあるでしょう。どんな人になりたいかという問いへの答えは、二つしかありません。「この世に属する人」か「神さまに属する人」。

「この世に属する人」は、自分がどうしたいか、を何よりも優先しますが、「神さまに属する人」は、神さまは自分にどうしてほしいと願っておられるか、を大切にします。

神さまに属する人は、ピリピ人への手紙２章３節、「何事も利己的な思いや虚栄からするのではなく、へりくだって、互いに人を自分よりすぐれた者と思いなさい」のみことばを心にきざみ、行動する人です。

自分自身をふり返ってみよう。見た目のことではなく、態度や行動のことだ。あなたはいつも皮肉を言ったり、人のあげ足を取ったり、じまんしたり、人の気持ちを考えないで自分を優先させたりしてはいないだろうか？　それとも親切で、忍耐強く、誠実だろうか。神さまに助けを祈りながら、「神さまに属する人」へと成長しよう。

August

8月25日

人生のあらし

まことに、まことに、あなたがたに言います。わたしのことばを聞いて、わたしを遣わされた方を信じる者は、永遠のいのちを持ち、……

ヨハネの福音書5章24節

神さまによって苦しみから助け出していただいた人は、神さまをほめたたえずにはいられません。

まだ子どものあなたは、大きな人生のあらしを経験したことがないかもしれません。神さまに助けをさけび求めなければならないほどの状況におちいったことがなければ、それほど神さまが必要だとは感じていないかもしれませんね。もちろん神さまを信じてはいるけれど、友だちや習い事、趣味だって大切だし、と。

でも、もしかしたら、あなたは今大きな問題にぶち当たっている最中かもしれません。とつぜんの転校、両親の離婚、友だちの死など。悲しみが霧のようにあなたをおおい、どこに助けやなぐさめを求めたらよいかわからなくなっているのかもしれません。そんなときは、お父さん、お母さんや友だちにたよる前に、まずは神さまに助けを祈り求めましょう。聖書を読み、神さまの声に耳をすませましょう。あらしの中、必ず神さまはあなたのもとを訪れ、必要な助けをあたえてくださいます。

私たちが人生のあらしに巻きこまれるとき、神さまは必ず助けにかけつけてくれる。事故や事件が起きたり、急病人が出ると、すぐに現場にかけつける職業の人たちがいるよね。パトカーや救急車、消防車を見かけたら、助けを求めている人、そして助けにかけつける人たちのために祈ろう。

August

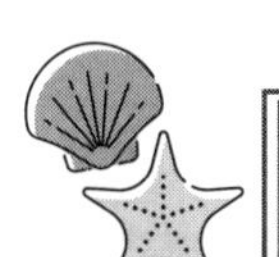

8月26日

新しくされ続ける

【あなたがたは】新しい人を着たのです。
新しい人は、それを造られた方のかたちにしたがって
新しくされ続け、真の知識に至ります。
コロサイ人への手紙３章 10 節

聖書ではよく、イエスは羊飼いに、そして私たちは羊にたとえられます。羊飼いであるイエスは、傷つき、つかれ果て、ドロドロによごれた羊（私たちのことです！）がやっと自分のもとにもどってきたのをごらんになったとたん、大きな笑顔をうかべてくださいます。おずおずと「中に入ってもいいですか」とたずねる羊に、「もちろんだとも。ここがあなたの家だよ」と答え、あたたかくむかえ入れてくださるのです。

イエスは、私たちを、よごれたままの姿で受け入れ、救ってくださいます。しかし、私たちはいつまでもよごれたままでいることはありません。神さまは、私たちを、毎日少しずつ聖なる姿へ、イエスに似たものへと変えてくださるのです。私たちは、罪の衣をぬぎ捨て、新しい衣を着た者としてふさわしく、整えられていくのです。

あなたは罪ゆるされ、救われたのだと心から信じている？　自分はちっともイエスに似てなんかいない、救われた者にふさわしくないなんて、悲しく思う必要はない。自分が救われたことを、胸を張って証ししよう。まわりの人たちに救いの経験を語ろう。あるいは音楽や絵を通して伝えてもいいね。自分の得意な方法で、救われた喜びを伝えよう。

August

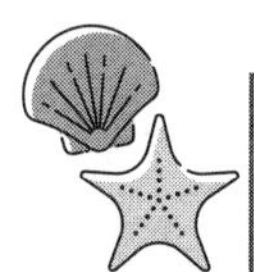

8月27日

パウロの力の源は

私たちはこのキリストを宣べ伝え、あらゆる知恵をもって、すべての人を諭し、すべての人を教えています。すべての人を、キリストにあって成熟した者として立たせるためです。このために、私は自分のうちに力強く働くキリストの力によって、労苦しながら奮闘しています。

コロサイ人への手紙１章28、29節

パウロの人生の目標は、「すべての人を、キリストにあって成熟した者として立たせる」ことでした。パウロは、いつの日かすべての人が、キリストの救いにあずかり、神さまの愛にとどまることを夢見ていたのです。そのために、パウロは、けんめいに人々をさとし、教えました。それは決して簡単なことではなかったでしょう。パウロ自身のことばに、このために「労苦しながら奮闘」していたとあるからです。

なぜパウロは、そんなたいへんなことを続けることができたのでしょうか。その力の源は、「自分のうちに力強く働くキリストの力」であったとパウロは告白しています。

私たちが福音を伝え、神さまに仕えようとする時、私たちは決してひとりではありません。キリストがともに働いてくださるのです。

まだ子どもであっても、パウロのように神さまの愛を伝えることができるよ。友だちを教会にさそおう。教会学校の先生のお手伝いをしよう。聖書物語を人形劇にし、教会学校で小さい子たちに見てもらう、気落ちしている友だちになぐさめのことばをカードに書いて送るなど、できることはたくさんあるね。

August

8月28日

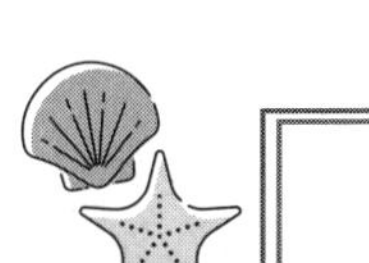

神さまに信頼する

心を尽くして主に拠り頼め。
自分の悟りに頼るな。

箴言3章5節

世界に目を向けると、なぜこんなことが起こるのですか、と神さまに聞きたくなります。やがて天国で神さまと永遠に生きる私たちは、短いこの地上の生活でつらく悲しい出来事に出会ったとしても、神さまがいつもともにいて良くしてくださることを信じて歩まなくてはなりません。

この世で起こる出来事のすべてを、私たちは理解することはできません。正しい人であっても、病気になり、傷つき、死ぬこともあります。しかし、神さまはご自身の子ども一人ひとりに、最も良い道をあたえてくださいます。私たちが病気になり、死をむかえることがあっても、神さまは最後まで私たちに目をとめ、しっかりと面倒をみてくださいます。

「神さまを信じなさい、そしてわたしに信頼しなさい」と、イエスは私たちをはげましていてくださいます。

天国に行ったら、必要がなくなるものを挙げてみよう。めがね（天国では遠くまでよく見えるようになる！）、ばんそうこう（痛い思いをすることもない）、病院（病気にかかることもない）、ティッシュ（なみだを流すこともない）などなど。他に思いつくものはある？

August

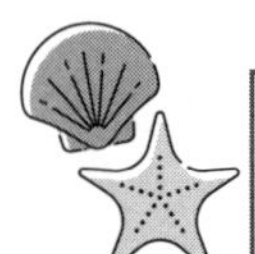

8月29日

キリストの打ち傷のゆえに

キリストは、万物をご自分に従わせることさえできる
御力によって、私たちの卑しいからだを、ご自分の栄光に
輝くからだと同じ姿に変えてくださいます。

ピリピ人への手紙3章21節

天国に行ったら、私たちはどんな体になるのでしょう。人に自分だと気づいてもらえないくらい変わってしまうのでしょうか。もしかしたらそうかもしれません（名札をつける必要があるかも？）。かべをスッと通りぬけることができたり、水の上を歩けるようになるのでしょうか。それよりもっとすごいことができるようになるのかもしれませんよ。

事故や病気などで受けた傷あとは残るのでしょうか。イエスも、死からよみがえられた後40日の間、手や足の傷あとがそのままでした。私たちの場合はどうなのでしょう。さまざまな考えがありますが、私たちが受けた傷あとは、すっかり消えてしまうのだろうと、私は思っています。ペテロも、「その（キリストの）打ち傷のゆえに、あなたがたは癒やされた」（Ⅰペテロ2・24）とはっきり記しています。

天国で、私たちが心にとめなくてはならない傷あとはただ一つ、イエスが十字架の上で受けた打ち傷のみです。私たちは、その傷によって完全にいやされたのです。

恵みのうちに成長しよう

いじめは、深刻な罪だ。体だけでなく、心に深い傷あとを残す。あなたのクラスでいじめを受けている人はいるだろうか。その人のために祈ろう。いじめが止むために、あなたに何ができるか考えよう。

August

キリストの証人

しかし、聖霊があなたがたの上に臨むとき、あなたがたは
力を受けます。そして、エルサレム、ユダヤとサマリアの
全土、さらに地の果てまで、わたしの証人となります。

使徒の働き１章８節

テレビの番組などで、法廷シーンを見たことがあるでしょう。証人は前に立って、自分が見たり聞いたりしたことを正直に話さなくてはなりません。実は、私たちもキリストの証人です。法廷で証言するように、キリストについて見たり聞いたりしたことをまわりの人々にきちんと証ししなくてはなりません。私たちは、真実を決してゆがめることなく、キリストについて正しく伝えなくてはなりません。

法廷における証人とちがい、キリストの証人としての働きは一生続きます。私たちは、この世にいるかぎり、イエスはどのようなお方なのか、イエスは自分に何をしてくださったのか、そしてイエスがこの世のすべての人々に求めておられることは何か、伝え続けなくてはなりません。

イエスを伝える者となりましょう。どんなときも、真実を語り続けましょう。

私たちは「生ける聖書」なのだという意識をもとう。私たちのまわりには、聖書を一度も読んだことのない人、教会に行ったことのない人、神さまのことを知らない人がたくさんいる。その人たちが初めてふれる「聖書」は、あなたなのだ。神さまに助けていただきながら、自分の生き方を通して、聖書のことばを正しく伝える者になろう。

8月31日

聖書の物語

わたしは永遠に、あなたと契りを結ぶ。
義とさばきと、恵みとあわれみをもって、
あなたと契りを結ぶ。

ホセア書２章19節

聖書にはたくさんの人が登場します。そしてさまざまな出来事が記されています。しかし、聖書が私たちに伝える物語は、実にシンプルです。

神さまに創造された私たちは、神さまに背を向けました。しかし、神さまは私たちを取りもどすため、今もあきらめずに呼びかけてくださいます。

神さまは、私たちのおそれや心配を取り除いてくださいますが、必要とお思いになれば、苦しみをおあたえになることもあります。神さまと私たちとのあいだに100歩の距離があるとしたら、神さまが99歩近づいてくださいます。しかし、残りの一歩は、私たちのほうからふみ出さなくてはなりません。

神さまの目的とは、私たちを幸せにすることではなく私たちをご自身のものとすること、私たちの願いをかなえることではなく私たちが本当に必要とするものをあたえることです。つまり私たちがイエスを救い主と信じ、天国にむかえ入れられることなのです。

画用紙をつなぎ合わせ、イエスの物語の巻物を作ってみよう。クリスマスからイースターの出来事まで、聖書に書かれたおもな出来事を、一つひとつ順番に絵にえがいてみよう。イエスがあなたにとってどのような方か、最後に文章にしてみよう。

9月
September
約束してくださった方は真実な方ですから、
私たちは動揺しないで、しっかりと希望を
告白し続けようではありませんか。
ヘブル人への手紙10章23節

義に飢え渇く

神よ　私にきよい心を造り
揺るがない霊を　私のうちに新しくしてください。
詩篇 51 篇 10 節

私たちが心から願い求めていることは何でしょう。まわりから「すごい！」「ステキ！」と言ってもらえることでしょうか、それともお気に入りの物に囲まれてすごすこと？

たとえ私たちの望みどおりになったとしても、それはまるで砂漠で塩水を飲むようなもの、私たちのかわきはおさまるどころか、もっとほしくなってしまうのです。なぜかわかりますか。この世にあるものは、私たちの心のかわきを真に満たすものではないからです。私たちが本当に求めているのは、神さまご自身、神さまの正しさなのですから。

マタイの福音書５章６節は、「義に飢え渇く者は幸いです」と記します。

私たちが願い求めているのは「きよい心」、失敗しあやまちをおかしたとき、もう一度やり直しのチャンスをいただくことです。私たちが祈り求めるならば、神さまは私たちの心をきよく、正しくしてくださいます。神さまの力によって、私たちはふたたび新しく歩み出すことができるのです。

「義に飢え渇く」とはどういう状態だろう。塩からいおせんべいやポテトチップスを好きなだけ食べてみよう。ただし、お茶は飲まないで。しばらくすると、のどがしめつけられるような、舌が上あごにくっつくような感じがしてこない？　神さまからはなれると、あなたのたましいも同じ状態になる。それが「義に飢え渇く」ということだ。

September

9月2日

神さまがあたえる自由

このキリストにあって、私たちはその血による贖い、背きの罪の赦しを受けています。これは神の豊かな恵みによることです。

エペソ人への手紙１章７節

イエスが私たちにあたえてくださる「自由」は、この世の自由とはまったくちがいます。イエスがくださる本当の自由は、何でも自分の好きなようにできる権利を手にすることではなく、むしろ、それを手放し、神さまにすべてをゆだねるときにあたえられるのです。私たちは、神さまに信頼し従うことで、この世のものから解放され、自由になれるのです。

それはいったいどういうことでしょう。神さまは、私たちに、この世の奴隷ではなく、神さまの息子、娘になってほしいと思っておられます。ご自身の愛のもとで、のびのびと歩んでほしいと願っているのです。

イエスこそが救い主だと信じることで、私たちは、自分の力で天国へ行こうとするむだな努力から自由になります。私たちは、神さまにいつでも祈ることができ、心から神さまを愛する自由を手にし、何よりも、罪から自由にされるのです！

イエスが私たちにあたえてくださる自由は、はかり知れないのです。

学校の終業チャイムが鳴るとどんな気持ちになる？　授業や委員会から解放され、やっと放課後。あとは家でおやつを食べながら好きなゲームをしたり、友だちと遊んだり……。（その時の解放感＋ホッとした気分）×1000000……＝神さまがあたえてくださる自由、なんだ！

あなたの宝は何？

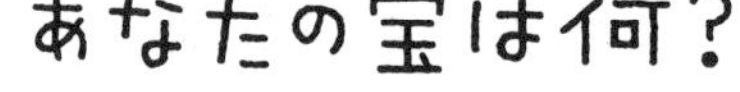

あなたの宝のあるところ、そこにあなたの心もあるのです。

マタイの福音書６章 21 節

本当の意味で充実したすばらしい人生とは、神さまこそがすべての力の源であることを知っている人生、むだな物やいそがしさから解放された人生です。

いそがしさそのものは罪ではありません。イエスも、そしてペテロもパウロもいそがしい人生を送りました。大切なことをなしとげるためには、手間ひまをかけ、たくさん努力することが必要です。

問題は、私たちがいったい何にいそがしくしているかなのです。もし、もっとお金を増やすこと、最新の流行を追うこと、人気を得ることだけにいそがしくしているとしたら、人生の終わりをむかえた時、むなしさしか残りません。神さまも喜ばれません。

この世のものを追い求めるだけの人生はつかれるだけで、決して幸せにはなれません。あなたがいったい何を大切にし、何を宝にしているかが問われるのです。

物を持つこと、求めること、それ自体は悪いことではない。そのことで頭がいっぱいになってしまうことが問題なんだ。何かほしくなったとき、それを手に入れるのを一週間あるいは二週間待ってみよう。しばらくたつと、自分にとってそれほど必要な物ではなかったことに気づくかもしれない。

September

9月4日

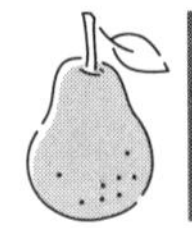

神さまがたたかってくださる

神こそ　わが岩　わが救い　わがやぐら。
私は揺るがされることがない。
詩篇 62 篇 6 節

あなたが大きな問題に巻きこまれてしまったとき、あなたの乗っている救命ボートがしずみそうなとき、あなたが背負っているパラシュートが開かないとき、あなたのおなかもさいふも空っぽなとき、神さまはいったいどこで何をしておられるのでしょう。

そんなとき、あなたはきっと、つめをかみながら行ったり来たり、先の見えない不安にイライラ、ハラハラしているのではないでしょうか。

でもその時、神さまはあなたのためにたたかっていてくださるのです。あなたの前に立ち、あなたを守っていてくださるのです。「主があなたがたのために戦われるのだ。あなたがたは、ただ黙っていなさい」（出エジプト 14・14）と聖書が記すとおりです。

「なぜ？」と問うのをやめ、ただ神さまに信頼していましょう。祈りをささげ、神さまが働かれるのを静かに待ちましょう。

あなたは心配や不安でいっぱいなとき、どんなようすかな？　おなかがキリキリと痛み、胸がドキドキし、頭がズキンズキンと痛む？　そんなとき、まずはゆっくりと深呼吸し、神さまに信頼し、祈ろう。神さまがあなたのためにたたかってくださる。

September 9月5日 希望をもとう

約束してくださった方は真実な方ですから、私たちは動揺しないで、しっかりと希望を告白し続けようではありませんか。

ヘブル人への手紙 10 章 23 節

先週をふり返ってみましょう。どんな一週間でしたか。思うようにいかないこと、がっかりしたことも多かったかもしれません。

ルカの福音書 24 章 13 ～ 35 節を読みましょう。イエスが死から復活なさったことをまだ知らない二人の弟子たちが、エマオという村に向かっていました。すると、イエスが彼らに近づいてきて、目的の村の近くまでいっしょに歩いてくださいました。それがイエスであることに弟子たちが気づくと、その姿は見えなくなりますが、彼らの心に熱い思いがわき起こるのです。「【イエスが】道々お話しくださる間、私たちに聖書を説き明かしてくださる間、私たちの心は内で燃えていたではないか」（32 節）と。

あなたが、もしがっかりすることがあったら、心をしずめ、神さまがすべてを治めておられることを思い出しましょう。聖書を開き、神さまのはげましのことばを読みましょう。ともにいてくださる神さまが、あなたの心を熱く燃やしてくださいます。だから決してあきらめないで。希望をもちましょう。勝負はまだこれからですよ。

自分がエマオへの道を歩いていた弟子の一人だと想像してみよう。大好きだったイエスがいなくなって悲しくてたまらない時、とつぜんとなりを歩いているのがイエスだと気づいたら、飛び上がるほどうれしいね！　実は今もイエスはとなりを歩き、ともに食卓についてくださる。あなたの心に住み、神さまのことを教えてくださるんだ。

September

9月6日

ウソをつくと…

欺きを行う者は　私の家の中に住むことはなく
偽りを語る者は　私の目の前に 堅く立つことはありません。

詩篇 101 篇 7 節

アナニアとサッピラの物語（使徒5・1～11）を読んだ人が、「ウソをついただけで、神さまに打たれて死んでしまうような時代に生きていなくてよかった！」と言うのを聞いたことがあります。でも、昔と変わらず今も、ウソやいつわりは、死をもたらすと私は信じます。たとえ体は死ななくとも、「人からの信頼」が死にます。一度ウソをつくと、そのウソをおおいかくすためにさらにウソを重ねることとなり、私たちの「良心」が少しずつ死んでいきます。さらには、「友情」、「心の平安」、「人からの評価」、「自尊心」も。

しかし、ウソをつくことで私たちが失ってしまういちばん大切なものとは、キリストの証人としての働きです。法廷において、ウソやいつわりを言う証人のことばは、絶対に聞き入れられません。

同じように、もし私たちがウソをつくことに平気でいるなら、キリストの証しをしたとしても、だれも耳をかたむけてはくれないのです。

なぜ私たちはウソをついてしまうのだろう。アナニアとサッピラは、自分をよく見せたいという気持ちからウソをついた。やっかいなことに巻きこまれないために、あるいは何かを手に入れるためにウソをつく人もいる。ウソのこわさは、それをごまかすために次々とウソをつかなくてはならないこと。ウソはどこかタマネギと似ている。むいてもむいてもウソが出てきて、しかもツーンと、いやなにおいがする！

September

9月7日

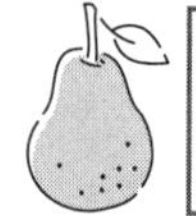

真実を愛する神さま

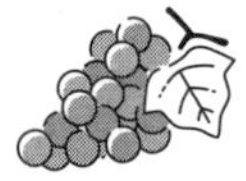

偽りの唇は主に忌み嫌われ、
真実を行う者は主に喜ばれる。

箴言12章22節

神さまは、私たちが正直であることを願っていらっしゃいます。

創世記からヨハネの黙示録まで、神さまは一貫して真実を愛し、ウソいつわりをきらわれるのです。

コリント人への手紙第一6章9、10節には、神さまの国を受けつぐことのできない人の特徴が書かれています。「盗む者」や「貪欲な者」とならんで、「そしる者」が挙げられています。そしるとは、人についてあれこれとウソをつき、悪く言うことです。たとえちょっとしたウソであったとしても、神さまはお酒におぼれたり、偶像を拝むのと同じくらいおきらいになるのです。

なぜそこまで、神さまはウソやいつわりについて厳しいのでしょう。理由は一つ、神さまご自身が正直で真実な方であるからです。ウソをつくことは、神さまのご性質にはまったくないことだからです。

「嘘も方便」ということわざがある。良い目的のためなら、小さなウソはゆるされるという意味だ。でもこんなふうに考えてみよう。目の前にある食べ物にちょっぴり毒が入れられたとする。毒はほんの少しだから食べてもだいじょうぶだと思う？　そんなことはないよね！　ウソはどんなに小さくても、私たちのたましいに害をあたえるんだ。

時間の使い方

それぞれが賜物を受けているのですから、……
その賜物を用いて互いに仕え合いなさい。

ペテロの手紙第一４章10節

一日は何時間ありますか。そう、24時間ですね。でも時々、24時間ではとても足りないと思ってしまうこと、ありませんか。

放課後、帰りがけに担任の先生にポンと肩をたたかれ、「生徒会で会計係を探しているらしいよ。君は算数が得意だし、人前で話すのもじょうずだし、引き受けてみたら？」と声をかけられたら、あなたならどうしますか。

宿題、家の手伝い、趣味、習い事、友だちとのつきあい、教会学校などなど、したいこと、しなくてはならないことがたくさんある中で、自分の時間を何に、どのように使ったらよいか、なやんでしまいますね。

そんな時は、時間の造り主である神さまに、どうすべきなのかたずねてみましょう。今自分がしようとしていることは、神さまが喜ばれることなのか、神さまが自分にあたえてくださった働きなのか、祈って考える習慣をつけましょう。きっと有効に一日をすごすことができるようになりますよ！

二学期が始まったね。家でも、学校でも、新しいことを始める機会が多いかもしれない。何かを始める前に、次の三つの質問に答えてみよう。それをすることで神さまとの関係はどうなるか、家族との関係はどうなるか、自分はよりよい人間になれるのか。

September

9月9日

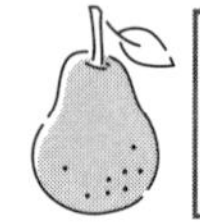

不安やおそれをかかえて

真夜中ごろ、パウロとシラスは祈りつつ、
神を賛美する歌を歌っていた。
ほかの囚人たちはそれに聞き入っていた。

使徒の働き16章25節

モーセが海に向けて手をのばしたのは、冷静に作戦を立てたからではなく、エジプト軍に追いつめられ、危険がせまっていたからです。

ナアマンがヨルダン川で七回体を洗ったのは、医学的な根拠があったからではなく、ひどく絶望していたからです。

パウロが律法を捨ててイエスに従ったのは、常識的な判断からではなく、そうするしか道がなかったからです。

牢にとじこめられたペテロの解放を祈っていたのは、死をもおそれない勇気ある人たちではなく、不安でいっぱいの信仰者たちでした。

信仰によるすぐれた行いの裏には、必ずおそれや絶望の思いがありました。

ですから、あなたが不安を覚え、こわくなってしまっても、決してはずかしく思う必要はありません。不安をかかえたまま一歩ふみ出しましょう。神さまがその一歩を大きく用いてくださいます。

今、なにか心配ごとはある？　自分の力ではどうすることもできないと、こわくて不安になるよね。まずは神さまに祈ろう。すぐにこたえはくださらないかもしれないけれど、神さまがそのことを心にとめ、ただちに働いてくださると信じよう。

September

9月10日

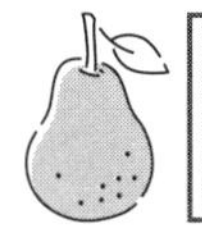

私たちの想像を超えて

働く者は労苦して何の益を得るだろうか。
私は、神が人の子らに従事するようにと与えられた
仕事を見た。

伝道者の書３章９、10節

この世界は、かんぺきとはほど遠いですね。人生はなぜ苦しいことばかりなのだろうとつぶやきたくなることがあります。痛みや苦しみ、飢えや病気、なみだや死のまったくない世界へ行きたいと、だれしも思います。

そんな私たちに、神さまは時折、うれしく楽しいひとときをあたえてくださいます。お父さんやお母さんがかけてくれるやさしいひとこと、友だちの笑顔、あたたかな陽の光、すがすがしいそよ風……。その一つひとつが、神さまからの希望のおくり物、天からさしこむ一筋のかがやく光、「あなたは、天国でこれよりももっと大きな喜びを味わうのだよ」との神さまのメッセージなのです。

コリント人への手紙第一２章９節に、「人の心に思い浮かんだことがないものを、神は、神を愛する者たちに備えてくださった」とあります。

私たちがどんなに想像をめぐらせ、考えられるかぎりのすてきな場所を思いうかべても、天国はそれよりもはるかにすばらしいところなのです。

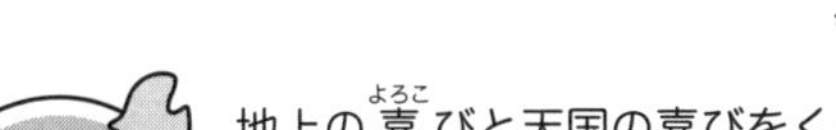

地上の喜びと天国の喜びをくらべるのは、まるで懐中電灯の光と太陽の光をくらべるようなものだ。懐中電灯の光は、暗い夜道では明るいが、まばゆい朝日のもとではついているのかどうかもわからないよね。つまり、くらべようがないんだ！

September

9月11日

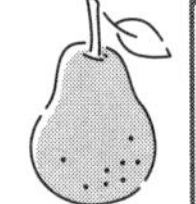

もう一人の助け主

わたしが父にお願いすると、父はもう一人の助け主を
お与えくださり、その助け主がいつまでも、
あなたがたとともにいるようにしてくださいます。
この方は真理の御霊です。

ヨハネの福音書 14 章 16、17 節

今はＤＩＹキットが大はやり。誕生日のケーキから家具にいたるまで、説明書に従えばだれでも作れるようになりました。やる気と根性さえあれば、家だって作ることができるそうです。自分でできることが増えているのは良いことですが、たったひとつ、「天国行きキット」だけは存在しません。

私たちは、自分の力では天国に行くことができないのです。私たちを心から愛してくださる神さまに、何から何まで助けていただかなくてはなりません。

私たちの考えや気持ちをすべてごぞんじの神さまは、私たちの心に働いてくださいます。聖霊が私たちの心に住んで、神さまに従って歩むのを助けてくださるのです。

2001 年 9 月 11 日、アメリカで大きな事件があった。ハイジャックされた何機もの飛行機がビルにつっこみ、大勢の人が亡くなったのだ。その日、世界中の人が恐怖にふるえた。思いがけない事件や事故で、大切な家族や友だちを亡くし、大きな悲しみを背負う人たちがいる。その人たちに神さまがよりそい、なぐさめてくださるよう祈ろう。

September

9月12日

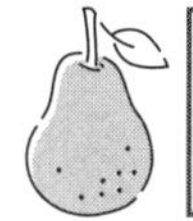

一粒の麦はやがて…

一粒の麦は、地に落ちて死ななければ、一粒のままです。しかし、死ぬなら、豊かな実を結びます。

ヨハネの福音書 12 章 24 節

私たちは生きていればこそ意味があり、死をむかえたらすべてが終わると考える人が大勢います。しかし神さまは、死は終わりではなく、始まりだとおっしゃいます。私たちにとって深い悲しみである死を、神さまは勝利への道すじとしてくださるのです。

種が芽を出し、成長するためには、まず地にうめられ、死ななくてはなりません。

神さまを信じる人が死をむかえる時、それはただ悲しみの時ではなく、信頼の時です。種からやがて新しいいのちが生まれるように、私たちの死の体もやがて天国で新しく生まれ変わります。たましいと体はふたたびひとつとなります。私たちはイエスと同じ姿に変えられ、神さまの前に出ることができるのです。

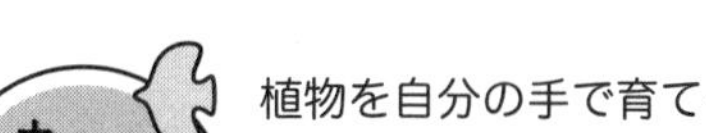

植物を自分の手で育てると、死といのちがどのようにつながっているのか学ぶことができる。家に庭があったら、この秋、ドングリの実を植え、目印の棒を立てておこう。きっと来年の春、小さな緑の若芽を見ることができるよ。

September

9月13日

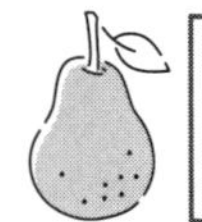

休むことの大切さ

それは主(しゅ)が六日間で、天と地と海、またそれらの中の
すべてのものを造(つく)り、七日目に休んだからである。

出エジプト記 20 章 11 節

私は、10 歳(さい)の時、母の言いつけでピアノを習い始めました。練習を時々さぼっていたこともあって、それほどじょうずにはならなかったのですが、譜面(ふめん)が読めるようになるとひくのが楽しくなりました。

スタッカートのところはポンポンとはじくように、クレッシェンドのところはだんだんと指に力をこめてひけるようになったものの、休止符(きゅうしふ)の記号が出てくると、とまどいました。せっかく気持ちよくひいているのに、なぜこの記号が出たとたん手を止めて休まなくちゃいけないのだろうと……。

するとピアノの先生が私の疑問(ぎもん)にこう答えてくれました。「それはね、休止符のあとに奏(かな)でる音楽は、とても美しく聞こえるからよ」と。

その時は意味があまりよくわからなかったけれど、今ではなるほどと思うのです。ところどころ休止符があったほうが、曲全体が美しく聞こえるように、人生も、さまざまなことからはなれ、神さまの前で休むひとときがあると、ことさら美しくかがやくのです。

自分の生活をふりかえってみよう。学校生活、クラブ活動、塾(じゅく)、習い事、友だちとの約束……。息つくひまもないほどいそがしくしてはいない？　時々、神さまがそばにいてくださることを感じながら、ただ静かに心と体を休めるひとときをもとう。そのあと、おどろくほど元気になれるよ！

私たちの手を使って

正しい人は自分の道を保ち、
手のきよい人は強さを増し加える。
ヨブ記 17 章9節

あなたの「手」が主人公の映画があったとしたら、いったいどんな物語になるでしょう。

最初に出てくるのは、もみじのような小さな手が、お母さんの人差し指をそっとにぎるシーンでしょうか。次は、初めて立ち上がろうとするあなたの手が、いすにつかまるシーン。

友だちに見せてじまんしたくなるようなシーンもあるでしょうね。だれかにプレゼントを差し出す手、悲しんでいる人の肩にやさしくふれる手、転んだ人が起き上がるのを助ける手……。

でも、思わず目をおおいたくなるようなシーンもあるかもしれません。人から何かをうばい取る手、こぶしをにぎり、だれかをたたく手……。

私たちの手は、人を攻撃する武器にもなれば、愛と親切を示す道具、神さまご自身の手の代わりとして、用いることもできるのです。

イエスは地上で、病気の人、ひとりぼっちで苦しんでいる人にやさしくふれ、貧しい人に食べ物をおあたえになった。イエスは、「あなたがたが、これらのわたしの兄弟たち、それも最も小さい者たちの一人にしたことは、わたしにしたのです」（マタイ 25・40）とおっしゃった。あなたは今日、自分の手を使ってイエスのために何ができるだろう？

September

9月15日

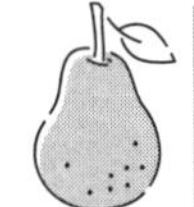

真実を語る

ですから、あなたがたは偽りを捨て、
それぞれ隣人に対して真実を語りなさい。
私たちは互いに、からだの一部分なのです。

エペソ人への手紙4章25節

あなたは、やっかいな状況に追いこまれ、本当のことを言うべきかどうかまよったことはありませんか。そんなときは、心にこう問いかけてみましょう。「神さまは、ウソをつくことを喜ばれるだろうか。ウソやいつわりの上に立てた計画を祝福してくださるだろうか」と。答えははっきりしていますね。

心の中を厳しく点検し、次はこう問いかけてみてください。「自分はどんなときも、まわりの人たちに誠実だろうか。いつも本当のことを語っているだろうか」と。

もし、自信をもってそうだと言い切れないのなら、今日からでもおそくありません。ウソをつくことをやめて、いつも真実を語りましょう。ほんの小さなウソのさざ波は、そのうち高波となり、やがて洪水となって、あなたやまわりの人たちを、大きく巻きこむことになるかもしれません。

池にポンと小さな石を投げてみよう。すぐさま丸くさざ波が立つね。そのさざ波は、思った以上に大きく広がっていく。同じように、あなたがウソをつくと、あなたの人生にさざ波が立ち、それは大きく広がって、いろいろなことに影響をあたえる。だから、ウソをつくという最初の一歩をふみ出さないことが大切だ。

万軍の主

万軍の神　主よ。
だれがあなたのように力があるでしょう。主よ。
あなたの真実はあなたを取り囲んでいます。
詩篇 89 篇 8 節

神さまは聖なるお方です。あなたの罪を見すごしにせず、あなたの不従順をなかったことにはしません。私たちがきよい生き方をすることを心から望んでおられます。

私たちは、自分のおかした罪やあやまちの罰を受けなくてはなりません。しかし、神さまは、実におどろくべきことをなさいました。私たちに罰をあたえる代わりに、ご自身の大切なひとり子であるイエスを十字架につけ、私たちの罪をゆるす道を備えてくださったのです。

イエスがご自身のいのちをささげてくださったので、私たちは罰を受けることなく、罪ゆるされた者として生きることができます。神さまの力あるみわざのおかげで、私たちは、神さまの前に、罪のない、きよい姿で立つことができるのです。

あなたはきっと神さまからすばらしい才能をあたえられていることだろう。じょうずに歌を歌えたり、絵が得意だったり、足が速かったりするかもしれない。でも、水の上を歩くことはできる？　手でふれただけで病気をいやすことは？　死人をよみがえらせ、わずかなパンで 5000 人もの人をおなかいっぱいにできるだろうか？　できないよね。同じように、私たちは、自分の力では天国に行くことはできない。でも神さまにはその力がある。「私の罪をゆるしてください」とひとことお願いすれば、神さまは喜んでゆるしてくださるんだ。

主の名は…

主の名は堅固なやぐら。
正しい人はその中に駆け込み、保護される。

箴言 18 章 10 節

神さまには、いろいろな呼び名があります。

もしあなたが将来のことが心配なら、「羊飼い」である神さまのもとに行きましょう。

もし必要なものがなくて困っているなら、「備えてくださる主」のもとに行きましょう。

大きな問題に直面しているならば、「平和の君」である神さまのもとに行きましょう。

もし病気にかかってしまったら、「いやし主」である神さまのもとに行きましょう。

もし敵に囲まれ、行き場をなくした兵士のように心細く感じるなら、脱出の道へと導く「旗」である神さまのもとに行きましょう。

神さまに、こんなにたくさんの呼び名があるのはなぜでしょう。それは、あなたのどんな必要にも、ちゃんとこたえてくださることを示すためです。

恵みのうちに成長しよう

あなたにも、呼び名がいくつもあるよね。「息子」や「娘」、「お兄さん」、「お姉さん」、あるいは「弟」、「妹」。「友だち」、「生徒」などなど。どれもが、それぞれちがうあなたの一面を表現している。神さまに呼び名がたくさんあるということは、それだけ神さまの働きもたくさんあるということなんだ。

September

9月18日

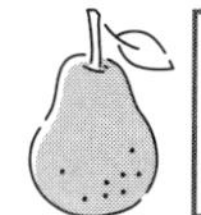

すべて捨て去りなさい！

無慈悲、憤り、怒り、怒号、ののしりなどを、
一切の悪意とともに、すべて捨て去りなさい。

エペソ人への手紙4章31節

にくしみやいかりは、私たちの心にこっそりとしのびこみ、やがて私たちをがんじがらめにします。きっかけは、ほんのささいなことかもしれません。

たとえば真新しい自転車にできた小さなかすり傷。はじめのうちはそれほど気にならなくても、自転車に乗るたびに目にすると、だんだんとイライラがつのります。いったいだれがやったんだ、もしわかったら一発ぶんなぐってやる……。そんな具合に、どんどんいかりがふくらんでいくのです。

にくしみやいかりは、私たちの心に重荷となってのしかかります。にくしみやいかりを心にかかえたまま人生の坂を登るのは、あまりにもつらく、苦しいものです。人生を軽やかに歩むためのいちばんかしこい方法とは、思い切ってその重荷を下ろしてしまうこと、にくしみやいかりを捨て去ることです。

私たちをまるごとゆるし、受け入れてくださった神さまにならう者となりましょう。

リュックサックに重たい石をいくつか入れて背負い、近所を歩いてみよう。どんな感じ？　肩がズキズキ痛むね。しばらくすると足もガクガクしてくるよね？　にくしみやいかりを背負って人生を歩くとは、まさにそんな感じなんだ。だから、ゆるそう。重荷を捨て去り、心を軽くして歩もう。

September

9月19日

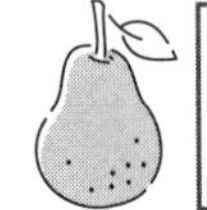

天国で目にするもの

天地を造られた主が
シオンからあなたを祝福されるように。
詩篇134篇3節

私たちがやがて天国にたどり着いた時、そこにはいったいどんな景色が広がっているのでしょうね。

私たちがそこに見るのは、「生ける神の都である天上のエルサレム、無数の御使いたちの喜びの集い、天に登録されている長子たちの教会、すべての人のさばき主である神、完全な者とされた義人たちの霊」（ヘブル12・22、23）です。

なんという光景でしょう！　ぜひあなたも想像してみてください。聖書に何度も登場する天使の姿を、その時初めて私たちは目にするのです。天使の集いとは、いったいどんなものなのでしょう。

またそこには、神さまの子どもたちがみんな集められるのです。罪のないかんぺきな姿で。

何よりもすばらしいのは、私たちはついに神さまにお会いできることです。神さまがやさしいまなざしであなたの顔を見つめ、あなたも神さまのお顔をはっきりと見る瞬間が訪れるのです。

ヨハネの黙示録21章4節には、天国では「もはや死はなく、悲しみも、叫び声も、苦しみもない」と記されている。天国では、悲しくてなみだを流すことも、つらくて泣きさけぶことも、苦しくて顔をゆがめることもない。神さまとともに生きる喜びだけがある世界なんだ。

September

9月20日

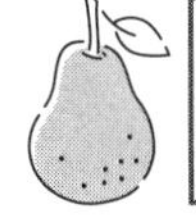

上にあるものを思いなさい

あなたがたはイエス・キリストを見たことはないけれども
愛しており、今見てはいないけれども信じており、……

ペテロの手紙第一１章８節

ある社会学者（人間の行動や関係を研究する人）が、山登りをする人たちといっしょに調査旅行に出かけました。しばらくすると、登山者たちの心の状態は、天気の良し悪しに大きく影響されることに気づいたのだそうです。雲一つない快晴だと、めざす山がよく見えます。するとみんな生き生きと活気にあふれ、たがいに助け合います。しかし、暗い雲が立ちこめ、めざす山が見えなくなると、とたんにきげんが悪くなり、自己中心的になるというのです。

実は、同じことが私たちにも起こります。私たちが、神さまの愛や偉大さにしっかりと目をとめていると、自分にもまわりの人にもやさしくすることができますが、この世の問題にばかり心がとらわれてしまうと、ささいなことに不平を鳴らします。

ですからパウロは「上にあるものを思いなさい。地にあるものを思ってはなりません」（コロサイ３・２）と私たちにすすめているのです。

これから一週間、毎日天気と気温を記録してみよう。その日の気分がどうであったかも記そう。私たちは、天気が良いと晴れ晴れとした気持ちになるけれど、雨がふって太陽が見えないと気持ちもしずみがちだ。天気が悪く、気持ちが落ちこむ時は、聖書を読み、イエスがどんなに私たちを愛していてくださるかを思い出そう。

September

9月21日

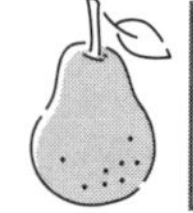

心の門を見張る

あなたがたの敵である悪魔が、吼えたける獅子のように、
だれかを食い尽くそうと探し回っています。
堅く信仰に立って、この悪魔に対抗しなさい。

ペテロの手紙第一５章８、９節

見ず知らずの人が玄関チャイムを鳴らしても、いきなりドアを開けて家に招き入れてはいけません。それはとても危険なことです。でも、「よくない思い」が私たちの心の扉をたたくと、何も考えずについ招き入れてしまうことはないでしょうか。「いかり」がやってくると「どうぞ！」と扉を開け、「仕返し」が顔を出せばいそいそと客間へ通します。「やきもち」がパーティを開こうとさそえばダイニングに案内し、「自己憐憫」が話をしたいと言えばイスを用意するのです。

なぜ、そんなことをしてしまうのでしょう。私たちは、何を着るか、どう時間をすごすかについては気にしますが、毎日の生活の中で、何を考えどんなことを思うかについては、ひどく不用心だからです。

イエスは、兵士が町の門に立って悪者が入ってこないよう見張るように、ご自身の心を守られました。イエスでさえそうなさったのですから、なおさら私たちもそうすべきです。

「あなたは、あなたが食べるものでできている」ということばがあるように、「あなたは、あなたが考えることでできている」ということばも真実だ。あなたの心が、いかり、仕返し、やきもちや自己憐憫でいっぱいなら、あなた自身がそのような人になってしまう。だから、そんな思いは心の中からすぐに追い出し、神さまを招き入れよう。

September

9月22日

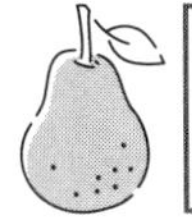

神さまを見上げる

主よ、私たちに父を見せてください。そうすれば満足します。

ヨハネの福音書 14 章 8 節

私たちが神さまを心から信じるようになるきっかけは、おそれや心配であることが多いのです。ペテロが大伝道者となったのも、ある晩、殺されるのがこわくてにげ出したことがきっかけでした。イスラエルの民を危機から救ったギデオンも、最初は敵がこわくて身をかくしました。

私たちがおそれの谷間に落ちこみ、はるか山頂におられる神さまを見上げた時、信仰がめばえます。自分の力の限界を知り、神さまの力が必要だと気づいた時、私たちの心に、神さまを信じる思いが生まれるのです。

モーセは、目の前には海、後ろにはエジプト軍がせまって来たとき、神さまを見上げました。海を泳いでわたる、敵と戦うという道もありましたが、それでは勝ち目がないことがわかったのです。パウロは律法の専門家でしたが、ダマスコへ向かうとちゅうでイエスと出会ったとたん、律法にどんなにくわしくても、それだけでは不十分であることに気づきました。

私たちが何かをおそれ、自分の力では何もできないことを知り、神さまに助けを求めた時から、信仰の歩みは始まるのです。

あなたがいちばん好きな聖書の登場人物はだれ？　その人は、どんなおそれに直面しただろう。神さまは、どのようにしてその人を助けてくださっただろう。その人を救ってくださった神さまは、あなたにも助けの手を差しのべてくださる。あなたは今、どんなおそれの中にいるだろう。神さまに信頼し、助けを祈ろう。

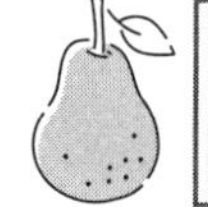

わたしを信じなさい

あなたがたは心を騒がせてはなりません。
神を信じ、またわたしを信じなさい。
ヨハネの福音書 14 章 1 節

私たちは、天国についてすべてを理解することはできません。私たちは、かぎりある時間の中に生きているからです。

そんな私たちに、イエスは、「神を信じ、またわたしを信じなさい」と言われました。ですから、イエスがふたたびこの世に来られるのはいつだろう、その時世界はどうなっているのだろうと心配する必要はありません。

さまざまな出来事に手がかりを探し、イエスが、いつ、どんな姿で来られるかを言い当てようとする人もいますが、私たち信仰者は、イエスがふたたび来られる日を、希望をもってただ待ち望んでいればよいのです。

その日が来るまで、神さまに信頼し、将来をゆだねて歩む者となりましょう。

家の中をぐるりと歩き回り、時間や長さをはかるものがいくつあるか数えてみよう。かべ時計、置き時計、カレンダー、じょうぎ、メジャーテープなど、いろいろあるね。時間や空間に始まりも終わりもない天国では、そのようなものはまったく必要なくなるんだ。なんだか不思議だね。

September

9月24日

神さまのみうでの中に

わたしを信じる者は死んでも生きるのです。

ヨハネの福音書 11 章 25 節

大切な人との別れはつらいものですね。仲良しの友だちが遠くに引っこすのも、かわいがってくれたおじいちゃんやおばあちゃんが亡くなるのも。大切な人の死による別れは特に、私たちの心に大きな痛みをもたらします。そのようなときは、悲しみにしっかりと向き合い、なみだを流すことが必要です。

でも、決して望みを失ってはいけません。天に召されたその人は、この地上では痛みがあったかもしれませんが、天国ではいっさいの苦しみから解放されています。

なぜ天に召されなくてはならなかったのだろうと、あなたはくやしく思うかもしれません。でも、その人は今、神さまのもとで安らいでいるのです。

あなたが寒さにふるえる時も、その人は神さまのあたたかいみうでの中にいるのです。あなたには、イエスがふたたび来られるその時、その人とまた会える希望があるのです。

お父さんやお母さんに相談し、天に召された大切な人を覚えるため、庭に木や花などの植物を植えてみてはどうだろう。できれば、いつもあなたが目にできる場所を選ぼう。あなたがその植物の世話をする時、神さまも、天国でその人のことを大切に守っていてくださることを思い出そう。

September

9月25日

勝利を得る者には……白い石を与える。その石には、
……新しい名が記されている。

ヨハネの黙示録2章17節

あなたのお父さんやお母さんは、あなたのことを、親しみをこめて○○ちゃんとあだ名で呼ぶことがあるでしょう？　人が大勢いる場所だとちょっとはずかしかったりしますが、その名で呼ばれると、お父さんやお母さんに大切にされているのがわかってうれしい気持ちになります。

実は神さまも、私たち一人ひとりに特別な名前を用意してくださっているのですよ。天国での生活は、この地上での歩みとはくらべものにならないほどすばらしいので、それにふさわしい新しい名前が必要なのです。天国では、今の私たちには想像できないような、かがやかしい生涯が始まります。その時、神さまは私たちのことを、親しみをこめて新しい名前で呼んでくださるのです。

神さまは、あなたをどんな名前で呼んでくださっているだろう。

ヨハネの手紙第一３章１節＿＿＿＿＿＿＿＿＿＿＿＿

ローマ人への手紙８章17節＿＿＿＿＿＿＿＿＿＿＿＿

エペソ人への手紙５章８節＿＿＿＿＿＿＿＿＿＿＿＿

ヨハネの福音書21章15節＿＿＿＿＿＿＿＿＿＿＿＿

ペテロの手紙第一２章９節＿＿＿＿＿＿＿＿＿＿＿＿

あなたはどの名前がいちばん好き？

September

9月26日

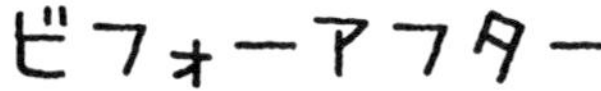

ビフォーアフター

喜びなさい。大いに喜びなさい。
天においてあなたがたの報いは大きいのですから。

マタイの福音書５章12節

マタイの福音書５章に記されるイエスの「山上の説教」は、新約聖書の中でも有名なみことばの一つです。これを読むと、神さまは、私たちの心を、すっかり造り変えてくださる方であることがわかります。

まず私たちは、心の貧しい者であり、神さまの支えなしには生きていくことができないことに気づきます（3節）。そして、私たちは自分の力では自分を救うことはできないことに悲しみを覚えます（4節）。

私たちは、自分の力で自分の人生をどうにかしようとするのをやめ、神さまの前にへりくだって生きる者（5節）、神さまの正しさを求める者（6節）、人をゆるす者（7節）、神さまのように物事を見る者（8節）、平和を愛する者（9節）へと変えられます。

そして神さまを信じているために、迫害されることもあります（10、11節）。神さまを信じる前の古い自分と信じたあとの新しい自分は、天と地ほどの差があります。その差が大きければ大きいほど、私たちがいただく喜びも大きいのです。

古い家をリフォームする番組があるね。ビフォー（リフォーム前）とアフター（リフォーム後）とでは、家のようすがおどろくほどちがう。私たちがイエスの救いにあずかり、神さまが私たちを変えてくださるそのみわざが完成した時、ビフォーとアフターのあまりのちがいに、自分でもびっくりすることだろう！

September

9月27日

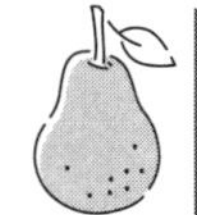

どんなときも

確かに私は、自分の理解できないことを告げてしまいました。
自分では知り得ない、あまりにも不思議なことを。

ヨブ記 42 章 3 節

神さまが自分の願いをそのままかなえてくだされば、感謝するのは簡単です。でも、神さまはいつも私たちの願いどおりにしてくださるとはかぎりません。ヨブ記を読みましょう。

ヨブはすべてを失いました。財産をうばわれ、子どもは殺され、体中ひどいおできにおおわれました。たまりかねたヨブは、神さまにたずねました。「どうしてこんな目にあわなくてはならないのですか？」と。神さまはヨブの質問にお答えになる代わりに、ヨブに次々と質問をなさいました。

つまりこういうことです。神さまは私たちに、こと細かに理由を説明なさる必要はないのだということです。説明をされても、私たちにはすべてを理解できないからです。

神さまは、ご自身が何をなさっているのかよくごぞんじです。

私たちは、自分が置かれている状況がたとえ理解できなくとも、神さまは真実であり、愛の方であることに信頼していましょう。

私たちは、神さまに聞きたいことが山ほどある。「なぜ？」「いつ？」「どのように？」と。でも神さまからこんな質問をされたら？「あなたは夜空に星を置き、雲を動かし、空から雨をふらせ、かみなりを落とすことができるのか」と。もちろんできない。でも神さまにはおできになる。力ある神さまは、いつもあなたのために良いことをしてくださる。どんなときも、神さまに信頼する者となろう。

September

9月28日

イエスに従う

何を見張るよりも、あなたの心を見守れ。
いのちの泉はこれから湧く。

箴言4章23節

神さまは、あなたが、イエスのように考え、イエスのようにふるまうことを望んでおられます(ピリピ2・5)。どうしたらそんなことができるのでしょう。答えはいたってシンプル。イエスをあなたの心の王としてむかえ、あなたの思いや考えを治めていただくのです。

天地を治めておられるイエスは、あなたの考えや思いについても最終的な決定権を持っておられます。あなたの心について、クラスメートやあなたの仲良しよりも権限をお持ちなのです。あなたが悪口やいじめに加わらないことで、仲間からつきあいが悪いとけなされたとしても、イエスは、そんなあなたのことを、天国を継ぐにふさわしいとほめてくださいます。

もしあなたがテストでカンニングすることをふと思いついても、「ぬすんではなりません」と言われるイエスのことばに従い、そんな思いは心から追い出さなくてはなりません。

きよい心をもちたいと願うのなら、「私の心を治めてください」、と神さまにお祈りしましょう。

この地上には、国や社会、組織を治める人がいる。大統領や首相は国を治める。校長先生は学校を、両親は家庭を治める。でも、すべてのものを治めるのはただひとり、イエスだ。地上の規則よりも、まずはイエスに従う者となろう。イエスの定められた大切なきまりが二つある。何だったか覚えてる？（ヒント：マルコ 12・29 ～ 31)

September

9月29日

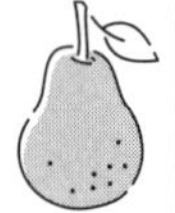

死に勝利されたイエス

死よ、おまえの勝利はどこにあるのか。
死よ、おまえのとげはどこにあるのか。
コリント人への手紙第一 15 章 55 節

初代のクリスチャンたちは、イエスが神さまのひとり子であったことを心から信じました。もしイエスがただの人であったのなら、墓(はか)の中にとどまっていたはずだからです。ですから、十字架(じゅうじか)で死なれたイエスがよみがえり、500 人もの人々の前に姿(すがた)を現(あらわ)してくださったこと（Ｉコリント 15・6）を、まわりの人たちに宣(の)べ伝えずにはいられなかったのです。

私たちも、イエスがたしかに復活(ふっかつ)されたことの証人(しょうにん)となることができますように。

死に打ち勝ち、ご自身の足で墓をあとにしたイエスに、従(したが)うことができますように。

私たちもやがて死に打ち勝ち、イエスと同じ姿となって天にむかえ入れていただけることを、心から信じることができますように。

イエスは復活(ふっかつ)されて墓(はか)を出たあと、さまざまな人に目撃(もくげき)されている。マタイの福音書(ふくいんしょ) 28 章 1 ～ 20 節、マルコの福音書 16 章 9 ～ 20 節、ルカの福音書 24 章 13 ～ 53 節、ヨハネの福音書 20 章 11 ～ 29 節を読んでみよう。復活されたイエスと出会った人は何人だろう？　その人たちのうち、迫害(はくがい)を受けてもイエスの復活について宣(の)べ伝えたのは何人？

September

9月30日

アバ、父よ

主よ　思い起こしてください。
あなたのあわれみと恵みを。
それらは　とこしえからのものです。
詩篇25篇6節

ずいぶん前のことですが、私は、イスラエルを旅行し、エルサレムに数日滞在したことがあります。道を散歩中、少し先を行くユダヤ人家族に目がとまりました。お父さんが三人の娘たちを連れて歩いていたのです。すると、5歳くらいの女の子がお父さんの後ろで転んでしまいました。女の子は大きな声で「アバ！」と呼びます。「アバ」ということばは聖書にも出てきますね。「お父さん」という意味です。お父さんはその声を聞くとすぐにふり向き、女の子をやさしくだき起こしました。そしてしっかりと手をつなぎ、他の娘たちとともにふたたび歩き始めました。

私たちが「アバ！」と助けを求めた時、すぐにふり向いてくださる方がいます。転んだ時にはだき起こし、迷子にならないよう手をつないで、いっしょに家に連れ帰ってくださる、そんなお父さんのような方が、私たちのすぐそばにいてくださるのです。

「アバ」とは、お父さんという意味だが、正確には、「パパ」、「お父ちゃん」のような、もっと親しみのこもったことばだ。パパは、あなたのどんな話にも喜んで耳をかたむけ、つらいときは、ひざの上であまえさせてくれる存在。神さまは、あなたにとって「アバ」、そう、パパなんだ！

10月
October

私たちは
自分たちに対する神の愛を知り、
また信じています。

ヨハネの手紙第一 4章16節

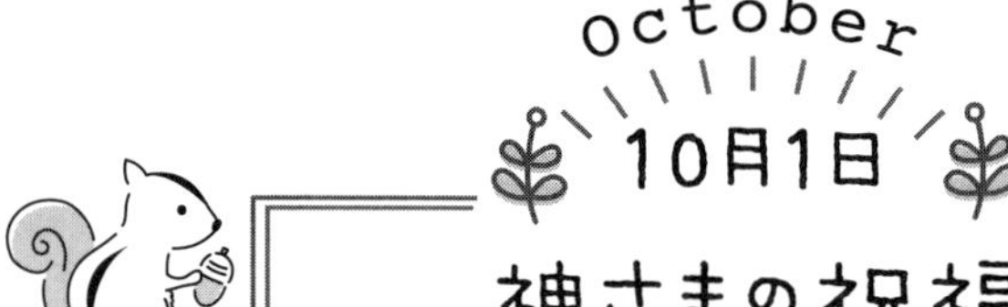

october

10月1日

神さまの祝福

どうか御父が、その栄光の豊かさにしたがって、
内なる人に働く御霊により、力をもってあなたがたを
強めてくださいますように。

エペソ人への手紙３章16節

以前、私がブラジルで宣教師として働いていたころ、毎週教会に来ていたある家族の家では、朝になるといつもこんな光景が見られました。

小学生のマルコスは、教科書の入ったかばんをかかえて玄関に向かうとちゅう、必ずお父さんの書斎に立ちよります。そしていすに座るお父さんの顔をのぞきこみ、こうお願いするのです。「お父さん、祝福して！」と。

するとお父さんは、片手を挙げ、「神さまの祝福がありますように」と祈り、笑顔でマルコスを送り出します。マルコスは、お父さんから愛のこもった祝福のことばをもらい、安心して学校へと出かけて行くのです。

同じように私たちも、「天のお父さま、祝福してください！」とお願いしましょう。マルコスが毎朝お父さんの愛を確認するように、私たちも、神さまに愛されていることを毎日心にとめましょう。

毎朝、学校に出かける前に、「私を祝福してください！」とひとこと神さまに祈ろう。あなたのことばや行いが神さまのみこころにかなったものとなるよう、お願いしよう。神さまは必ずあなたを祝福し、守ってくださる。

October

10月2日

艦長は神さま

大勢いる私たちも、キリストにあって一つのからだ
であり、一人ひとりは互いに器官なのです。

ローマ人への手紙 12 章 5 節

同じ神さまを信じる私たちは、みんな、同じ船に乗って天国へ向かう大切な仲間です。

神さまの船は、クルーズ船ではなく軍艦です。私たちの人生の目的は、ただ楽しく生きることではなく、神さまのためにたたかい、働くこと。私たちは一人ひとりちがう任務があたえられています。罪におぼれ苦しむ人を、神さまの船に引き上げる人もいれば、サタンに立ち向かうため祈りにはげむ人も。また、他の乗組員たちのお世話をし、訓練する人もいます。

私たちは、それぞれ働きはちがっても、みんな神さまの大切な子どもです。艦長である神さまと出会い、一方的なあわれみによって船に乗せていただいたのです。

戦いははげしくとも、私たちは安全に守られています。

なんと言っても艦長は神さまなのですから、船がしずむことは決してありません。

船を安全に航行させるため、乗組員にはさまざまな役割があたえられている。船の運転、機械の点検や整備、料理やそうじなどなど。同じように、教会も、礼拝説教から会堂のそうじまで、たくさんの大切な働きがある。あなたにできることは何だろう。祈って考えてみよう。

October

10月3日

神さまの夢

私たちが神を愛したのではなく、神が私たちを愛し、
私たちの罪のために、宥めのささげ物としての御子を
遣わされました。ここに愛があるのです。

ヨハネの手紙第一4章10節

あなたはもう小さな子どもではありませんから、人の手を借りなくても自分でできることがたくさんあるでしょう。折り紙でツルを折る、リボンをちょう結びにする、自転車に乗るなど。

そして、いつかかなえたい夢があるでしょう。学校にバスケットボールのチームを作る、クラリネットをじょうずにふけるようになるなど。将来なりたい職業もあるかもしれません。宇宙飛行士、獣医師、教師、ひょっとして牧師？　どれもすてきな夢ですね。一生けんめい努力すればきっと実現できるでしょう。

神さまも、あなたに対して大きな夢をもっておられるのですよ。でも、その夢はあなたの力だけで実現できるものではありません。それは、あなたがお金持ちや有名人、人気者になることではなく、イエスを救い主として信じ、神さまとの正しい関係の中に生きることなのです（ローマ3・21、22）。

あなたの夢は何？　科学者になること？　野球選手、それともプリマバレリーナ？　夢をもつこと、それに向かって努力をするのはすばらしいことだ。でも同時に、神さまはあなたの将来に何を望んでおられるのか、祈り求めていこう。あなたに用意しておられる神さまのご計画は、きっとびっくりするほどすばらしくて、すてきなはず！

October

10月4日

心を守る

肉の思いは死ですが、御霊の思いはいのちと平安です。

ローマ人への手紙８章６節

私たちの心は、野菜や果物を育てる温室のようなものだと思ってください。温室では、どんな種をまいて育てたらよいか、どんな種を取り除くべきか、よく考えないといけません。私たちの心についても、どんな思いを実らせ、どんな思いを断ち切るべきか、ちゃんと判断しなくてはならないのです。私たちは、悪い考えや思いが心に入りこみ、根を張って実ることのないように気をつけなくてはなりません。

聖霊なる神さまは、私たちの心の戸口に立って、さまざまな思いをより分けるのを助けてくださいます。私たちは、「すべてのはかりごとを取り押さえて、キリストに服従させ」（IIコリント10・5）なくてはなりません。

聖霊に力をいただきましょう。悪い思いや考えに気づいたら、心の中に入りこんでしまう前に取りおさえ、さっさと捨ててしまいましょう。

良い考えか悪い考えかはっきりとわかる場合はいいけれど、どちらなのかまよってしまうことがある。そんなときはちょっと立ち止まって、「こんなことを自分が考えているのを、他の人が知ってもかまわないだろうか、イエスが知ったら喜ばれるだろうか」と考えてみよう。もし答えがノーなら、そんな考えは心の外に捨ててしまおう。

10月5日

「主よ、助けてください」

【ペテロは】「主よ、助けてください」と叫んだ。
イエスはすぐに手を伸ばし、彼をつかんで……
マタイの福音書 14 章 30、31 節

はげしいあらしにあい、舟の上でおそれおののくペテロ。するとそこに、湖の上を歩いて近づいてこられるイエスの姿に気づきます。イエスならきっと助けてくださる！　そう信じたペテロは舟から一歩足をふみ出します。そのとたん、大きな波がおしよせ、しずみそうになります。自分の力ではイエスのもとに行けないとわかったペテロは、助けを求め、さけびます。するとイエスがしっかり彼をつかみ、救い出してくださいました。

信仰とはこういうことです。どんなに努力しても自分の力では自分を救えないことに気づくことです。私たちを救うことができるのはイエスしかいないと信じ、この方によりたのんで生きることなのです。

「この恵みのゆえに、あなたがたは信仰によって救われたのです。それはあなたがたから出たことではなく、神の賜物です。行いによるのではありません。だれも誇ることのないためです」（エペソ２・８、９）。

洗面器に水を張り、おもちゃの舟をうかべてみよう。舟がうかぶのには科学的な理由がある。神さまは、そのように水や物のしくみをお造りになった。この世界をさまざまなきまりやしくみで安全に保っていてくださる神さまは、どんな問題やあらしが立ちはだかろうとも、しずむようなことがないよう守ってくださる。神さまに信頼しよう。

10月6日 一瞬の出来事

私にとって生きることはキリスト、死ぬことは益です。

ピリピ人への手紙1章21節

イエスを信じる私たちが、この地上での生涯を終えたあと、私たちのたましいは、天国におられる神さまのもとに、まっすぐに行くことができるのでしょうか。聖書は、そのとおりに信じてよいと、はっきりと約束しています。

聖書は、私たちが死んでから、神さまとともに天国に住むようになるまでの間のことについて、はっきりとは記していませんし、また多くを語ってはいません。しかし、聖書のさまざまな箇所から、神さまのお考えを読み取ることができます。

聖書は、イエスを信じる私たちは、この地上で死をむかえた直後に、天におられる神さまのもとに行くと教えています。そして、天の父なる神さまだけでなく、先に天に召された人たちと会うことができるのです。それは一瞬で起こる出来事なのです。

神さまと顔と顔を合わせてお会いできるその時、私たちはどんな気持ちになるのだろう。想像しただけで胸がいっぱいにならない？　私たちは、神さまのご栄光を、直接自分の目で見ることができるんだ。神さまのまわりには、天使や、聖書に登場する英雄たち、そしてすでに天に召された大切な人たちもいる。その時、あなたがいちばん会いたい人はだれかな？

10月7日 時間をむだにしない

神のイスラエルの上に、平安とあわれみがありますように。

ガラテヤ人への手紙6章16節

私たちは、年を取るにつれて、大切なことがちゃんと見えるようにならなくてはなりません。視力が良くなってめがねがいらなくなるということではありません。天国とはどのようなところなのか、より深く理解できるようにならなくてはいけないということです。心から神さまを信じ、あたえられた務めをしっかりと果たして生きた人は、やがて年を取り、死へと向かう日々においてさえ、天国への希望に胸をはずませることができるはずです。

すばらしい芸術家として知られるミケランジェロが天に召された後、アトリエに一枚のメモが見つかったそうです。それはアントニオという弟子にあてたもので、「どんどんえがきなさい、時間をむだにしてはならない」と書かれていたそうです。若いころは、無限に存在するように思える時間も、注意深くしていないといつのまにかすぎていきます。神さまは、この地上で大切な働きをするようにと、あなたを召しておられます。時間をむだにしてはいけません。

年代の異なる三人の人（あなたと同じ年代の人、あなたのお父さん、お母さんと同じ年代の人、あなたのおじいちゃん、おばあちゃんの年代の人）に、「天国とはどういうところだと思いますか？」と質問してみよう。それぞれの答えをくらべてみよう。年代によって答えが変わってくるだろうか？

賛美のいけにえ、御名をたたえる唇の果実を、絶えず
神にささげようではありませんか。
ヘブル人への手紙 13 章 15 節

しばらくのひととき、神さまの前にしずまって、次の賛美の祈りを、心をこめてささげましょう。

「神さま、あなたは偉大な方です。

あなたは聖なる方です。あなたの力は、はかり知れません。

あなたのさばきは正しく、私たちの必要をいつも満たしてくださいます。

あなたは私を行くべき道へと導き、私の罪を洗い流してくださいます。

あなたは、私を救うために大切なひとり子をこの世に遣わしてくださいました。その方が、いつかふたたびこの世に来てくださることを感謝します。

あなたの計画はかんぺきです。時々私には理解できず、とまどうこともありますが、あなたのなさることはどんなときも、かんぺきであると信じます」

「かみさま」、「せいなる」、「すくい」などのことばを一つ選び、その一文字一文字を使って、祈りのことばを作ってみよう。選んだことばが「かみさま」なら、祈りの各行の最初の文字を「か」「み」「さ」「ま」としてみる。たとえばこんなふうに。「かんしゃします神さま、／みんなをいつも養ってくださって。／さんびします、あなたの御名を。／まもってくださり、ありがとうございます！」

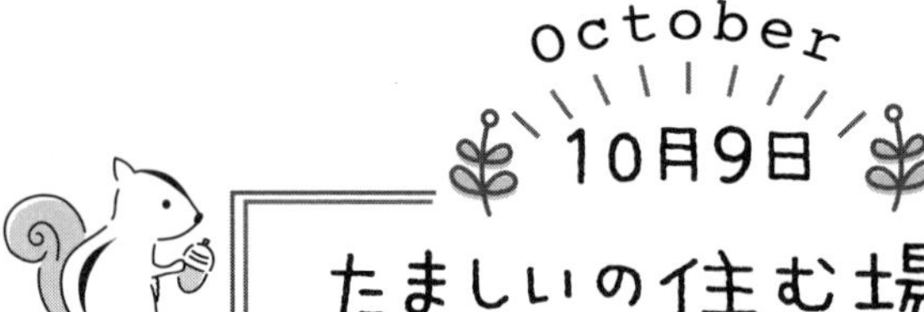

10月9日

たましいの住む場所

いと高き方の隠れ場に住む者
その人は　全能者の陰に宿る。

詩篇 91 篇 1 節

あなたにはいつでも帰ることのできる、いごこちのよい家があるでしょう？　自分だけの部屋もあるかもしれませんね。どんなに外でたいへんなことがあっても、家に帰ればホッとします。

あなたのたましいには、帰ることのできる「家」がありますか。神さまのもとで安らぐことができているでしょうか。それとも、この世の試練に巻きこまれ、途方にくれてはいないでしょうか。神さまは、あなたのたましいがあてもなくこの世をさまよい歩くのを望んでいません。ちゃんとご自身のもとに帰ってきてほしいと願っておられます。

神さまの家にはたくさん部屋があります。居間には、あなたのためのいすが用意されています。神さまは、あなたにそこに座ってくつろいでほしいと思っておられるのです。なぜでしょう。

それは、神さまはあなたを愛してやまない天のお父さまだからです！

家の中を歩いてみよう。体を休ませ、いごこちよくすごすための物は、家の中にいくつある？　ヒーター、エアコン、ソファー、ベッド、毛布、まくら……、いろいろあるね。この地上で一時的にしか存在しない体のためでさえ、私たちはこんなにも気をつかい、手入れをする。それではなおのこと、たましいのためにできることがあるよね。それはどんなことだろう？

October

10月10日

主の日を待つ

しかし、主の日は盗人のようにやって来ます。その日、
天は大きな響きを立てて消え去り……ます。
このように、これらすべてのものが崩れ去るのだとすれば、
あなたがたは、どれほど聖なる敬虔な生き方を
しなければならないことでしょう。

ペテロの手紙第二３章 10、11 節

神さまを信じる私たちは、きよい生き方をしながら、神の日が来るのを、ただ待つのではなく、待ち望まなくてはならない（Ⅱペテロ３：11、12)、と聖書は記します。

私たちは、やがて天国に行くことができるのだから、この地上では自分の好きなように生きてよいというわけではありません。毎日の生活の中で、私たちは、よく「待つ」経験をします。うれしいことや楽しいことを待つあいだ、私たちはわくわくした気持ちになりませんか。そのために必要な準備も、まったく苦になりませんよね。

同じように、いつかイエスがこの世に来てくださるその日を、期待しつつ待ち望む者となりましょう。聖霊の声に従い、どうしたら神さまに喜ばれるかを考え、その日のために備えつつ、毎日をすごしましょう。

「神の日が来るのを待ち望」（同 12 節）むとは、どういうことだろう。それは、夏休みの家族旅行を待つのに似ているかもしれない。その日を指折り数えて待ちながら、準備にいそがしいね。トランクに荷物をつめ、観光する場所の下調べをし、体調を整える。神の日が訪れるのを待つあいだも、私たちは、祈り、聖書を学び、伝道し……と、いそがしく準備をしながら、その日を待ち望みつつすごすんだ。

October

10月11日

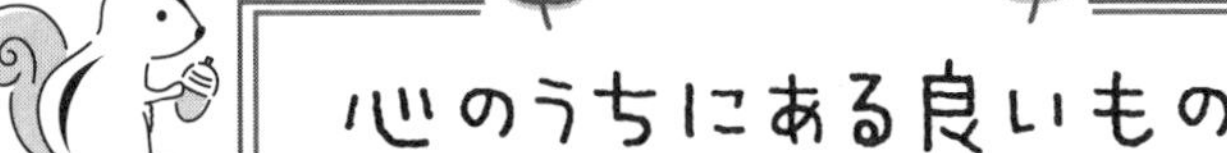

心のうちにある良いもの

あなたがたを迫害する者たちを祝福しなさい。
祝福すべきであって、呪ってはいけません。

ローマ人への手紙 12 章 14 節

聖書の登場人物の中でも、ユダほどの悪人はいません。いや、ユダだって始めから悪人だったわけでないと言う人もいますが、私はそう思いません。ヨハネの福音書 12 章 6 節は、ユダが「盗人」であったと記します。そんなユダが、どういうめぐり合わせかイエスの弟子となります。しかし、イエスの数々の奇跡を目撃したにもかかわらず、その性質が変わることはありませんでした。ユダはやがてお金に目がくらみ、銀貨 30 枚と引きかえにイエスを捨てたのです。なんという悪党、ひきょう者、ろくでなしでしょう。ええ、だれもがそう思ったはずです、イエス以外は。

イエスだけは、ユダを「友」とお呼びになりました(マタイ 26・50)。イエスは、口から出まかせを言うような方では決してありません。ユダがご自身を裏切るその瞬間にも、イエスは彼の心のうちに良いものを見ておられたのです。

私たちも、自分を傷つける人の心のうちに、良いものを見いだすことができますように。きっとイエスが助けてくださいます。

人によっては、その人のうちに良いものを見つけるのが難しいことがある。でも、必ず何かよいところがあるはずなんだ。あきらめずに探し続けよう。イエスは、ユダのうちにさえ、良いものをごらんになったのだから。私たちがたがいに良いところを認め合うことができたら、どんなにすばらしいだろう。

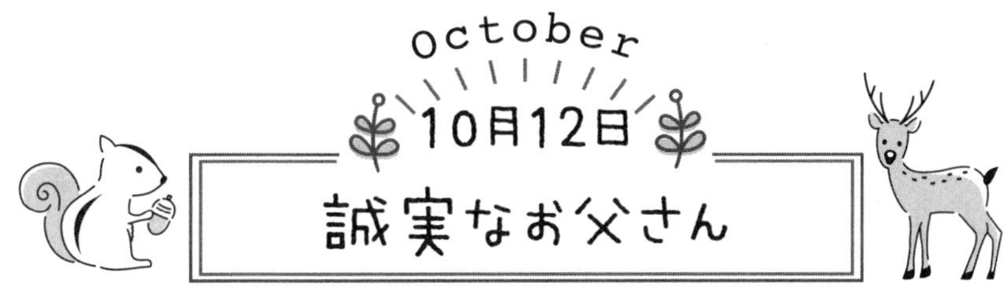

10月12日 誠実なお父さん

主は真実な神で偽りがなく、
正しい方、直ぐな方である。
申命記32章4節

主なる神さまを知るとは、神さまが王であり、すべてを治めておられる方であると知ることです。救い主なる神さまを知るとは、イエスの十字架の死を通してあたえてくださる救いを受け入れることです。父なる神さまを知るとは、神さまはあなたに必要なものをあたえ、守ってくださることを信じるということです。

神さまは、あなたの必要をすべて満たし（マタイ6・25～34）、あなたをすべてのわざわいから守り（詩篇139・5）、あなたをご自分の子とし（エペソ1・5）、あなたを「神の子ども」と呼んでくださいます（Ｉヨハネ3・1）。

神さまは、私たちにとって誠実なお父さんなのです。私たちも、天のお父さまの子どもとしてふさわしく生きる者となりましょう。

お父さんやお母さんには、親としてあなたを育て導く責任があるように、あなたも子どもとして果たさなくてはならない責任がある。親を愛し、言いつけを守らなくてはならない。同じように、私たちは、天の父である神さまに対しても子としての責任があるんだ。

主は私の光　私の救い。だれを私は恐れよう。

詩篇 27 篇 1 節

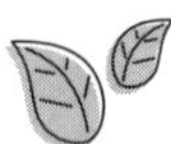

私たちの心に二つの声が聞こえてきます。

ある声はこうささやきかけます。「何もしなければ失敗することもないし、恥をかくこともない。高みをめざして登りさえしなければ、転んで痛い目にあうこともない。だから、安全な場所にいて毛布にくるまり、ただじっとしていればいいさ」と。

今度は、別の声がそっと語りかけます。神さまの声です。「さあ、ついておいで、冒険の旅に出かけよう。わたしはあなたのために計画を立てている。大勢の人たちのたましいにふれ、その救いのために祈りなさい。そして声高らかに賛美の声をあげなさい！」と。

安全な場所にとどまってじっとしているのではなく、冒険の旅に出かけましょう。神さまについて行きましょう。世の光となってかがやきましょう！

子どものあなたでも、神さまのために、すてきな「冒険」ができるよ。困っている人に声をかけ、何かお手伝いができないかたずねてみよう。友だちのいない子を仲間に入れてあげよう。神さまを知らない友だちを教会学校にさそってみよう。

恵みとは

神はこの聖霊を、私たちの救い主イエス・キリストによって、
私たちに豊かに注いでくださったのです。
それは、私たちがキリストの恵みによって義と認められ、
永遠のいのちの望みを抱く相続人となるためでした。

テトスへの手紙３章６、７節

あなたは、だれから見てもいい子かもしれません。進んでお手伝いをするし、友だちにもやさしく、校則も守る。でも、イエスにつながっていなければ、きよくありません。きよくなければ天国に行くことはできないのです。

そんなあなたのために、イエスは十字架にかかってくださいました。あなたがどんなにがんばって良い生き方をしたとしても、天国に行くには不十分なのです。イエスが身代わりとなって罰を受けてくださったおかげで、あなたは神さまの前に正しいと認めていただけるのです。

その約束のことばをただ信じましょう。「信じるだけでいいの？　そんなに簡単なことなの？」とあなたは思うかもしれません。イエスがはらってくださった犠牲はとてつもなく大きいものでした。イエスの十字架の死は、決して簡単に起きた出来事ではありません。これは、神さまの一方的なおくり物、恵みなのです。そうです、私たちはただ信じるだけでよいのです。

神さまの恵みのおかげで、私たちは罰を受けずにすみ、罪をすべてゆるしていただき、神さまの大きな愛の中に生きる者とされた。あなたは、人からゆるしてもらった経験はある？　その時どんな気持ちだった？　ホッと安心し、感謝の思いでいっぱいになったよね。神さまにゆるされて生きるとは、日々その思いをもってすごすことなんだ。

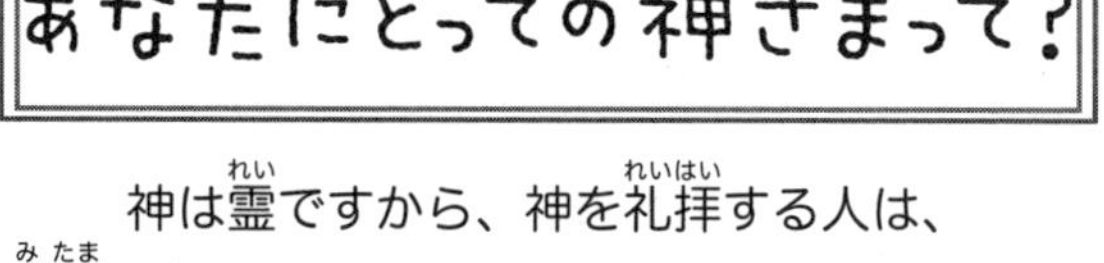

october 10月15日 あなたにとっての神さまって？

神は霊ですから、神を礼拝する人は、
御霊と真理によって礼拝しなければなりません。
ヨハネの福音書４章24節

神さまは、あなたから遠くはなれた場所にいらっしゃるのではありません。神さまは、高い空からはるか下にいるあなたをながめておられるのではありません。たとえ目には見えなくとも、あなたのすぐそばにいらっしゃいます。「霊」である神さまは、家の屋根やかべのようにあなたを囲み、あなたを守ってくださるのです。

モーセは、「主よ　代々にわたって　あなたは私たちの住まいです」（詩篇90・1）と祈りました。そう、神さまはあなたの「住まい」、「家」なのです。家はあなたにとってどんな場所ですか。ホッと一息つける場所、だれの目も気にしないで手足をのばし、ゆっくりとくつろげるところですね。

神さまも、私たちにとってそんな方なのです。私たちを安全に守り、安らぎをあたえてくださる方なのです。

自分だけの部屋があったら、うれしいよね。今住んでいる家には、あなただけの部屋はないかもしれないけれど、天国にはちゃんと用意されているよ。ヨハネの福音書14章２節に、こう記されている。「わたしの父の家には住む所がたくさんあります。……あなたがたのために場所を用意しに行く」って。

宝探しの地図

初めにことばがあった。ことばは神とともにあった。
ことばは神であった。

ヨハネの福音書１章１節

聖書は、これまでの歴史の中で、何度も禁書として読むことを禁じられ、焼き捨てられ、人々にばかにされ、名高い学者たちから迷信であると決めつけられてきました。それにもかかわらず、聖書は何千年ものあいだ大勢の人に読まれ続け、今や世界一のベストセラー本と呼ばれるまでになりました。なぜなのでしょう。

それは、聖書が神さまの声だからです。神さまの声を、私たちがふうじこめることはできません。聖書は、神さまのご計画を私たちに知らせるために書かれました。神さまは、私たちに、罪から救われ、ご自身の子どもとして生きてほしいと心から願っておられます。

聖書は、神さまのすばらしい宝物（永遠のいのち）を見つけるための地図なのです。

恵みのうちに成長しよう

「宝探し」ゲームをして遊ぼう。キャンディやクッキーの袋を家のどこかにかくす。それを見つけるための地図をえがき、それをたよりに友だちに探してもらう。友だちがあなたのかくした宝物を見つけてくれるとうれしいよね！　同じように、あなたが聖書を読み、それを手がかりに本物の宝物を見つけることができたら、神さまはどんなに喜ばれることだろう。

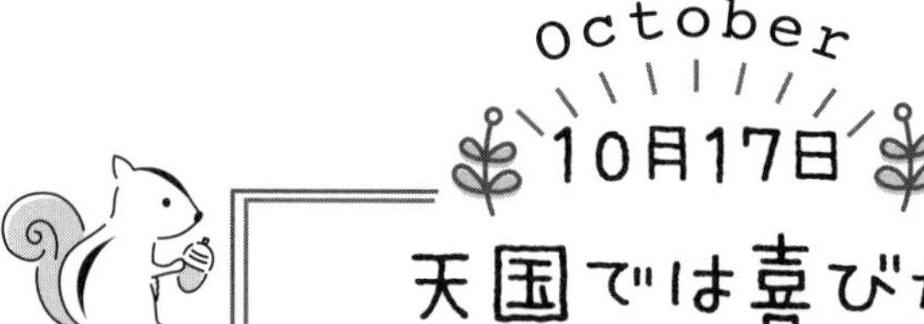

October

10月17日

天国では喜びが

あなたがたの名が天に書き記されていることを喜びなさい。

ルカの福音書 10 章 20 節

イエスのことばを読むと、この地上で起こる一つひとつの出来事が、神さまや天使たちにとって大きな関心事であることがわかります。

困っている人にだれかが助けの手を差しのべると、イエスはほほえまれます。私たちが神さまを心から賛美すると、天使たちもそれに合わせ歌います。小さな子どもが祈ると、神さまはこしをかがめて耳をかたむけてくださいます。そして一人の罪人が救われると、天では喜びがわき起こるのです（ルカ15・10）。

私たちはどうでしょう。だれかがクリスチャンになったと聞いて、おどり上がるほど喜び、お祝いするでしょうか。イエスは、まるで夏に打ち上げられる花火のように喜びを爆発させ、天使たちとともに心から祝ってくださるのです。

私たちも、イエスと同じ心で、まわりの人たちの救いを喜び、お祝いしましょう！

教会で洗礼式が行われることがあるよね。洗礼を受ける人に、お祝いの気持ちを伝えよう。ケーキを焼いてプレゼントする、カードをおくる、その人とハイタッチをし、笑顔で「おめでとう！」と声をかけるのもいいね！

神さまのほほえみ

私たちが御前に伏して願いをささげるのは、
私たちの正しい行いによるのではなく、
あなたの大いなるあわれみによるのです。
ダニエル書９章18節

「あなたは救われましたよ」と神さまがにっこりとほほえんでそう言ってくださったら、私たちは、ただ心から「ありがとうございます」と言えばよいのです。

それなのに、多くの人はそれでは足りないと思い、自分の力で天国を勝ち取ろうと、さらにがんばります。自分が不完全であることを神さまの前に認めるのがこわいのかもしれませんね。私たちは、神さまの力のすばらしさをただ賛美するだけでよいのに、よけいなきまりを作り、むだな努力を重ねるのです。

私たちが自分の力でがんばるのではなく、すべて神さまがなさったことだと認めて感謝するとき、神さまはほほえんでくださいます。

神さまにほほえんでいただくためには、どうすればいいだろう。自分には神さまが必要なのだと告白しよう。罪のゆるしを願い、罪からはなれよう。そして聖霊に助けていただきながら、神さまを愛し、まわりの人を愛して生きる者となろう。

October

10月19日

なぐさめてくださる神さま

主がご自分の民を慰め、
その苦しむ者をあわれまれるからだ。
イザヤ書 49 章 13 節

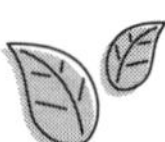

私たちはみんな、おそかれ早かれ大切な家族や友だちの死を経験します。そんなとき、神さまは私たちの悲しみを理解し、なぐさめてくださいます。あなたの誕生日のお祝いの席に、大好きだったおじいちゃんやおばあちゃんの姿がない時、お父さんやお母さんを早くに亡くし、悲しくてたまらない時、神さまはあなたにこう語りかけてくださいます。

「今、あなたはとても悲しいかもしれない。でもあなたには希望があるのだよ。イエスが死んだあとよみがえったように、わたしを信じて死んだ者はみな、イエスがふたたびこの世を訪れる時に、わたしのもとに連れて来られるからだ」と（テサロニケ人への手紙第一4章 13、14 節を読んでみよう）。

あなたの大好きな人が天に召されたら、ノートにその人の写真をはり、いっしょにすごした思い出の出来事や、その人のすてきなところを一つひとつ書き出そう。時々ノートをながめ、その人を思い出そう。ふたたび会えるその日まで、神さまがその人とともにいてくださるよう祈ろう。

いのちを選びなさい

あなたはいのちを選びなさい。……あなたの神、主を愛し、
御声に聞き従い、主にすがるためである。
まことにこの方こそあなたのいのち……

申命記 30 章 19、20 節

神さまは、大地のちりで人を造られたと聖書は記します。これは私の想像ですが、きっとその時、神さまはご自身のお体の一部を取って、その人の心に植えられたのではないかと思うのです。それは「選択」という名の種。そのおかげで、私たちは、神さまに従うかそれとも従わないか、自由に選ぶことができるのです。

人以外の生き物には、そのような自由はあたえられていません。神さまは私たちを、この地上でもっとも力ある者、自由に選択し、物事を創り出すことができる存在としてお造りになったのです。

神さまは、そんな私たちを愛しぬく道を選ばれました。悲しいことに、アダムは、神さまに背を向けるという道を選びました。

しかしあなたには、神さまを愛するという道を選んでほしいのです。

神さまを愛するという道を、一度きりではなく、毎日何度も選ぼう。朝起きたら、「今日、私は神さまを愛する道を選ぼう！」と言おう。試練やゆうわくにあうとき、「神さまに信頼する道を選ぼう！」と宣言しよう。夜ねる前には「神さまに感謝する道を選ぼう！」と告白しよう。

October

10月21日

行動がともなわなければ

信仰も行いを欠いては死んでいるのです。

ヤコブの手紙2章26節

信仰とは、神さまが願いをかなえてくださると信じることではなく、神さまが正しいことを行ってくださると信じること。神さまはいつもあなたのそばにいて、あなたの祈りにこたえ、賛美の声に耳をかたむけてくださいます。神さまにあなたの心の思いを申し上げ、あなたの愛を伝えましょう。

・神さまに手紙を書こう。
・罪のゆるしを願おう。
・信仰を告白し、洗礼を受けよう。
・困っている人を助けよう。
・祈ろう。
・まわりの人に福音を伝えよう。

あなたの信仰を、行動に現しましょう。行いのない信仰は死んでいるからです。神さまは必ずあなたにこたえてくださいます。神さまは、真実な信仰を退ける方では決してありません。

恵みのうちに成長しよう

ことばは行動がともなわなければただのことばにすぎない。ペットを「大切にしている」と言っても、エサをやらなければ大切にはしていない。「親を尊敬している」と言っても、言いつけに従わなければ尊敬していることにならない。「○○ちゃんと仲良し」と言っても、一度も遊ばなければ仲良しとは言えない。「神さまを愛しています」と言っても、神さまに信頼し従っていなければ……、あとはわかるよね！

10月22日 見えなくなっても

私が苦しみの中を歩いても
あなたは私を生かしてくださいます。

詩篇 138 篇 7 節

自分の心に窓があると想像してみてください。その窓から外をながめると神さまの姿が見えるのです。はるか昔、その窓のガラスはピカピカにみがきあげられ、木や花々と同じように神さまのこともよく見ることができました。

しかしある時、小石が当たってガラスにひびが入ってしまいます。その小石とは、人生であなたが出会う問題やなやみ。そのうち、次々に小石が当たり、あなたの心の窓はクモの巣が張ったようになってしまいます。神さまが見えなくなってしまうのです。なぜ、こんなことが起きるのだろう、どうして神さまはこのようなことをおゆるしになるのだろう、神さまはどこにいらっしゃるのだろうと、おそれでいっぱいになってしまうからです。

神さまが見えなくなったときは、ただ静かに主イエスに信頼していましょう。心配で不安なときほど、イエスはあなたのすぐそばにいてくださるのですから。

恵みのうちに成長しよう

家の窓からは景色がよく見える？　それでは、窓に向かってハァーっと息をはいてみよう。ガラスが白くくもり、景色もぼんやり。でも、外にあるものがなくなったわけではない。ガラスのくもりが消えると、景色が見えるようになるね。神さまが見えなくなってしまったとき、立ちふさがる問題が消え去るまで、忍耐して待たなければならない。その問題に苦しんでいるあいだ、神さまがずっとそばにいて支えてくださっていたことに、私たちは後で気づくのだ。

October

10月23日

神さまのいない世界

勝利を得る者、最後までわたしのわざを守る者には、
諸国の民を支配する権威を与える。

ヨハネの黙示録２章26節

もし神さまが、そして聖霊がいらっしゃらなくなったら、この世界はどうなってしまうでしょう。今でさえ、人々のあいだにはにくしみがあり、孤独や悲しみ、罪の苦しみがあるというのに。もしイエスがともにいて助けてくださらなかったら、私たちの住むこの世界は、いったいどうなってしまうのでしょう。

そこには、ゆるしも希望も、親切なわざもありません。愛のはげましも、神さまを賛美する歌声も、イエスのためになされる良い行いもありません。もし神さまが、天使も、恵みも、永遠のいのちの約束も取り去ってしまわれたら、この世界はなんと殺ばつとした希望のない場所になることでしょう。イエスがともにいてくださる世界ほど、すばらしいものはないのです。

もし太陽の火がとつぜん消えてしまったらどうなるだろう。この世界は暗やみにつつまれ、急激に気温が下がる。植物も動物も死に絶え、人間もうえ死にしてしまう。神さまがおられなくなったら、私たちのたましいは暗やみにつつまれ、心は冷たくなり、人々は愛にうえかわく。太陽がこの地上に光と生命をあたえるように、神さまは私たちのたましいに光といのちを注いでいてくださるのだ。

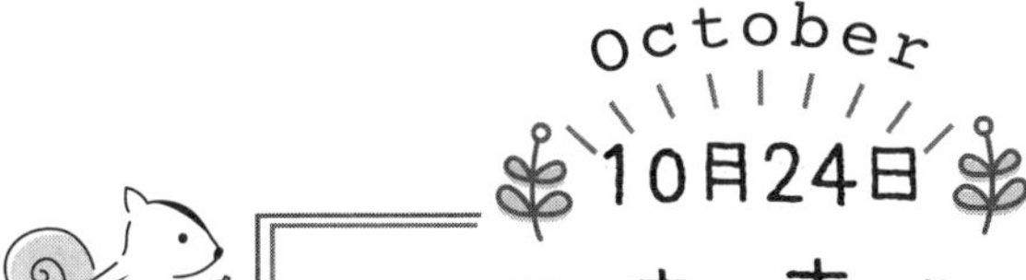

天使の喜び

一人の罪人が悔い改めるなら、
神の御使いたちの前には喜びがあるのです。
ルカの福音書15章10節

たった一人の罪人が悔い改めると、天使たちが喜ぶのはなぜでしょう。それは、天国という場所がいったいどんなところか、天使たちはよく知っているからです。天国には、神さまの救いにあずかり、心が変えられた人たちがたくさん住んでいます。そこでは、人と自分をくらべてやきもちを焼くことがないので、けんかも戦いもありません。かくし事もないので、ヒソヒソうわさ話をすることもありません。すべての罪は取り去られ、おそれもなやみもありません。

天国は、まざりもののない純金のような場所、完全な愛と希望のあるところです。それなら、天使たちが喜ぶのも納得できます。そんなすばらしい場所に、もう一人仲間が加わることになるわけですからね！

すべての罪の大もとに、自己中心、つまり「自分さえよければいい」という思いがある。あなたの心にも、そんな思いはないだろうか。自己中心からぬけ出すいちばんの方法は、だれかに助けの手を差しのべることだ。何かをうばい、ひとりじめしたくなったら、代わりにだれかと分け合い、ゆずる道を選ぼう。そんなあなたの姿に、きっと天使たちも大喜びすることまちがいなしだよ。

October

10月25日

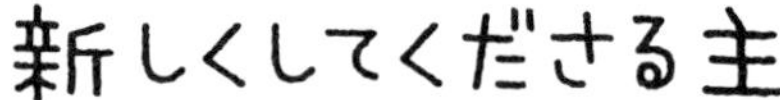

新しくしてくださる主

だれでもキリストのうちにあるなら、
その人は新しく造られた者です。古いものは過ぎ去って、
見よ、すべてが新しくなりました。
コリント人への手紙第二５章17節

何が正しく、何が悪いことなのかちゃんとわかっているのに、まちがったほうを選んでしまった……。あなたもそんな経験がきっとあるはず。それはまるで、がけの上に立ち、何かを決断をしようとしたとたん、あなたの足もとにある良心がグラリとかたむき、真っ逆さまに落ちてしまった！そんな感じかもしれません。

そんなとき、あなたならどうしますか。忘れてしまいますか。ウソをついてごまかしますか。それともちゃんとそのことに向き合い、神さまに罪を告白しますか。私たちは、神さまにかくし事はできません。神さまは、私たちが何をしたかすべてごぞんじです。

罪を告白するとは、自分がしたことをただ知らせるだけでなく、そのことがまちがっていたことを素直に認め、神さまに、ごめんなさいと、ゆるしを願うことです。神さまは、私たちの告白を喜んで受け入れ、ゆるしてくださいますよ。

恵みのうちに成長しよう

私たちは、中身の熟しすぎた果物のよう。外側はきれいでおいしそうでも、中身はジュクジュク、ドロドロしている。思い切って、神さまに罪を告白し、ゆるしていただこう。神さまはあなたの心の中のジュクジュク、ドロドロ（罪）をすっかり洗い流し、きれいにしてくださる！

October

10月26日

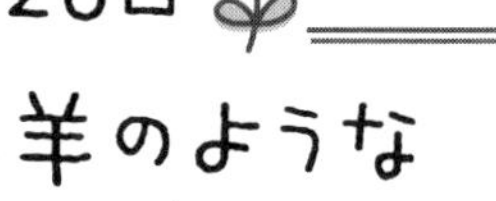

やさしい子羊のような

愛には恐れがありません。全き愛は恐れを締め出します。

ヨハネの手紙第一４章１８節

神さまというお方は、いつも厳しい目でかげから見張っていて、私たちが悪いことをしたとたん、ハエたたきでパシン！　とハエをやっつけるように、私たちに罰をあたえる方だと思っている人がいます。

そんなことは決してありません。神さまはいつも私たちのことを心にかけ、どんなときも愛していてくださいます。

天のお父さまは、私たちが苦しむときにはともに苦しみ、私たちが何もかもうまくいかないとなげくときも、静かに見守っていてくださいます。

私たちが成功したときも、失敗したときも、あたたかく受け止めてくださいます。

神さまは私たちの心に土足でふみこみ、むりやり言うことを聞かせることはなさいません。ほえたけるライオンではなく、やさしい子羊のように私たちの心に近づいてくださいます。

神さまは、私たちに従うことを強いる方ではない。神さまはとても紳士的な方なのだ。神さまは私たちにこう呼びかけてくださる。「見よ、わたしは戸の外に立ってたたいている。だれでも、わたしの声を聞いて戸を開けるなら、わたしはその人のところに入って彼とともに食事をし、彼もわたしとともに食事をする」（黙示録３・20）と。もしその呼びかけにこたえ、戸を開けさえするならば、神さまは喜んで私たちの心に入ってきてくださるんだ。

october

10月27日

私たちが絶望しても…

私の神は、キリスト・イエスの栄光のうちにある
ご自分の豊かさにしたがって、あなたがたの必要を
すべて満たしてくださいます。

ピリピ人への手紙４章 19 節

神さまは、私たちが誠実でなくても、私たちに対して誠実です。私たちが約束を守らなくても、必ず約束を守られます。私たちが絶望しあきらめても、決して希望をお捨てになりません。

イエスが 5000 人の人を養った出来事を覚えているでしょう。この奇跡の出来事は、四つの福音書すべてに記されています。マタイもマルコもルカもヨハネも、なぜそろってこの出来事を福音書に記録しておこうと思ったのでしょう。それはきっと、私たちがすっかりあきらめても、神さまは決して希望を失わない方であることを伝えたかったからではないでしょうか。

弟子たちが祈るのをやめても、イエスは祈り続けました。

弟子たちが弱り果て、信仰を失ったときも、イエスは神さまにしっかりとよりたのみ、信じ続けました。

私たちは弱くとも、神さまは強く偉大な方なのです。

恵みのうちに成長しよう

神さまは、まったく役に立ちそうにもない人たちを、ご自身の働き人として選ばれた。神さまの民を率いて約束の地へと導いたモーセは、人を殺し逃亡した人だ。敵を打ち負かしたギデオンは、おくびょう者だった。ダビデも、エステルもパウロも、弱さをもった人たちだった。あなたは、自分なんて神さまの役に立つにはとても力が足りないと思っていないだろうか。だいじょうぶ、そんなあなたに神さまは目をとめ、大きく用いてくださる！

神さまの見方で

私たちは今後、肉にしたがって人を知ろうとはしません。
コリント人への手紙第二５章16節

あなたは人のどんなところに注目しますか。かっこいいところ？　頭がいいところ？　スポーツができて人気者かどうか？　神さまはそんなことはちっとも気になさいません。

神さまがごらんになるのは、その人が救われているか、それとも今も罪のうちに失われているか、です。神さまが注目なさるのは、その人がくぐるのは、いのちにいたる門なのか、それとも滅びにいたる門なのか（マタイ7・13、14）、福音を信じ救われているか、それとも信じることなく罪に定められているか（マルコ16・15、16）、なのです。

私たちも、神さまがごらんになるようにまわりの人を見ることができるよう、神さまに助けていただきましょう。

すでに救われている人とともに喜びましょう。

まだ神さまを知らない多くの人の救いのために、熱心に祈る者となりましょう。

あなたはまわりの人たちのどんなところが気になる？　かみ型や着ている服？　しゃべり方や歩き方？　神さまがごらんになるように、その人のことを見ることができるように祈ろう。その人は、神さまが愛する大切な存在なのだ。

October

10月29日

あなたのお皿には…

わたし自身、あなたがたのために立てている計画をよく知っている
― 主のことば ― 。
それはわざわいではなく平安を与える計画であり、
あなたがたに将来と希望を与えるためのものだ。

エレミヤ書 29 章 11 節

ある日のこと、私はテーブルの真ん中に何もないお皿を一枚、その両わきに生野菜とクッキーをそれぞれ置き、娘たちにこうたずねました。「神さまは、毎日、いろいろな出来事を私たちのお皿にのせてくださるんだよ。さて、どんな出来事がお皿にのっていたらうれしいかな？」娘たちは、すかさずクッキーを手にとり、お皿の上に置きました。

たしかに、私たちの毎日がクッキーのような出来事ばかりだったらどんなに楽しいでしょう。でも、残念ながら、私たちのお皿の上には苦手な野菜ばかりのっている日もあります。神さまは、つらく苦しい出来事も、私たちが成長するためには必要であることをごぞんじだからです。

今度、あなたのお皿（一日）の上にあなたの苦手なブロッコリー（出来事）がドンとのっていたら、その日を造り、治めておられるのはどなたなのかを思い出しましょう。それでも、それをなかなか口にできない（耐えられない）ときは、神さまに素直にそのことを祈り、助けていただきましょう。イエスがそうなさったように。

私たちの毎日には、良いこと、うれしいことだけでなく、悪いこと、腹が立つこと、悲しいこともあるよね。どんな出来事が起きても希望を失わないでいられるように、毎日少しの時間でいいから、聖書を読み、神さまに祈り、賛美する時間をもつようにしよう。

私たちは自分たちに対する神の愛を知り、また信じています。

ヨハネの手紙第一４章16節

火は、熱いものと決まっています。水は、ぬれてしめっているものと決まっています。火から熱さを取り除くことはできませんし、水と湿気を切りはなすこともできません。

同じように、神さまから愛を遠ざけることはできません。なぜなら神さまは、愛そのものだからです。神さまと愛は、切っても切りはなせないのです。

聖書をすみからすみまで調べてみましょう。最初の書である創世記に、神さまの愛を見ることができます。それに続く一つひとつの書に、神さまの愛があります。最後の書であるヨハネの黙示録も、神さまの愛であふれているのです。

神さまの愛は純粋で完全です。神さまの愛は、決してかれてしまうことがありません。

教会から聖書コンコルダンスを借りて、「愛」ということばの入ったみことばがいくつあるか調べてみよう。あんまりたくさんあってびっくりするかもしれない。画用紙に赤で大きなハートマークをえがき、神さまの愛について記したみことばをいくつか書き入れてみよう。その中でもいちばん有名なみことば、ヨハネの福音書３章16節を書くのを忘れずにね！

October

10月31日

いつかふたたび…

わたしが行って、あなたがたに場所を用意したら、また来て、あなたがたをわたしのもとに迎（むか）えます。わたしがいるところに、あなたがたもいるようにするためです。

ヨハネの福音書 14 章 3 節

イエスは、やがていつの日か、ふたたびこの地上にもどると約束してくださいました。イエスは、いなずまが東から出て西にひらめくように、まばたきする間もなく、とつぜんおいでになります。

その日、全地に住むすべての人がその姿（すがた）を見るのです。天はとどろき、地はゆれ動きます。そしてイエスなど知らないと言う人たちは、みなおそれおののきます。

でも、すでにイエスを救（すく）い主（ぬし）として受け入れた私たちは、心配することなく安らかに、その日をすごすことができます。イエスが私たちを天国に連れて行くために、むかえに来てくださったことを知っているからです。

幼（おさな）いころ、迷子（まいご）になった経験（けいけん）はある？　すぐそばにお母さんがいたはずなのに、ふり返ってみたらいない！　ああ、どうしよう……。こわくて、心細くて、足がガクガクふるえてる。しばらくして、お母さんが走り寄（よ）ってあなたを見つけてくれた時、心の底からホッとしたよね？　イエスが地上にふたたび来てあなたを見つけ出してくださる時の気持ちを、想像（そうぞう）してみよう。

11月
November

あなたがたは真理を知り、
真理はあなたがたを自由にします。

ヨハネの福音書 8章32節

November

11月1日

イエスを信じましょう

しかし、これらすべてにおいても、私たちを愛して
くださった方によって、私たちは圧倒的な勝利者です。

ローマ人への手紙８章 37 節

ばい菌が体に入ると熱が出るように、罪は私たちのたましいを病気にします。たましいの病気を自分で治す力は私たちにはありません。それは、ピョンとジャンプして月まで飛んで行こうとするくらい無理な話です。私たちは、たましいを治すことはできません。でも、イエスにはおできになります。ベテスダの池のそばに横たわっていた病気の人をいやされたように……。

イエスは、地上におられたころ、苦しむ人たちのもとをたびたび訪れ、彼らの病気をいやされました。そして今も、イエスは弱く傷ついている私たちのところに来て、たましいを元気にしてくださいます。

イエスのことばをそのまま素直に信じましょう。「あなたをゆるすよ」と言ってくださるのですから、後ろめたい気持ちを捨ててしまいましょう。「あなたは大切だよ」と言ってくださるのですから、自分はどうでもいいだなんて、思わないようにしましょう。「わたしにすっかり任せなさい」と言ってくださるのですから、くよくよ心配するのはもうやめましょう。

私たちは弱くとも、神さまは強いのです。

今日から、「ありがとう日記」をつけ始めてみない？　毎日、ひとつ（あるいはふたつでも三つでも！）神さまにありがとうと伝えたいことを日記に書こう！　文章でも、絵でも、どちらもいいね！　感謝祭の日に、それを家族に見せて、みんなでいっしょに神さまに感謝するひとときを持とう。

あなたは自由です！

あなたがたは真理を知り、真理はあなたがたを自由にします。

ヨハネの福音書８章32節

こんなふうにたとえたらわかりやすいかもしれません。罪はあなたを牢屋に放りこみます。あなたを、後ろめたさ、恥、ウソ、おそれという鉄格子の内側にとじこめてしまいます。そしてあなたの足に鎖をかけ、「みじめ」という名のかべにしばりつけるのです。

イエスがこの世に来てくださったのは、あなたのために保釈金をはらうため、あなたの代わりに罰を受けるためです。イエスがあなたの代わりに死んでくださったのです。なんのためにですって？　あなたを自由にするためです。もしそのことを信じるならば、あなたの古い罪の性質は死に、あなたは新しく造り変えられ、自由になるのです。

イエスは、あなたの代わりに、進んで十字架にかかって死んでくださいました。そのことによって、罪はもうあなたをがんじがらめにする力を失ってしまいました。そう、あなたは自由になったのです！

友だちどうしで持っている物を取りかえっこすること、よくあるよね。「ぼくのクッキーと、君のブラウニーを取りかえっこしない？」というぐあいに。ふつうは、不公平にならないように、同じ程度の物を取りかえっこするよね。実は、イエスも私たちに「取りかえっこしよう」と呼びかけてくださっている。「あなたの罪の罰をわたしが引き受けよう、その代わりに永遠のいのちをあげるよ」って。うーん、それって、こちらがとんでもなく得しちゃうってことだよね。そう思わない？

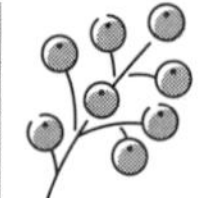

ちゃんと聞いてる？

だれでも、求める者は受け、探す者は見出し、
たたく者には開かれます。
マタイの福音書７章８節

ある人が、神さまに願いました。「昔モーセの前でされたように、柴を燃え上がらせてくだされればあなたに従います。ヨシュアのためになさったように、あのかべをこわしてくだされればあなたのために戦います。ガリラヤ湖でなさったようにあらしをしずめてくだされればあなたのことばに耳をかたむけます」と。そして、神さまが祈りをかなえてくださるのを待ちました。

神さまはその人の願いどおり火を送りました。柴を燃やすためではなく、人の心を燃やし教会を建てあげるために。次にかべをこわしました。れんがのかべではなく、人と神をへだてる罪というかべを。最後にあらしをしずめました。湖の上ではなく、人の心にふき荒れるあらしを。神さまは、その人がそれを見て立ち上がるのを待ちました。しかしどんなに待っても動こうとしません。なぜなら、その人は、人の心やたましいではなく、柴、やかべ、そして湖ばかりを見て、神さまは何もしてはくださらないと決めつけたからです。しばらくたって、その人は神さまを見上げ、こう言いました。「あなたは力を失ってしまったのですか？」と。すると神さまはその人にこうおっしゃいました。「あなたは聞く力を失ってしまったか？」と。

神さまの声を聞けるようになるためには、くり返し練習することが必要なんだ。まずは静かな場所に座ろう。次に聖書を読もう。そしてしばらくのあいだ、みことばを心の中でゆっくりと思いめぐらし、聖霊が何を教えようとしておられるのか考えよう！

November

11月4日

忍耐して走り続ける

自分の前に置かれている競争を、
忍耐をもって走り続けようではありませんか。

ヘブル人への手紙 12 章 1 節

この「競争」ということばは、もとのギリシア語では「アゴン」。このことばから、「苦しみ」を意味する英語の「アゴニー」ということばが生まれました。ヘブル人への手紙は、クリスチャンの人生を競争にたとえています。人生の競争は、軽いジョギングのようではなく、むしろきつくて、時にはとても苦しく、最後まで走りぬくためには、多くの努力と忍耐が必要です。

残念ながら、多くのクリスチャンがこの「競争」を走りぬくことができません。キリストのために生きると決めて走り始めても、そのうちつかれ脱落してしまいます。道のりがこんなにつらいとは思いもしないのです。

イエスが走られた「競争」とはどのようなものだったのでしょう。イエスがしっかりとした足取りで人生最後の一歩をふみ進んだのは、十字架の出来事においてでした。忍耐をもって走りぬくいちばんのお手本は、イエスなのです。イエスは、とちゅうで競争を投げ出すこともできたはずですが、最後まで忍耐して走りぬいたのです。私たちも、神さまから恵みと助けをいただくならば、きっと最後まで走りぬくことができるはずです。

マラソン大会に参加したことはある？　最初は楽に走ることができても、しだいに足がつかれてくるよね。ちょうど中盤あたりがいちばんきつくて、棄権したくなってしまう。でも、はるか先にゴールラインが見えたとたん、元気を取りもどすんだ。最後まで走りぬくことができた時の喜びは、たとえようもなく大きいね！

November

11月5日

すべてがわかったら…

あなたの指のわざである　あなたの天
あなたが整えられた月や星を見るに
人とは何ものなのでしょう。
あなたが心に留められるとは。
人の子とはいったい何ものなのでしょう。
あなたが顧みてくださるとは。

詩篇８篇３、４節

科学者たちの研究によってあらしが起きる原因が解明され、太陽系の星の位置や海の深さを計算し、はるか遠くの星に信号を送ることもできるようになりました。科学の発展で、自然のしくみがわかってきました。

でも、自然についての知識が増えるにしたがい、人々の心から神さまをおそれ敬う気持ちが失われてきた気がします。でも、それはよく考えるとおかしな話ですね。自然のしくみや働きを知れば知るほど、それを造られた神さまをあがめる思いが深まるのが本当ではないでしょうか。

でも、世界や自然についてくわしく知ることで、かえって神さまから遠ざかってしまう人が多いのです。電気そのものを創造された方よりも、電球を発明した人のほうがすばらしいと思うのです。創造主よりも、創造された物をおがみ、ほめたたえるのです（ローマ1・25）。自然のしくみを解明することで、すべてを知った気になってしまうのかもしれません。

聖書に書いてある創造の物語などあり得ない作り話だと、人が話すのを聞いたことがあるよね。世界の成り立ちについては、さまざまな考え方があるけれど、本に書かれているから、テレビで言っているからという理由で、すべてをそのまま信じてはならない。

November

11月6日

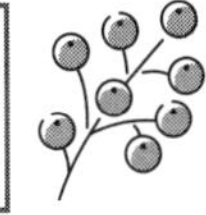

復讐してはならない

自分で復讐してはいけません。神の怒りにゆだねなさい。

ローマ人への手紙 12 章 19 節

テレビの再放送などで、古い西部劇映画を見たことはありますか。賞金かせぎの荒くれ者が、悪党をたおす旅に出るという物語です。お金をもらって復讐を代行し、人の命をつけねらう人間がまわりにいたらこわいですよね。万が一自分がターゲットだったらと想像すると、ゾッとしませんか。

何か気に入らないことがあると、すぐにおこり出す人がいます。感情をむき出しにし、仕返しをしてやると息巻くのです。賞金かせぎの荒くれ者と同じく、そんな人がまわりにいたらにげだしたくなりますね。

仕返しはほとんどの場合、成功しません。あなたがどんなに相手にあやまってほしいと願っても、相手が素直にあやまることは、まずありません。自分のほうが正しいとあなたが思ったとしても、相手も自分が正しいと思っているものです。たとえ相手をおさえつけ、あやまちを認めさせることができたとしても、私たちの心に平安は訪れません。

私たちはただゆるし、あとのことは神さまにすっかりお任せするのがいちばんなのです。

仕返しという行いは、ブーメランを投げるようなものなんだ。最後のとどめにひどいことばを投げつけたり、一発パンチをくらわすと、それはそのまま私たちにもどってくる。だから、代わりにその人をゆるし、あとのことは神さまにすべてゆだねよう。神さまは、いちばん良い時に、いちばん良いかたちで正義を行ってくださる。

November

11月7日

神さまの愛はすべての人に

私たちは愛しています。
神がまず私たちを愛してくださったからです。
ヨハネの手紙第一 4 章 19 節

神さまは、時間や場所にしばられる方ではありません。すべての時代に生きるすべての人に目をとめておられます。

私たちがどこにいたとしても、ちゃんとごらんになっています。たとえ私たちが、ひっそりと静かな森の中にいても、大都会の人ごみにまぎれていても。

聖書の時代に生きた人たちにも、現代に生きる私たちにも、神さまの目は、つねに注がれています。海を旅する船乗りにも、宇宙飛行士にも。洞窟に住む貧しい人にも、宮殿に住む王にも。

そして神さまは、私たち一人ひとりにこう語りかけてくださいます、「あなたはわたしの大切な子。あなたを心から愛している。やがてあなたはわたしに背を向け、わたしのもとから立ち去るだろう。でも、ぜひ知っておいてほしいことがある。あなたがわたしに立ち返る道を、すでにちゃんと備えてあるということを」と。

じょうぎを取り出して見てみよう。そこにある一つひとつの線が、一年一年を区切る線だと想像してみて。今あなたはそのうちの一つの線の上にいて、次の線は見ることはできない。その後ろのいくつかの線を覚えているくらいだ。神さまはそこに記されたすべての線をごらんになっている。すべての時代のすべての人に、同時に目を注いでおられるんだ。よく考えてみたら、すごいことだよね！

November

11月8日

天国の祝福をめざして

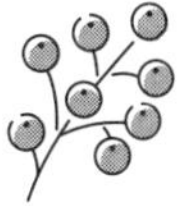

あなたがたは、罪人たちの、ご自分に対する
このような反抗を耐え忍ばれた方のことを考えなさい。
あなたがたの心が元気を失い、
疲れ果ててしまわないようにするためです。
ヘブル人への手紙 12 章 3 節

この地上で生きた人の中で、天国がどのような場所かを知っていたのは、イエスただおひとりです。神さまを信じる私たちは、やがて天国にむかえ入れられます。しかし、イエスはこの地上に誕生される前、すでに天国に住んでいらっしゃいました。

イエスは、この地上におられた時、天国がどんなにすばらしい場所であるかをすでにごぞんじだったので、十字架のはずかしめにも苦しみにも、たえぬくことができたのです。「この方は、ご自分の前に置かれた喜びのために、辱めをものともせずに十字架を忍び」（ヘブル12・2）と書かれているとおりです。

イエスは、死の直前、十字架の上で天国の喜びを思い、神さまからいただく祝福に目を注いでおられたのです。

何かを達成するためにがんばった経験はある？　運動会の徒競走のために毎日ランニングをする、テストに向けて勉強する、好きなゲームを買うために毎月のおこづかいを貯める……。とちゅうでやめてしまいたくなった時、目標を達成した先に待つうれしい出来事を思いうかべたら、最後までがんばることができるよね。信仰生活も楽しいことばかりではない。でも、天国でいただく大きな祝福をめざし、神さまに信頼して歩んでいこう。

November

11月9日

どんな苦しみの時にも

神は、どのような苦しみのときにも、
私たちを慰めてくださいます。それで私たちも、
自分たちが神から受ける慰めによって、
あらゆる苦しみの中にある人たちを慰めることができます。

コリント人への手紙第二１章４節

子どもが傷ついた時、助けの手を差しのべるのは、親としての大切なつとめです。あなたがだれかのことばで傷ついた時、お父さんやお母さんははげましのことばをたくさんかけてくれるでしょう？　転んでけがをしたら、すぐに手当てをしてくれますね。あなたがこわくてたまらない時、安心できるまでそばに寄りそっていてくれると思います。

でも、近くにお父さんやお母さんがいない時、私たちはどうしたらよいのでしょう。そんな時は、天のお父さまがすぐに助けにかけつけてくださることを思い出してください。あなたが傷ついたとき、元気になるまであなたをだきしめていてくださいます。あなたがこわいとき、手をにぎっていてくださいます。

あなたがすっかり回復し、ふたたび歩き出すことができるようになるまで、あなたの心の傷を手当てし、支え続けてくださるのです。

一日の終わりに、お父さんやお母さんからしてもらったことを、一つひとつ思いうかべてみて。きっとたくさんあるよね。天のお父さまは、その愛の何億倍、何兆倍、いや、それよりもっと多くの愛をあなたに注いでくださっている。あなたは今日一日、神さまからどんなことをしていただけるだろう。あんまりたくさんで、数え切れないほどだね！

November

11月10日

あなたにさばきを下さない

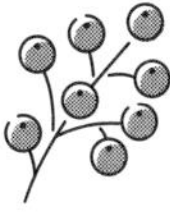

イエスは言われた。「わたしもあなたにさばきを下さない。行きなさい。これからは、決して罪を犯してはなりません。」

ヨハネの福音書8章11節

あなたが失敗し、罪をおかしてしまった時は、神さまの前に正直に罪を告白し、ひとことごめんなさいと心からあやまりましょう。そしてしずまって神さまの声に耳をかたむけましょう。神さまは、「あなたにさばきを下さない」と力強く宣言してくださいます。

ヨハネの福音書3章17、18節を開き、神さまの愛とあわれみのことばを聞きましょう。「神が御子を世に遣わされたのは、世をさばくためではなく、御子によって世が救われるためである。御子を信じる者はさばかれない」。

これは、罪を悔い改めるすべての人に、神さまがかけてくださることばです。

そう、あなたはもう罪に定められることはないのです。

厚紙を十字架のかたちに切りぬき、その真ん中に、次のみことばを書こう。「もし私たちが自分の罪を告白するなら、神は真実で正しい方ですから、その罪を赦し、私たちをすべての不義からきよめてくださいます」(Iヨハネ1・9)。聖書にはさみ、しおりとして使おう。

November

11月11日

キリストの衣

この人たちは……その衣を洗い、子羊の血で白くしたのです。

ヨハネの黙示録7章14節

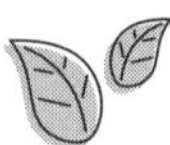

私たちが天国にむかえ入れられるために必要なことはただ一つ、私たちがキリストの衣をまとうことです。「キリストの衣をまとう」とは、どういう意味なのでしょう。

イエスは、天国に住む人たちのようすを、こんなふうにお示しになりました。「御座の周りには二十四の座があった。これらの座には、白い衣をまとい、頭に金の冠をかぶった二十四人の長老たちが座っていた」（黙示録4・4）と。天にいる長老たち、聖人たちは、みんな白い衣を身にまとっているのです。白い衣をまとうのは、罪がないしるしです。それなら、イエスも当然真っ白な衣を着ておられるはずですよね。いいえ、イエスの衣は真っ赤な血に染まっているのです（黙示録19・13）。なぜでしょう。それは、「キリストは、ご自分が私たちのためにのろわれた者」となってくださったからです（ガラテヤ3・13）。

イエスは、私たちがご自身の白い衣をまとうことができるように、私たちの罪の衣を代わりに着て、十字架にかかってくださったのです。

あなたは、だれの代わりになってみたい？　有名なスポーツ選手？　人気俳優？　どこかの国の女王？　総理大臣？　それでは、死刑執行を待つ罪人は？　それだけは絶対にいやだよね。でも、それこそがイエスが進んでなってくださったものなんだ。そう、私やあなたの代わりに。

自分の背きを隠す者は成功しない。

箴言 28 章 13 節

　だれかのためにサプライズパーティーを計画するのは楽しいですね。本人に知られないようにそっと準備を進め、当日、おどろいた笑顔を見るのはうれしいものです。

　でも、クラスのいじめを秘密にするなど、よくないかくし事もあります。私たちがどんなにかくそうとしても、かくしきれないものがあります。それは罪です。もちろん相手によっては、かくし通すことができる場合もあるでしょう。家の窓を割った犯人が実は自分であることを、お父さんにかくしたままでいることも。テストでカンニングをしたことを、先生にかくし通すことも。しかし、そのどちらも、神さまにはお見通しなのです。

　神さまは、あなたのかくれた行い、あやまちをすべてごらんになっています。あなたが素直にそれを告白することを、心から願っていらっしゃいます。

神さまはすべてごぞんじなら、わざわざ罪を告白する必要はないと思う人がいるかもしれない。でも、私たちは、自分のあやまちをちゃんと認め、神さまにごめんなさいとあやまることが大切なんだ。私たちが自分のまちがいを認めなければ、神さまは私たちを元通りの正しい状態にもどすことができない。あなたは今日、神さまに告白しなければならないことはない？

November

11月13日

礼拝は神さまへの感謝

主(しゅ)に感謝(かんしゃ)せよ。主はまことにいつくしみ深い。
その恵みはとこしえまで。
詩篇 106 篇 1 節

神さまからいただくものが、自分がささげるものよりはるかに上回ってすばらしいことに気づくとき、私たちは、心から礼拝(れいはい)をささげる者となります。

礼拝とは、まるで砂漠(さばく)をさまよう旅人が、やっとの思いでたどり着いたわき水を前に、喜(よろこ)びと感謝(かんしゃ)の声をあげるのに似(に)ています。あんまりうれしくて、きっとさけばずにはいられませんよね。

礼拝の形式や順番にこだわる人がいます。でも、礼拝でいちばん大切なのは、礼拝をささげる人の思いや気持ちなのです。礼拝とは、救(すく)い主(ぬし)に救っていただいた罪人(つみびと)の、いやし主に病気を治していただいた病人の、あがない主に代価(だいか)をもってあがなっていただいたとらわれ人の、心からの感謝のささげものなのです。

神さまを礼拝(れいはい)する方法は一つではない。いろいろなかたちで礼拝してみよう。感謝(かんしゃ)の思いを絵にえがいてみよう。イエスの救(すく)いを、楽器や歌を通して表現(ひょうげん)しよう。神さまの約束を詩に書こう。思いつくかぎりの方法で、心からの礼拝をささげよう。

November

11月14日

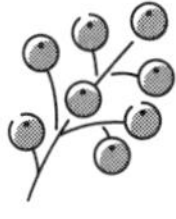

かくまってくださる神さま

あなたがたの確信を投げ捨ててはいけません。
その確信には大きな報いがあります。
ヘブル人への手紙 10 章 35 節

アシという植物を見たことはありますか。アシは、沼や川の岸に生えるイネ科の草で、2、3 メートルの高さにまで育ちますが、弱く折れやすいのが特徴です。

私たち人間も、アシのようにすぐに傷つき、折れてしまいます。人生が順調に運んでいるあいだは、誇り高くまっすぐに立つことができますが、人から意地悪なひとことを言われたり、いかりをぶつけられたり、友だちの裏切りにあうと、ポキンとあっけなく折れてしまうのです。

この世は、私たちを傷つけ、打ちのめそうとする力にあふれています。

神さまは、そんな私たちが安心して身をさけることのできる特別な場所を用意しておられます。私たちの傷をいやし、ふたたび、高くまっすぐに立つことができるようにしてくださるのです。

めん鳥がひよこを守る姿を想像しよう。その羽でおおい、すべての外敵からかくまっている。神さまも、傷ついたあなたをそのように守ってくださる。「主は　ご自分の羽であなたをおおい　あなたは　その翼の下に身を避ける」（詩篇 91・4）。

November

11月15日

イエスに目を注ぐ

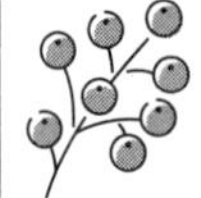

あなたがたの心の目がはっきり見えるようになって、
神の召しにより与えられる望みがどのようなものか、
……知ることができますように。

エペソ人への手紙1章18、19節

イエスは、いったいどんな方だったのでしょうね。

世界には数え切れないほどたくさんの人がいますが、イエスほど心が純粋で、人として完全な方はいません。イエスは、いつも天のお父さまの言われることに注意深く耳をかたむけておられたので、その声を聞きもらすことはありませんでした。どんなときもあわれみをもって人をゆるし、ウソいつわりを決して口にせず、罪をおかすことは一度もありませんでした。ご自身に背を向けた人にも助けの手を差しのべ、まわりの人々がみな絶望したときも、決してあきらめることはありませんでした。

イエスの生き方はすべての人のお手本です。ですから、いつもイエスに目を注いでいましょう。聖書を開いてイエスの生涯をくり返し読み、心の中心にいつもイエスを置くようにしましょう。

イエスは、罪のゆるしという、もっともすばらしいおくり物を私たちにくださった。私たちがイエスにささげることのできるもっともすばらしいおくり物とは、心の中心にイエスを置くこと。何か行動を起こしたり、ことばを口にする前に、「これはイエスが喜ばれることだろうか」とまず考えるようにしよう。

November

11月16日

神さまに質問

あなたがたのうちに、知恵に欠けている人がいるなら、その人は、だれにでも惜しみなく、とがめることなく与えてくださる神に求めなさい。そうすれば与えられます。

ヤコブの手紙1章5節

神さまにたずねてみたいことはありませんか。「聖書に書かれているあの出来事は、本当にあったことなの？」、「神さまはいつもお祈りを聞いてくださるの？」、「神さまを信じていたら本当に天国に行けるの？」などなど。

イエスの復活を疑うトマスを、イエスは決してしかりませんでした。

イスラエルの民を導くことができるか不安に思うモーセを、神さまは忍耐強く支えました。

家族、財産、健康、すべてを失い、がっかりするヨブを、神さまは決して見捨てませんでした。

大きな迫害を受けて苦しむパウロに、神さまは最後まで寄りそわれました。

神さまは、心からご自身をたずね求める者を決して退けることはなさいません。どんな質問や疑問を投げかけても、誠実に向き合ってくださいます。ですから、遠慮せず、神さまにどんなことでも質問しましょう。いちばん良い時に、いちばん良いかたちで神さまは必ずあなたに答えをくださいます。

あなたは、神さまにどんな質問をしたい？　たとえば、こんな質問？「恐竜はどうして絶滅したの？」、「宇宙の先には何があるの？」、「モーセが海をふたつに分けた時のこと、もっとくわしく教えて」。いつか天国で、直接神さまから話を聞くことができたら楽しいね。

November

11月17日

ちがう行動をとる

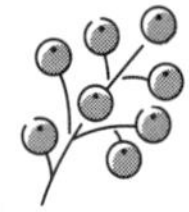

肉に従わず御霊に従って歩む私たち……

ローマ人への手紙８章４節

まわりの友だちのかげ口をたたき、運動や勉強のできない子を見下し、ばかにする子がいます。私たちは、その子のことを「いじめっ子」、神さまは、「失われた者」と呼びます。

あなたのクラスにもそんな子はいませんか。もしその子がクラスの人気者だったらどうしますか。その子には何人も取りまきがいて、その子の言うことには逆らえません。あなたも同じようにその子のきげんを取り、いじめに加わりますか。それとも、勇気を出してその取りまきとはちがう行動をとりますか。神さまが喜ばれる行動をとりますか。

そんなことをしたら、自分はひとりぼっちになってしまう、と不安になるかもしれません。でも、イエスはこう約束されました。「わたしは世の終わりまで、いつもあなたがたとともにいます」（マタイ28・20）と。たとえあなたが、いじめっ子たちに笑いものにされ、仲間はずれにされたとしても、イエスは決してあなたをひとりにはしません。

もしあなたのまわりにいじめられている子がいることに気づいたら、まず神さまに、だれか力になってくれる人をあたえてくださるよう祈ろう。次に、信頼できる大人（お父さん、お母さん、教会学校の先生、学校の先生）に相談しよう。神さまは必ず助けてくださる。

November

11月18日

どちらの側につくのか

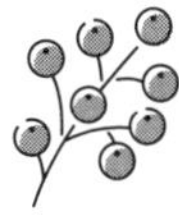

だれでもわたしに従って来たければ、自分を捨て、
自分の十字架を負って、わたしに従って来なさい。

マルコの福音書8章34節

あなたの片側には群衆が、もう片側にはイエスがいます。

群衆はイエスをからかい、大声で非難しています。イエスは、あなたを救う約束を果たそうとしておられます。その顔ははれ上がり、目のまわりには黒いあざがあります。

群衆は、この世のあらゆる楽しみや富を約束し、あなたに仲間に加わるようさそいます。イエスも、あなたにご自身の側についてほしいと願っています。あなたが罪ゆるされ、神さまの子どもとなることを心から望んでおられるのです。

群衆は、もしみんなとうまくやりたいなら、自分たちに従えと要求します。イエスは、「もしわたしに従うなら、あなたはこの世では敵が多いかもしれない。しかし、わたしがあなたの味方となり、あなたを守る」とおっしゃいます。

神さまはあなたにこうおたずねになります。「さあ、あなたはどちらの側につくのか、群衆それともイエス？」と。

イエスの側につく、とはどういうことだろう。日曜日は、遊びに出かけず礼拝を守るということ。仲間とつるむよりもイエスに従うことを大切にするということ。あなたの隣人が気むずかしい人でも、自分のように愛するということ。イエスの側につき、イエスを選ぶとは、天国のすばらしさをこの地上にもたらし、実現するということ。

November

11月19日

見上げる

私たちが真実でなくても、キリストは常に真実である。
ご自分を否むことができないからである。

テモテへの手紙第二２章13節

神さまが私たちに祝福を注いでくださるのは、私たちが祝福を受けるのにふさわしい存在だからではありません。神さまが偉大な方だからです。このことをしっかりと心にとどめておきましょう。

まわりを見わたしてみてください。すべての人の空腹を満たすには、あまりにも食料が少ないと思うときがあります。すべての病人をいやすには、お医者さんの数があまりにも少ないと思うときも。同じように、世界中の人に福音を伝えるには、神さまの働き人があまりにも少ないと感じ、希望を失いそうになるときも。

そんなとき、私たちは何もかもお手上げだとあきらめ、良い働きから手を引くべきでしょうか。

いいえ、そんなときこそ、私たちは神さまを見上げるのです。ご自身の働きのために私たちを用いると約束してくださった神さまに信頼するのです。「失望せずに善を行いましょう。あきらめずに続ければ、時が来て刈り取ることになります」（ガラテヤ６・９）。

神さまの愛を伝えることは、難しいことでも、お金のかかることでもない。お父さんやお母さんにお願いし、使い捨てカイロを何パックか買おう。大人の人に付き添ってもらい、寒い中、横断歩道で登下校の見守りをしてくださるボランティアの人、散歩中のお年寄り、街のベンチに座るホームレスの人に、あたたかい声かけとともに配ろう！

イエスによりたのむ

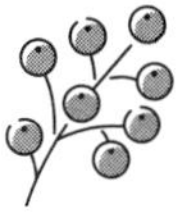

私たちは、生きるとすれば主のために生き、
死ぬとすれば主のために死にます。ですから、
生きるにしても、死ぬにしても、私たちは主のものです。
ローマ人への手紙 14 章 8 節

あなたは、自分がひとりぼっちで、だれもわかってくれないと感じたことはありませんか。そばにいて、なぐさめやはげましのことばをかけてくれる人がいたらいいなあと思ったことはないでしょうか。そんなときは、イエスによりたのみましょう。

友だちから見放されてしまったと感じるとき、とんでもない失敗をして落ちこんだとき、イエスにどうしたらよいかたずね、気持ちをしずめていただきましょう。何があっても見捨てないと約束してくださったイエスに信頼し、つらく苦しいとき、そばにいて助けてくださいとお願いしましょう。イエスは、あなたのいちばんの味方、無二の友です。「私の心の中に住んでください」とお祈りしましょう。イエスは喜んで願いをかなえてくださいます。

ザアカイは、イエスを見たい一心で木に登った。中風の人の四人の友だちは、なんとかしてイエスに近づきたくて屋根をはがした。あなたは、イエスにお会いするために何ができるだろう。教会に行くより、友だちと出かけるほうを選ぶ？　聖書を読むより、マンガを読むほうを選ぶ？　祈るよりも、テレビを選ぶ？　イエスを選ぼう。ぜったいに後悔しないから！　保証するよ！

November

11月21日

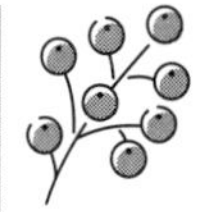

熱心に求める

神に近づく者は、神がおられることと、
神がご自分を求める者には報いてくださる方であることを、
信じなければならないのです。
ヘブル人への手紙 11 章 6 節

今日のみことばに、「【神は】ご自分を求める者には報いてくださる」とあります。「神を求める者」とは、いったいどういう人でしょう。この聖句の「求める」ということばには、「熱心に求める」という意味がふくまれています。熱心に求めるとは、決してあきらめない、何があっても求め続けるということです。

熱心にイエスを求める者となりましょう。イエスについて書かれた信仰書を手当たりしだいに読んでみましょう。もちろん、聖書を読むことがいちばん大事です。一週間に一度教会に行く時だけ聖書を開くのではなく、毎日時間を決めて読むようにしましょう。３人の博士のように、心からイエスに礼拝をささげましょう。マタイのように、イエスを家に招きましょう。木に登ったザアカイのように、イエスにお会いするために知恵を働かせ、くふうしましょう。

イエスに近づくために、思いつくかぎりのことをしましょう！

キリスト教書店に行くと、イエスについて書かれた本がたくさんならんでいる。聖書全体を知るために、まずは子どものために書かれた聖書物語を読むことから始めるといいよ。C・S・ルイスが書いた『ナルニア国物語』も、おもしろくておすすめ！

November

11月22日

神さまからの「ノー」

わたしのもとに来る者は決して飢えることがなく、わたしを信じる者はどんなときにも、決して渇くことがありません。
ヨハネの福音書6章35節

心からの祈りをささげても、かなえられないことがあります。「親友が転校しないでずっといっしょにいられるようにしてください」、「大好きなおばあちゃんの病気を治してください」。そんな祈りを熱心にささげ、神さまの答えを待ちます。でも私たちが望んだような答えがあたえられません。さらに祈り、答えを待ちます。でもやっぱり祈りがかなえられない……。

神さまの答えが「もう少し待ちなさい」だったらどうしますか。あるいはただひとこと、「ノー」だったとしたら？　神さまから「わたしはすでにあなたに十分な恵みをあたえているよ」と言われたら、あなたは満足し、受け入れますか。

そう、キーワードは「受け入れる」、です。「受け入れる」とは、たとえその時は納得できなくても、神さまはどんなときも私たちに良くしてくださるのだと信じて、心おだやかでいることです。

神さまの恵み、あわれみ、愛は、いつも私たちの上にあふれるように注がれているのですから。

親から「ノー」と言われた時、あなたはどうする？　かんしゃくを起こす？　それとも親を信頼し、その判断に従う？　パウロは、「私は、……ありとあらゆる境遇に対処する秘訣を心得ています」(ピリピ4・12)と記している。パウロのように、たとえ親に、そして神さまに「ノー」と言われても、希望を持ち続けよう。

November

11月23日

努力するのは何のため？

実に、私たちは神の作品であって、良い行いをするためにキリスト・イエスにあって造られたのです。神は、私たちが良い行いに歩むように、その良い行いをあらかじめ備えてくださいました。

エペソ人への手紙２章10節

一番を取るためには何でもする人、人より優位に立つためにはどんな努力もいとわない人がいます。もちろん、一生けんめいベストをつくすことはとても大事です。決して悪いことではありません。この世界は、自分の仕事や働きに誇りをもって取り組み、がんばる人を必要としています。

でも、私たちはそれぞれにあたえられた才能や力を、神さまをほめたたえ、神さまに喜んでいただくために用いるべきなのです。

もし成績が良いなら、勉強の苦手な友だちが学ぶ手助けをしてあげましょう。スポーツが得意なら、フェアな態度でプレーし、勝っても負けても礼儀正しくふるまうスポーツマンシップを示しましょう。もし絵をかくのが得意なら、絵を通して、神さまが造られたこの世界の美しさを表現しましょう。

私たちのことばや才能を、自分をえらく見せるためではなく、神さまのすばらしさを伝えるために使いましょう。

ことばは、神さまをほめたたえる道具にもなれば、人を傷つける凶器にもなる。あなたのひとことが、だれかをはげますこともあれば、深く傷つけることもある。口を開いて何かを言う前に、自分のことばは、神さまのすばらしさを伝える道具となっているか考えるようにしよう。

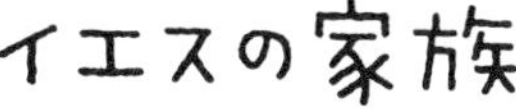

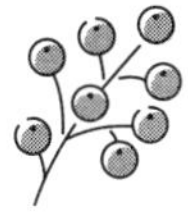

イエスの家族

だれでも神のみこころを行う人、
その人がわたしの兄弟、姉妹、母なのです。
マルコの福音書3章35節

イエスにはきょうだいがいたと知っておどろく人もいるかもしれません。聖書にこう記されています、「この人【イエス】は……マリアの子で、ヤコブ、ヨセ、ユダ、シモンの兄ではないか。その妹たちも、ここで私たちと一緒にいるではないか」（マルコ6・3）と。

イエスの家族も、私たちと同じように決してかんぺきな人たちではありませんでした。イエスがなぜこの世に来られ、神さまのことばを伝えているのか理解できなかったのです。ある時など、「人々が『イエスはおかしくなった』と言っていた」（マルコ3・21）ため、家に連れもどそうとしたくらいです。

そんな家族に対し、イエスはどのように接しておられたのでしょう。イエスは、他のすべての人に対するように、家族に対しても、尊敬と愛をもって、そして時には忍耐をもって接しました。あなたも、家族と理解し合えないときがあるかもしれません。イエスはそんなあなたの気持ちをわかっていてくださいます。どんなときも、イエスのように生きる者となりましょう。

家族にかぎらず、つきあいづらい人は必ずいるもの。にくしみを捨て（箴言10・12）、いかりを手放そう（箴言19・11）。神さまに助けていただきながら、その人を愛し、その人のために祈る者となろう（マタイ5・44）。

November

11月25日

神さまのごほうび

主人によってその家のしもべたちの上に任命され、食事時に彼らに食事を与える、忠実で賢いしもべとはいったいだれでしょう。主人が帰ってきたときに、そのようにしているのを見てもらえるしもべは幸いです。

マタイの福音書 24 章 45、46 節

観客でうめつくされたスタジアム……。スター選手がバッターボックスに立ったとたん、大歓声が上がります。選手がバットをふると、球は大きくアーチをえがいてスタンドに。ホームランです！　観客は総立ちとなり、選手がホームベースをふむまで声援が続きます。

だれもがあこがれるホームラン王。でも、だれもがなれるわけではありません。私たちのほとんどは、優勝パレードの主役や金メダル選手、大統領にはなれません。この地上では、脚光を浴び、みんなの注目の的になれる人はごくわずかなのです。

しかし、天国では、「主の現れを慕い求めている人には、だれにでも」（IIテモテ4・8)、神さまから、ごほうびをいただくことができるのですよ。それは地上で手にできるどんな栄誉ある賞よりもすばらしいのです。

天国のごほうびをめざし、あたえられた才能や力（運動能力、音楽や絵の才能など）を、神さまに喜んでいただくために用いよう。小さな子にスポーツや楽器、お絵かきを教えてあげよう。神さまがあなたに示してくださるような愛と忍耐をもって、親切に指導しよう。

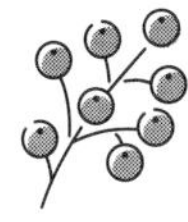

かけ橋

私は言いました。
「私の背(そむ)きを主(しゅ)に告白(こくはく)しよう」と。
すると　あなたは私の罪(つみ)のとがめを
赦(ゆる)してくださいました。

詩篇 32 篇 5 節

むかしむかし、あるところに、たがいににくみ合う二人の農夫がいました。二人の農地のあいだには、大きくて深いみぞがありました。しかし、それだけでは不十分と考えた農夫たちは、たがいの農地にがんじょうなさくを張(は)りめぐらしました。やがて、農夫たちの娘(むすめ)と息子(むすこ)が恋(こい)に落ちます。二人は、にくみ合う父親のようにはなりたくないと考え、それぞれ思い切ってさくを取りこわし、みぞの上に橋をわたしたのです。

神さまに罪(つみ)を告白(こくはく)するとは、そういうことです。罪を告白することによって、あなたと神さまをへだてるさくがこわされ、みぞの上には橋ができます。私たちはその橋をわたって、神さまのうでの中に飛びこむことができるのです。

もしこの世に橋というものが存在(そんざい)しなかったらどうなるだろう。川や湖、谷をわたることができなくなる。自分の行きたいところに自由に行くことができなくなってしまう。イエスが、私たちと神さまとのあいだをつなぐかけ橋となってくださらなかったら、私たちは天国に行くことができなくなるのだ。

November

11月27日

名前を呼んでくださる

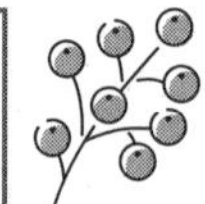

主は私の羊飼い。
私は乏しいことがありません。
詩篇 23 篇 1 節

羊はあまりかしこい動物ではありません。水を飲もうとして小川の中に足をふみ入れ、毛皮が水を吸ってしまって動けなくなり、おぼれそうになることがよくあるそうです。そんな時は、羊飼いに助け出してもらい、「いこいのみぎわ」（詩篇 23・2）へと導いてもらわなくてはなりません。

羊は、するどい爪や牙がないので、自分で自分を守ることができません、そのため、羊飼いにむちとつえで守ってもらわなくてはなりません（4節）。また、方向音痴なため、羊飼いに正しい道に導いてもらわなくてはなりません（3節）。

私たちの羊飼いはイエスです。私たちも簡単に問題にはまりこんで動けなくなります。自分の力でサタンに立ち向かうことができず、進むべき道がわからなくなってしまいます。でもだいじょうぶ。イエスが私たちを助け出し、守り、導いてくださいます。

羊飼いがすべての羊の名前を知っているように、イエスはあなたの名前を呼んでくださいます。

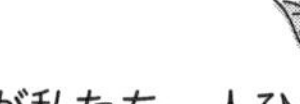

恵みのうちに成長しよう

聖書は、神さまが私たち一人ひとりにあてて書いてくださった手紙だ。詩篇 23 篇を、「私」ということばをすべて自分の名前に言いかえて、ゆっくりと読んでみよう。この詩篇は、あなたについて書かれた詩なんだ！

November

11月28日

イエスのように

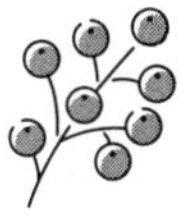

わたしがわたしの父の戒めを守って、父の愛にとどまって
いるのと同じように、あなたがたもわたしの戒めを守るなら、
わたしの愛にとどまっているのです。

ヨハネの福音書15章10節

神さまを心から求める者には、天からのごほうびがあたえられます。

神さまを心から求める人とはどのような人でしょう。それは、みことばを暗唱するだけでなく、みことばに信頼し従う人です。人前でりっぱなお祈りをする人ではなく、神さまは必ず祈りに耳をかたむけてくださると信じる人です。じょうずに賛美歌を歌う人ではなく、心から神さまをほめたたえる人です。

天からのごほうびとは何でしょう。それはイエスのようにしていただけることです。「私たちはみな、……主と同じかたちに姿を変えられていきます。これはまさに、御霊なる主の働きによるのです」（Ⅱコリント3・18）。

イエスにはまったく罪がありませんでした。神さまはあなたの罪をすべて洗い流してくださいます。イエスは病をかかえた人に親切で、どんな困難にも負けない勇気がありました。神さまは私たちの心を、イエスのように変えてくださるのです。

神さまは、あなたにイエスのような心をもつ人になってほしいと願っておられる。具体的にどういうことだろう。それは、御霊の実を結ぶ人だ。御霊の実とは、愛、喜び、平安、寛容、親切、善意、誠実、柔和、自制（ガラテヤ5・22、23）。あなたの心には御霊の実をいくつ見ることができるだろう？

November

11月29日

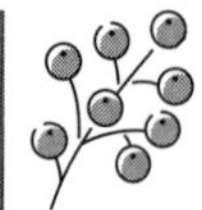

すべてをゆだねる

ほむべきかな 主。
日々 私たちの重荷を担われる方。

詩篇68篇19節

過去のことがくり返し心によみがえり、頭からはなれない、そんなことはありませんか。過去の失敗やあやまちをぐるぐると考え続け、落ちこんでしまうのです。神さまに告白しゆるしていただいたと信じていても、心からはなれない、どうしても忘れられない……。

もしそうなら、ぜひ知ってほしいことがあります。たとえあなたが失敗しても、たとえすべての人があなたに背を向けたとしても、イエスはあなたを決して見捨てたりしないことを。イエスは、あなたの心からいっさいの思いわずらいを取り去りたいと願っておられます。それが過去のものでも、未来のものであっても。

でもそのためには、あなた自身がその思いわずらいを手放し、神さまにゆだねる決心をしないといけません（Iペテロ5・7）。

心の中にある思いわずらいを取り去ってください、とひとこと祈りをささげ、あとは神さまにお任せしましょう。

心配してくよくよするのは、神さまに心から信頼していないから。神さまが祈りにちゃんとこたえてくださるか不安なんだ。ペテロの手紙第一5章7節は「あなたがたの思い煩いを、いっさい神にゆだねなさい。神があなたがたのことを心配してくださるからです」と記す。心配事を神さまにゆだね、思いなやむのはやめよう。神さまがあなたを必ず守り、導いてくださる！

November

11月30日

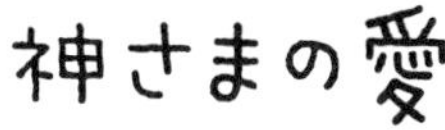

神さまの愛

愛に根ざし、愛に基礎を置いているあなたがたが、すべての聖徒たちとともに、その広さ、長さ、高さ、深さがどれほどであるかを理解する力を持つようになり、……

エペソ人への手紙３章17、18節

私たちは、神さまの愛を完全に理解することはできません。どうして神さまは、世界のすべての人を愛することができるのだろう、くり返しあやまちをおかしてしまう私たちを、なぜ愛し続けることができるのだろう、と思うのです。

何千年ものあいだ、神さまの愛は私たちにとって大きななぞでした。神さまがすべての栄光を捨てて、貧しい夫婦の赤ちゃんとして生まれてくださったのはどうしてなのだろう。神さまの大切なひとり子であるイエスが、あれほど残酷な十字架刑にかかられたのはなぜなのだろう……。

あなたにはわかりますか、神さまの愛の深さ、大きさを。

私たちはただ、「神さま、こんなにも愛してくださってありがとうございます。私もあなたを愛します」とひとこと申し上げるしかないのです。

私たちには完全に理解できないし、説明するのもむずかしいけれど、たしかに存在し、私たちに喜びをあたえるものがある。たとえば、愛、ゆるし、希望、夢……。他にあなたが思いつくものはあるかな？

12月
December
神　その道は完全。
主のことばは純粋。
主は　すべて主に身を避ける者の盾。
詩篇 18篇30節

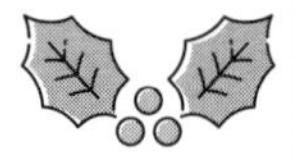

いのちの冠

奴隷であっても自由人であっても、良いことを行えば、
それぞれ主からその報いを受けることを、
あなたがたは知っています。

エペソ人への手紙6章8節

私たちは、天国についてすべてを知らされているわけではありません。でも、一つはっきり約束されていることがあります。それは、イエスがふたたびこの地上にもどられた時、私たちはそれぞれ主からごほうびをいただけるということです。

地上ではだれからもほめられたことのない人が、天使たちから大きな拍手をもらいます。地上ではのけものにされ、見捨てられていた人は、心からのなぐさめを受けます。だれにも認められなかった人は、注目の的となります。無視されていた人は、大歓迎されます。最後まで誠実に神さまを信じ従い続けた人は、栄誉を受けます。

天国でいのちの冠を受けることができるのは、有名な人や裕福な人ではなく、神さまを愛する人たちなのです（ヤコブ1・12）。

今年のアドベントは、いつもとはちがうすごし方をしてみない？　クリスマスを待ち望みながら、毎日だれかに心をこめてプレゼントをおくろう。それは物でなくてもかまわない。やさしいひとこと、はげましをこめた笑顔、ちょっとしたお手伝いなども、十分すてきなプレゼント！　天国の喜びをまわりの人たちにおすそ分けしよう。

December

12月2日

神さまのお気に入り

主はあなたのことを大いに喜び、
その愛によってあなたに安らぎを与え、
高らかに歌ってあなたのことを喜ばれる。
ゼパニヤ書３章17節

人生は大きなレースを走るようなものです。沿道では、神さまがあなたに大きな声援を送っておられます。ゴールでは、拍手をしながらあなたを待つ神さまの姿が見えます。観覧席からは、あなたの名前を呼ぶ神さまの声がします。つかれ果ててもう走れないときは、神さまがあなたを背負って走ってくださいます。

そう、あなたは、神さまの大のお気に入りなのです！　神さまのカレンダーには、あなたの誕生日に二重丸がついています。神さまの机の上には、あなたの写真がかざられています。天国の木にはあなたの名前が大切にほられています。

お母さんは自分の赤ちゃんの名前を決して忘れたりしませんよね。おっぱいをあげながら、「この子の名前はなんだったかしら」なんて言いません。でも、たとえお母さんが子どもの名前を忘れることがあったとしても、「このわたしは、あなたを忘れない」（イザヤ49・15）と神さまはおっしゃいます。

いつも世話をしてくれるお父さん、お母さんに、心をこめてありがとうと言おう。食事の後片づけやゴミ出し、感謝の手紙を書くなどしよう。「どうしたの？」と聞かれたら、「いつも私を大切にしてくれてありがとう！」と伝えよう。

December

12月3日

あなたの本当の願いは？

神　その道は完全。

詩篇 18 篇 30 節

　あるところに、静かな家に一人で暮らす男がいました。きれいな声で歌う鳥でもいればさびしくないと考えたその人は、ペットショップを訪れ、店員にすすめられるまま、一羽のセキセイインコを買いました。その日から家の中にはいつも美しい鳥の声がひびき、男は大満足でした。

　ある日のこと、男は、その鳥に足が一本しかないことに気づきました。そこで男はペットショップに行き、店員にもんくを言いました。すると、店員は答えました。「あなたは、ダンスのできる鳥と、歌うことのできる鳥、どちらを手に入れたかったのですか？」と。

　神さまは必ず私たちの祈りにこたえてくださいます。でも、答えが自分の期待から少しでも外れるとがっかりするのです。手に入れた鳥が一本足だったことにがっかりした男のように。そんなときは立ち止まって、「私の本当の願いは何だろう？」と考えてみましょう。神さまはあなたにとっていちばん必要なものをくださいます。もし神さまの答えが期待したとおりではないなら、あなたの期待そのものを修正しなくてはなりません。

がっかりした思いや失望は、レモンのようにすっぱくて苦いね。大人の人といっしょにレモネードを作ってみよう。レモン汁のままだとすっぱくて飲めないけれど、さとうを加えてレモネードにすると、さわやかでおいしいね！　あなたの失望（レモン）に、神さまの愛（さとう）を加えると、すばらしい祝福（レモネード）に変わるんだ！

December

12月4日

神さまと切りはなされると

罪の報酬は死です。しかし神の賜物は、私たちの主
キリスト・イエスにある永遠のいのちです。

ローマ人への手紙６章23節

罪をおかすと、私たちのたましいはどうなるでしょう。それはまるで根元を切られた一輪の花のようです。初めのうちは美しいのですが、しばらくすると葉がしおれ、花弁もとれてしまいます。あわてて水の入った花びんや土に茎をさしても、花が生き返ることはありません。

罪をおかすと、私たちのたましいは神さまから切りはなされてしまいます。すると、たましいは、少しずついのちを失い、しおれていきます。罪をおかすと、とつぜん悪いことが起きたり、私たちのきげんが悪くなるのではなく、私たちのたましいからだんだんといのちが失われていくのです。すると私たちは、ウソをついたり、悪口を言ったりしても心が痛まなくなり、神さまのことなどどうでもよくなっていきます。

しかし、花とちがい、たましいはイエスによっていやしていただくことができます。イエスに罪を告白し、ひとことごめんなさいとあやまればよいのです。

クリスマスの時期になると、生のもみの木をクリスマスツリーとしてかざる教会がある。根元で切られていても、最初のうちはとても生き生きして美しい。でも、時間がたつにつれ、葉がだんだんと茶色くなり、最後にはぬけ落ちてしまう。私たちも、神さまから切りはなされるとそうなってしまうんだ。

December

12月5日

神さまの思いは

主よ　あなたのみわざは　なんと大きいことでしょう。
あなたの御思いは　あまりにも深いのです。

詩篇 92 篇 5 節

神さまの思いは、私たちの思いとまったくちがいます。

私たちは、「いっぱい遊んで楽しくすごしたいな」と考えます。神さまは「あなたには、わたしのひとり子であるイエスのことをもっと知ってほしい」と考えておられます。私たちは、「良い学校に入って人に尊敬される仕事につきたい」と考えます。神さまは私たちに、ご自身に従って歩んでほしいと願われます。私たちは、なるべく苦労はしたくないと考えます。神さまは、困難を通して私たちの信仰が強くなることを望まれます。私たちは、やがて朽ちてこわれるこの世のものが大好きです。神さまは、永遠に続く天国のものを愛しておられます。私たちは自分の成功と勝利を喜びますが、神さまは、私たちの罪の告白を喜ばれます。私たちは、テレビに出てくるスポーツ選手を見て「あんなふうになりたい！」と思います。しかし、神さまは「わたしはあなたに、イエスのようになってほしいのだ」とおっしゃるのです。

クリスマスを待ち望むこのアドベントの日々、この世に来てくださったイエスに感謝しつつ、どうすればイエスのようになれるかを考え、行動しよう。教会に来ているお年寄りに、家のクリスマスのかざりつけのお手伝いを申し出よう。教会の会堂まわりのそうじを手伝おう。あなたの時間を、だれかのために喜んで使おう。

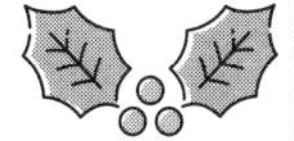

あなたの家族

わたしはあなたがたの父となり、
あなたがたはわたしの息子、娘となる。
── 全能の主は言われる。

コリント人への手紙第二６章１８節

自分の家族がもっとこうだったらいいのにな、と不満に思ったことはありませんか。イエスの家族も決してかんぺきな人たちではありませんでした。ある時、イエスはこうおっしゃいました。「だれでも神のみこころを行う人、その人がわたしの兄弟、姉妹、母なのです」（マルコ3・35）と。

イエスは、ご自身が神さまのひとり子であることを兄弟たちが信じていないとわかっても、決してイライラしませんでした（ヨハネ7・1〜9）。ご自身のことを理解してくれる信仰の家族がいたからです。

もし自分の家族は理想とはほど遠い、あるいは、とても良い家族なのだけれど、何か物足りないと思っているのなら、ぜひ教会に目を向けましょう。そこには、同じ神さまにつらなる家族がいます。あなたのなやみに耳をかたむけ、はげましてくれる、キリストにある兄弟、姉妹がいるのです。

そしてたとえあなたの家族がかんぺきでなかったとしても、希望を失ってはいけません。神さまには、どんなものでも変える力があることを信じましょう。

家族といっしょに、クッキーやキャンディー、ウエハース、チョコペンなどを使って、おかしの家を作ってみよう。作りながら、家族の上に神さまの祝福をお祈りしよう。神さまが、あなたの家族の一人ひとりを愛し、導いてくださることを信じ、感謝しよう。

December

12月7日

もはや死はなく

神は彼(かれ)らの目から
涙(なみだ)をことごとくぬぐい取ってくださる。
もはや死はなく、
悲しみも、叫(さけ)び声も、苦しみもない。
ヨハネの黙示録 21 章 4 節

あなたにとって、死はまだまだ遠い先の話かもしれません。でも、死をさけるためにいろいろなことをしているでしょう？　サプリメントを飲んだり、予防接種(よぼうせっしゅ)を受けたり、道をわたる時は車が来ないか左右をちゃんと見たり……。なぜでしょう。もちろん、死にたくないからですよね。天国ではそんな心配はいりません。永遠のいのちがあたえられているからです。

天国では、死ぬことだけでなく、いっさいの心配やなやみからも解放(かいほう)されます。病気からも、事故(じこ)からも。

私たちの体はちりでできているので、この地上で生きていると、私たちの体は少しずつ元気を失い、最後は動かなくなります。でも天国では、私たちはいつまでも老いることはないのです。イエスは、私たちがイエスを信じ、「死に至(いた)るまで忠実(ちゅうじつ)」であるなら、「あなたにいのちの冠(かんむり)を与える」と約束してくださいました（黙示録(もくしろく)2・10）。

クリスマスシーズンは、大切な家族や友だちを亡(な)くした人にとってはさみしく感じる季節かもしれない。悲しみの中にある人、病気のためになかなか教会に来ることができない人のために、おかしを焼き、手作りのカードをそえて届(とど)けにいこう。あなたの小さな心づかいが、ひとりぼっちでクリスマスをすごす人に大きななぐさめになる。

December

12月8日

神さまにお任せする

正しい人の祈りは、働くと大きな力があります。
ヤコブの手紙5章16節

祈りとは、神さまに、「私にはあなたが必要なのです」と伝えることです。神さまの力によらなければ、自分は天国に行けないこと、救いはただ神さまの恵みによることを言い表すことです。神さまの前にひざまずき祈ることによって、すべてを治めておられるのは神さまであること、私たちはそんな神さまに愛され、助けていただけるのだということを、しっかりと心にとどめることができるのです。

祈りには力があります。神さまは病気の人や傷ついた人をいやすことがおできになります。死人をよみがえらせることさえも。でも私たちは、神さまに、具体的に指図するような祈りをささげることはできません。

私たちは、時々どのように祈ってよいかわからなくなることがあります。そんな私たちのことを、神さまは理解し、深くあわれんでくださいます。神さまが必ずいちばん良い道をあたえてくださることを信じましょう。たとえそれが私たちの望む道でなくとも。何がいちばん良いかは、神さまの判断にお任せしましょう。

気持ちが動転して、どう祈ったらいいかわからないときもある。だいじょうぶ、そんなときは、神さまを信じ、ただ静かにしていよう。聖霊が代わりに祈ってくださる。「私たちは、何をどう祈ったらよいか分からないのですが、御霊ご自身が、ことばにならないうめきをもって、とりなしてくださるのです」(ローマ8・26)

December

12月9日

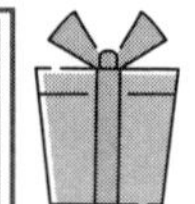

恵みは十分に

私は、どんな境遇にあっても満足することを学びました。

ピリピ人への手紙４章11節

もし、神さまの恵みが、罪のゆるしと救いだけだったら、あなたはどう思いますか。テストがうまくいきますように、いなくなったペットが見つかりますように、病気が治りますように、と祈っても、神さまが「恵みはたくさんあたえている。罪のゆるしだけで十分だ」と言われたとしたら？

実は、私たちはすでに、十分な恵みをいただいているのです。もし神さまから「わたしがあなたにあたえるのは、罪からの救い、永遠のいのち、それだけだ」と言われたとしても、私たちにもんくを言う資格はありません。病気がいやされなかったとしても、この地上で貧しくみじめな生活を送ることになっても、不満を言えないのです。すでに神さまはあなたに、救いという、あふれるほどの恵みを注いでくださっているからです。

でも、実際には、神さまは、罪からの救いのほかにも、たくさんの恵みをくださっていますね。私たちのささげる一つひとつの祈りに耳をかたむけ、こたえてくださいますね。なぜでしょう。それは、あなたが神さまの大切な子どもだから。あなたのことを心から愛しておられるからです。

私たちは、神さまの恵みをあふれるほどにいただいていることに感謝しよう。この世界には、貧困に苦しむ人が大勢いる。お父さん、お母さんや教会学校の先生方と、お金に困っている人たちを支えるさまざまな援助プログラムについて調べてみよう。おこづかいの一部を、支援団体に寄付しよう。

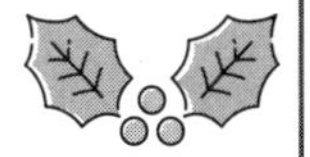

神さまの聖なる都

花嫁を迎えるのは花婿です。

ヨハネの福音書３章29節

ヨハネの黙示録は、未来の出来事を記していますが、おどろくような描写に思わず息をのみます。天使とサタンとの戦いが、まるで目の前で起きているかのように記され、ハラハラドキドキしてしまいます。

その戦いのさなかに、実に美しい光景がえがかれています。「私はまた、聖なる都、新しいエルサレムが、夫のために飾られた花嫁のように整えられて、神のみもとから、天から降って来るのを見た」（黙示録21・2）と。

神さまは、この書を記すヨハネに、ほんのちょっぴり、天国のようすを見せてくださったのでしょう。ヨハネは、天国の美しさをどう表現しようかとなやんだ末、この地上でもっともうるわしいもの、「夫のために飾られた花嫁」にたとえました。

私たちが住むこの世界には美しいものがたくさんありますが、神さまの住まいである天国ほど美しいものはないのです。

あなたの家では、クリスマスに向けてどんな準備をする？　クリスマスツリーやリースをかざるかな？　お客様のために家をそうじし、ケーキを焼いたり、ごちそうを作ったりする？　神さまも、あなたをむかえるために、天国を美しく整えていてくださるんだ。

December

12月11日

祈りましょう！

あなたがたの中に苦しんでいる人がいれば、
その人は祈(いの)りなさい。喜(よろこ)んでいる人がいれば、
その人は賛美(さんび)しなさい。

ヤコブの手紙５章13節

祈(いの)りの達人になるひけつはなんでしょう。それは、まずは祈ってみる、これにつきます。いろいろと準備(じゅんび)せずに祈る。くよくよなやまず、とにかく祈る。じょうずに祈るいちばんの早道は、実際(じっさい)に祈ることなのです。

どこでどんなふうに祈ってもよいのです。立ったまま祈ろうが腰(こし)かけて祈ろうが、そっと心の中で祈ろうが大声でさけびながら祈ろうが、家の中で祈ろうが広場の真ん中で祈ろうが、どちらでもかまいません。

こんなふうに祈ったら人にどう思われるだろうかなんて、気にする必要もありません。あなたの祈りがどんなにぎこちなくても、まったく祈らないよりはるかにましです。神さまは、祈る人すべてを歓迎(かんげい)してくださいます。そしてすべての祈りを祝福してくださいます。

祈れば祈るほど、まるで会話をしているように、自然に祈ることができるようになりますよ。そのうち、まるでいちばん仲良しの友だちとおしゃべりを楽しんでいるような、そんな祈りに変わっていくはずです。

あなたはどんなときに祈(いの)りたくなる？　楽しいことやうれしいことがあったとき？　逆(ぎゃく)に、つらいことや悲しいことがあったとき？　日記に、どんなときに何を祈ったか記録しておこう。しばらくたってから読み返し、神さまはあなたの祈りにどのようにこたえてくださったか考えてみよう。

December

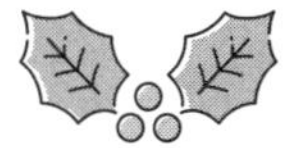

12月12日

あなたはどこにいるのか

まことに　私のいのちの日の限り
いつくしみと恵みが　私を追って来るでしょう。
私はいつまでも　主の家に住まいます。

詩篇 23 篇 6 節

　あなたは小さいころ、よくかくれんぼをして遊びませんでしたか。神さまは、かくれんぼはなさいません。神さまは、私たちから決してかくれることはなさらず、いつも私たちを探し求める方だからです。

　創世記に、神さまが私たち人間を探してくださった最初の出来事が書かれています。罪をおかし、園の木のあいだにかくれていたアダムとエバに、神さまは「あなたはどこにいるのか」と呼びかけました（創世記3・9）。神さまはアダムたちの居場所をごぞんじでしたが、ご自身が心配して探していることを、二人に気づいてほしかったのです。そしてアダムたちにも、ご自身のことを探してほしいと思われたのでした。

　神さまは、あなたにも呼びかけておられます。あなたにも、ご自身を見つけ出してほしいと望んでいます。神さまを見つけるのは、決して難しいことではありません。どんなときも、あなたのすぐそばにいてくださるからです。

あなたは今どこにいる？　できれば神さまの目の届かない場所にかくれたいと思っていない？　神さまに見られたくないことを行い、神さまに聞かれたくないことばを口にしてはいないかな？　もしそうならば、かくれている場所から出て、今すぐ神さまのもとに帰ろう。自分の行いやことばをふり返り、神さまに喜ばれる歩みをする者となろう。

December

12月13日

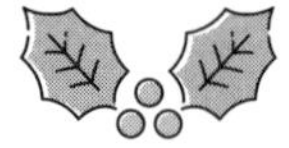

神さまの子ども

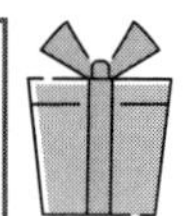

しかし、この方を受け入れた人々、すなわち、その名を信じた人々には、神の子どもとなる特権をお与えになった。

ヨハネの福音書1章12節

昔、私が宣教師としてブラジルで働いていた時のことです。ある夫婦が、親のいない子どもを養子としてむかえるために、アメリカからやってきました。二人は、ことばのわからない国に何週間も滞在しました。そして、国から許可をもらうために大勢の人に会い、さまざまな手続きをし、たくさんお金をはらいました。この夫婦が、これほどまでの時間と労力をかける目的はただ一つ、一人の子どもをアメリカに連れ帰り、自分たちの子どもとして家にむかえるためでした。

神さまがなさったことに似ていないでしょうか。神さまは、イエスをこの世に送ってくださいました。イエスが十字架の上で大きなぎせいをはらわれたのは、私たちを神さまの子どもとしてむかえるためでした。

そして今、私たちはイエスがふたたびこの地上に来てくださるのを待っています。パウロが言うように、私たちは「子にしていただくこと、すなわち、私たちのからだが贖われることを待ち望」(ローマ8・23)んでいるのです。

正式にその家の養子としてむかえ入れられると、子どもとしての権利があたえられる。その家の名字を名のることができる。子どもとして大切に育ててもらえる権利、そしてその家の財産を受けつぐ権利があたえられる。神の子どもとされた私たちも、神さまから名前をいただき、神さまの守りと導きを受け、天国の祝福があたえられるんだ。

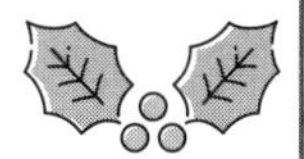

イエスは良い牧者

わたしは良い牧者です。わたしはわたしのものを知っており、わたしのものは、わたしを知っています。

ヨハネの福音書 10 章 14 節

羊飼いは、羊をただ「群れ」として見るのではなく、一匹一匹に目を配ります。羊にはそれぞれ名前があたえられています。羊飼いは、一匹一匹を大切に世話し、群れからはずれた羊がいると、どこまででも探しに行きます。

私たちは、人の集まりを見ても、「大勢の人」、「群衆」としてしか見ることをせず、その一人ひとりに目をとめることをしないかもしれません。しかし、イエスはちがいます。良い牧者であるイエスは、私たち一人ひとりに目をとめ、一人ひとりを特別な存在として見てくださいます。私たちは、それぞれ顔がちがいます。それぞれ歩んできた道もちがいます。イエスにとっては、それぞれが大切な神さまの子どもです。

私たちの牧者であるイエスは、私たちを一人ひとり名前で呼んでくださるのです。私たちの名前を忘れてしまうことは決してありません。

クリスマスまであと 11 日。クリスマスをむかえるまで、毎日ちがう人のためにお祈りをしてみない？　今まで祈ったことのない人のために、神さまの祝福を祈ろう。その人のことをくわしく知らなくてもだいじょうぶ。良い牧者であるイエスはその人のことをよくごぞんじだから。そしてあなたの祈りに、喜んで耳をかたむけてくださる。

December

12月15日

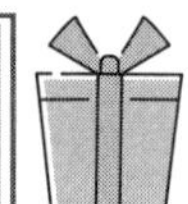

ゆるす決断

主は悪しき者の道を忌み嫌い、
義を追い求める者を愛される。

箴言15章9節

過去にひどく傷ついてしまった経験はありますか。自分は悪くないのに親にこっぴどくしかられた、先生に無視された、友だちに裏切られた……。もしかしたら、それはほんの一週間前の出来事かもしれません。友だちにかげ口をたたかれた、自分だけ誕生パーティに招かれなかった……。

その時、あなたの心の中では何が起きているのでしょう。腹が立つし、泣きたくもなるし、もんくの一つも言いたい。まるで心の中で赤々と炎が燃えているようです。そう、いかりの炎が。

あなたは決断をしなくてはなりません。その炎を消すか、さらに燃やすか。その思いを捨て去るか、それともやり返すか。神さまにその傷をいやしていただくか、にくしみに変えるか。

復讐は決して良いことではありません。ぜったいにゆるさないと決心したとたん、あなたの心にはいかりしか残らないのです。

あなたには、苦手な人や、あることがきっかけで友だちづきあいをやめてしまった人はいる？　その人にクリスマスカードを送ろう。「クリスマスおめでとう！」と書きながら、その人をゆるす気持ちをあたえてくださいと神さまに祈ろう。カードをポストに入れた瞬間、その人へのいかりも捨ててしまおう。

December

12月16日

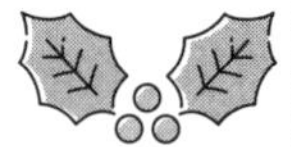

クリスマスの喜びを伝える

ひとりのみどりごが私たちのために生まれる。
……その名は、「不思議な助言者、力ある神、
……平和の君（きみ）」と呼（よ）ばれる。

イザヤ書９章６節

クリスマスカードは、送るのも受け取るのも、うれしいものですね！　クリスマスカードにえがかれた絵や印刷されたことばをじっくりながめていると、2000年前に起きた出来事の喜（よろこ）びが伝わってきます。

私が受け取ったカードには、こんなことばが書かれていましたよ。

「イエスが私たちと同じ姿（すがた）になられたのは、やがて私たちがイエスと同じ姿になるためです」

「今も、天使は賛美（さんび）し、星は明るくまたたいています。私たちを救（すく）い主（ぬし）に導（みちび）くために！」

「神さまは私たち一人ひとりを心から愛しておられます」

それぞれことばはちがっても、クリスマスカードが伝えることはただ一つ、「神は、実に、そのひとり子をお与（あた）えになったほどに世を愛された。それは御子（みこ）を信じる者が、……永遠（えいえん）のいのちを持つためである」（ヨハネ3・16）、このみことばに示（しめ）された、神さまの愛のメッセージなのです。

キリスト教書店に行くと、みことば付きのクリスマスカードが売られているよ。遠くに住む友だちやおじいちゃん、おばあちゃんに、みことばが印刷されたカードを送ろう。クリスマスの喜（よろこ）びを伝える絶好（ぜっこう）のチャンス！　ポストに入れる時、その人の上に神さまの祝福を心から祈（いの）ろう。

December

12月17日

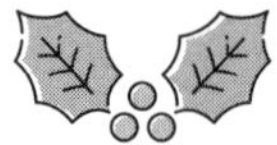

子どもとされる理由

神が御子を世に遣わされたのは、世をさばくため
ではなく、御子によって世が救われるためである。

ヨハネの福音書３章17節

ある子どもを養子にむかえようとしている夫婦が、こんなことを言ったとします。「この子、住む家はあるのかしら。高校や大学に進学するお金はちゃんと持っているのかしら。自分のごはんを作ったり、自分の服や下着のせんたくはできるのかしら」と。

きっとこんなふうに言われてしまいますね。「ちょっと待ってください。あなたは養子をむかえる意味がわかっていますか？　この子は何も持っていないし、何もできません。この子には、家族としてむかえ入れてお世話をしてくれる人が必要なのですよ」と。

神さまがあなたをご自身の家族にむかえてくださるのは、あなたがすぐれた才能やユーモアのセンスがあるからでも、お金持ちだからでもありません。神さまがあなたを子としてくださるのは、あなたが、神さまの救い、神さまの愛を必要としているから。そう、神さまご自身が必要だからなのです。

ちょうどあなたと同じ年代の人、親の世代の人、おじいちゃんやおばあちゃんの世代の人に、「今まで受け取ったおくり物の中でいちばんうれしかったものは何？」と聞いてみよう。世代によって答えはちがうかな、それとも同じかな。どんなものを人におくったら喜ばれるか、よいヒントをもらえるかもね！

December

12月18日

イエスをむかえ入れる

見よ、わたしは戸の外に立ってたたいている。

ヨハネの黙示録３章20節

「ここにはあなたの居場所はありません」、そんなふうに言われたらとても悲しいですね。これは、イエスがお母さんのおなかにいる時、宿屋の主人から言われたことばです。

イエスが十字架にかけられた時も、人々はそんなことばを口にしたのです。「この世界はおまえのいるところではない！」と。

今日、イエスは私たち一人ひとりの心の戸をたたいておられますが、悲しいことに、ほとんどの人は心を閉ざしたままです。

でも、心の戸を開きイエスをむかえ入れる人には、すばらしい約束があたえられています。「わたしの父の家には住む所がたくさんあります。……あなたがたのために場所を用意しに行く」（ヨハネ14・2）と。

イエスを喜んで心におむかえしましょう。イエスは天国に、私たちの住むところを用意してくださるのですから。

あなたのクラスに、まわりになじめず、ひとりぼっちの人はいないかな。「きみの居場所はちゃんとあるよ」という気持ちをこめ、休み時間や放課後に笑顔で声をかけよう。イエスも、きっとあなたに笑顔を向けてくださるはず！

December

12月19日

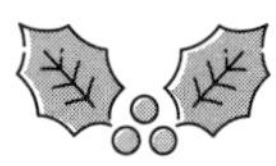

神さまの前にひざまずく

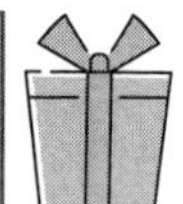

神は高ぶる者には敵対し、へりくだった者には恵みを与える。

ヤコブの手紙４章６節

イエスは、ベツレヘムで誕生されました。イエスがお生まれになったと信じられている場所には、現在教会が建っています。教会の祭壇の裏には小さな洞穴があります。そのゆかには、イエスがそこで誕生なさったしるしとして星の模様がえがかれ、そのまわりには銀のランプが灯されています。

もし将来、あなたがベツレヘムに行くことがあったら、古くから建つこの教会を訪れてみてください。そして、洞穴に入ってみてください。その時、ひとつ注意しなくてはならないことがあります。洞穴に入るときは、腰をかがめてください。洞穴の入り口が低いため、身を低めないと中に入ることはできないのです。

同じように、私たちが救い主イエスにお会いする時も、身を低くし、へりくだって祈ることが大切なのです。

今度あなたが祈る時、実際にひざまずいてみよう。ひざまずいてあたりを見わたすと、まわりのものが自分よりも高く、大きく見えるよね。そうすると、自分がどんなに小さく神さまがどんなに偉大な方かを、いつもよりも実感できるよ。そんな神さまが、ひざまずくあなたのそばに身をかがめ、祈りを聞いてくださるんだ。

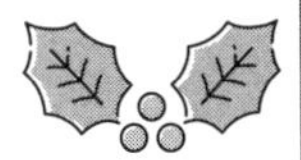

完全なおくり物

すべての良い贈り物、またすべての完全な賜物は、上からのものであり、光を造られた父から下って来るのです。

ヤコブの手紙1章17節

私たちは、自分の力で救いを手にすることはできません。努力やがんばりで天国に行くことはできないのです。

神さまは、そんな私たちのために救いの道を備えてくださいました。救いとは、天国でいつまでも神さまといっしょに住むことができるようになることです。すべての良いおくり物は神さまからあたえられますが、その中でも、救いこそが、もっともすばらしい、完全なおくり物です。

私たちは、ただそれを受け取るだけでよいのです。救いは、神さまが備え、神さまが示し、神さまがくださるものであって、私たちが自分の力で勝ち取るものではありません。私たちが何かを差し出したらいただけるものではなく、神さまからの一方的な愛のおくり物なのです。

クリスマスには、いろいろな人とプレゼントを交換するね。そんな時、神さまからいただくプレゼントを思いうかべよう。神さまからのプレゼントは、お店で買うことも、包装紙でくるむこともできない。それは愛、恵み、ゆるし、希望……そして救い。あなたは神さまに何をプレゼントできるかな。それは心から神さまを愛すること、そして感謝と喜びをもって従うこと。

December

12月21日

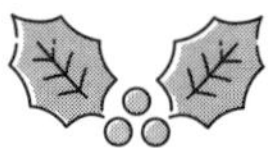

いつもと変わらない夜に

今日ダビデの町で、あなたがたのために救い主が
お生まれになりました。この方こそ主キリストです。

ルカの福音書2章11節

イエスがお生まれになったのは、ふだんと変わらない夜でした。いつものように羊たちは野原に体を横たえ、羊飼いたちは静かにそのようすをながめていました。もしあの夜、暗やみの中に、とつぜんまばゆいばかりの光が現れなかったら、だれの記憶にも残らない平凡な一日としてすぎ去ったことでしょう。

神さまは、私たちの人生の中でもっとも暗いとき、また奇跡など起こりそうもないようなときに、私たちの前に姿を現してくださいます。

暗やみの中にいるときほど、私たちが神さまを必要としていることはないから。またふだんのさりげない日々においてこそ、私たちは神さまの働きに気づくことができるから。

暗やみのような日々をすごすときは、神さまを見上げましょう。何事もない平凡な日々の中に、神さまの働きを見つけましょう。

クリスマスが間近にせまり、街はクリスマスのかざりであふれ、あちこちでクリスマスの賛美歌が流れているね。その一つひとつが、救い主誕生の奇跡の出来事を思い起こさせてくれる。でも、こんな特別な時期ではない平凡な日々の中にも、私たちは、神さまを見いだすことができるよ。毎日のさりげない出来事の中に神さまの働きを感じることができたら、「平凡な日」など、一日もないことがわかるよね。

December

12月22日

恵みをいただく

わたしを見出す者はいのちを見出し、
主から恵みをいただく……

箴言8章35節

あなたはだれかと取り引きをしたことがあるでしょう？　「算数を教えてあげるかわりに、ぼくの作文をチェックしてくれない？」というふうに。

この世の宗教はみな、神さまとの「取り引き」で成り立っています。つまり「私はこれだけのものをささげるのですから、願いをかなえてください」といったぐあいです。ですから、せいいっぱい修行にはげみます。そしてたくさんの供物をささげるのです。

でも、私たちの信じる聖書の神さまは、私たちといっさい取り引きをしようとはなさいません。取り引きできるほどのものを私たちは持っていないからです。もちろん、私たちは教会に通い、聖書を読み、祈り、まわりの人たちを愛することが求められています。でもどんなに良い行いをしたとしても、それは神さまの恵みと取り引きするにはあまりにもちっぽけなのです。

神さまは、私たちが何かをしたから、あるいは何をささげたからではなく、私たちを愛するから恵みをくださるのです。

恵みのうちに成長しよう

クリスマスは、イエスはどのような方で、何のためにこの世に生まれてこられたのか、身近な人に伝えるチャンスだよ！　イエスを信じる喜びを、ことばだけでなく、行動や態度で示そう。あなたが救いの喜びに生きるとき、まわりの人は必ずそのことに気づいてくれるはず！

December

12月23日

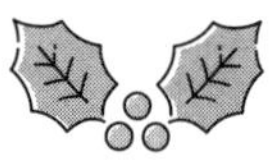

あなたに喜んでもらうため

ことばに表せないほどの賜物のゆえに、神に感謝します。

コリント人への手紙第二９章15節

花は、なぜ一つひとつあれほど精巧にできているのでしょう。鳥は、どうしてあんなにきれいな声でさえずるのでしょう。夕日に照らされた山の頂が、うっとりするほど美しいのはなぜでしょう。シマウマにしま模様がえがかれ、らくだの背にコブがあるのはどうしてでしょう。神さまがお造りになったものがみな、まるで芸術作品のような出来ばえなのはいったいなぜでしょう。

あなたは、だれか大切な人にあげるために、プレゼントを手作りしたことはありますか。ていねいに色をぬり、注意しながらハサミで切り、できるかぎり美しく、細かいところにも気を配って仕上げるでしょう？　なぜですか。それを受け取る人に喜んでもらいたいからですよね！

神さまもそうなのです。今度美しい朝日をながめることがあったら、神さまの声に耳をすませましょう。「気に入った？　あなたのためにこれを造ったのだよ」とささやく声が聞こえるはずですよ。

大切な人に、心をこめて何か作ってみよう。絵をえがく、ビーズアクセサリーを作る、クッキーを焼くなど。笑顔とともにプレゼントしよう。たとえどんなものであったとしても、きっと喜んでもらえるよ。あなたの愛がこめられているから！

December

12月24日

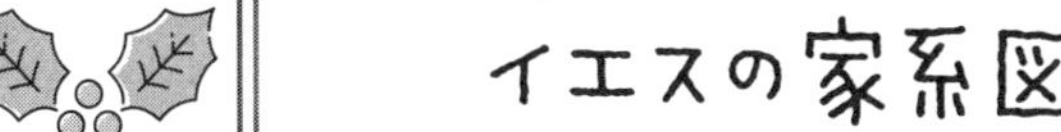

イエスの家系図

ヤコブがマリアの夫ヨセフを生んだ。キリストと呼ばれる
イエスは、このマリアからお生まれになった。
マタイの福音書１章16節

イエスの家系図には、おせじにもりっぱとは言えない人たちの名前があります。人をだましたヤコブ、人を殺したダビデ、異教徒であったラハブ……。イエスの祖先の中には、大きな失敗をした人が何人もいます。それでも神さまは、やがてこの人たちから救い主を誕生させるという約束を守りぬかれました。

なぜ神さまは、イエスの祖先となったこれらの人たちの失敗や罪を、ありのまま聖書に記すことをおゆるしになったのでしょう。それは、神さまは、たとえご自身の民が失敗をおかし、混乱を巻き起こしたとしても、決して動じることも、あわてることもないことをお示しになるためでした。

家系図の最後にどなたの名前が記されていますか。そう、イエスです。

まるで神さまがこうおっしゃっているようです。「ごらん、わたしは、あなたがたに救い主をあたえた。罪のないわたしのひとり子を、不完全なわたしの民を救うためにこの世に送った。わたしは必ず約束を守り、計画を成しとげるのだ」と。

今日はクリスマスイブだね！　家族や友だちとのパーティ、おいしいごちそうやプレゼントが用意されているかもしれない。ひとこと神さまに「ありがとうございます」と言うのを忘れないようにしよう。大切なひとり子イエスを私たちにあたえてくださったことに。

December

12月25日

神は人となられた

【イエスは】ご自分を空しくして、しもべの姿をとり、
人間と同じようになられました。

ピリピ人への手紙２章７節

今から 2000 年前のことです。満天の星空のもと、救い主イエスがこの世に誕生されました。それは、私たちの想像をこえる、とても不思議な出来事でした。

聖なる方が、私たちと同じ肉体をもつ一人の人間となられました。荘厳な天の御国をあとにし、貧しいおとめの胸にいだかれました。

広大なこの宇宙よりもはるかに大きな方が、小さな赤ちゃんとしてお生まれになりました。

この世界の創造主が、父と母の世話を受けなければ一日たりとも生きることのできない、か弱い存在となってくださったのです。

神さまは天から降り、ご自身の民のただ中に住まわれました。それは私たちに、天国への道を示すためでした。

クリスマスおめでとう！　今日は、少し時間をかけてルカの福音書１章 26 ～ 38 節、２章１～ 20 節を開き、イエスのお誕生の物語を読もう。さらにヨハネの福音書３章１～ 21 節を読み、クリスマスの出来事の意味について考えてみよう。

December

12月26日

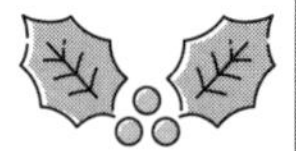

あなたを愛するから

私たちがまだ罪人であったとき、キリストが私たちの
ために死なれたことによって、神は私たちに対する
ご自分の愛を明らかにしておられます。

ローマ人への手紙５章８節

福音書に書かれたイエスの物語を読んでいると、救い主のこんなお声が聞こえてきませんか。

「さあ、この地上ですごしたわたしの姿をごらん。わたしはあなたと同じように、小さな赤んぼうとして生まれたのだ。あなたと同じようにお母さんに支えてもらいながら歩くのを覚え、学校に通って友だちと遊んだのだよ。時には転んでひざをすりむくこともあれば、お父さんに仕事を教わりながら指をトンカチで打ってケガをすることも。

やがてわたしは、自分が愛してやまない人たちに裏切られ、あざけられ、十字架にかけられたのだ。

だから、あなたの通るどんな苦しみも痛みもわたしは知っている。わたしがこの地上の苦しみをたえぬいたのは、ひとえにあなたを愛しているから。あなたが、わたしにとって、宝物のような存在だからなのだよ」と。

この世でいちばん強いものってなんだろう。鉄？　コンクリート？　スーパーマン？　ダイナマイト？　たしかにみんな強いけれど、それよりはるかに強いのは……神さまの愛！　「……どんな被造物も、私たちの主キリスト・イエスにある神の愛から、私たちを引き離すことはできません」（ローマ８・39）。

December

12月27日

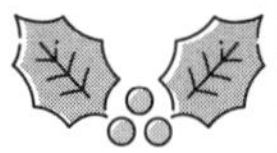

神さまからいただく喜び

あなたは私のために　嘆きを踊りに変えてくださいました。
私の粗布を解き　喜びをまとわせてくださいました。

詩篇 30 篇 11 節

「これさえあれば、このことさえできれば、一生幸せになれる！」そんなふうに考えたことはありませんか。野球チームの花形選手になる、劇の主役になる、あこがれの国に旅行する……。その夢が実現したらどんなにうれしいでしょうね！　でもそのうれしい気持ちはいつまでも続きません。やがては消えてしまいます。

なぜでしょう。この世の喜びや幸せは、一時的なものだからです。本当の喜びは、神さまからいただくものです。神さまの喜びは、たとえ何が起ころうとも、永遠に続く喜びです。

その喜びは、何かできたら得られるのではなく、自分にはできないこと（罪のゆるし、救いを得ること）があると認めたときに、あたえられます。ふつうだったら、自分にはできないことがあるとわかったら、ちっともうれしくないでしょう？　自分の力のなさや失敗を認めるのは、むしろつらいですよね。でも、神さまは私たちが考える「ふつう」をこえる方です。そして神さまがあたえてくださる喜びも、私たちの想像をはるかにこえるのです。

お正月はもうすぐ。新年に向けて、新しい目標を立てる人が多いよね。たとえば、来年はもっと体を動かそうとか、もっと勉強をしようとか。せっかくだから、「神さまと親しく歩む」ための目標を、一つ立ててみない？　新しい一年、神さまとともに歩む喜びを味わうためにどんなことを心がけたらいいだろう。具体的に考えてみよう。

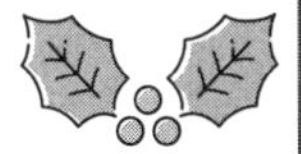

雪のように

あなたがたをキリストにあって永遠の栄光の中に
招き入れてくださった神……

ペテロの手紙第一５章10節

罪のないきよい方である神さまが、私たちの失敗やあやまちをすっかりゆるしてくださるなんて、信じられないと思ったことはありませんか。私たちはウソをつきます。だれかのうわさ話をしたり、人をねたんだりにくんだりします。私たちは、そんな自分をゆるせなくなって、神さまがどんなにあわれみにあふれ、恵み豊かな方であるかを忘れてしまうのです。

神さまの創造物の中で雪ほどきよく、純粋なものはありません。神さまは、私たちの罪をすべて洗い流し、この雪のようにきよくすると約束してくださいました。「ヒソプで私の罪を除いてください。そうすれば私はきよくなります。私を洗ってください。そうすれば　私は雪よりも白くなります」(詩篇51・7)。

罪のゆるしは、神さまからのおくり物です。あなたはただそれを受け取るだけでよいのです。私たちは、神さまのゆるしをたくさんいただくほど、まわりの人たちをゆるすことができるようになります。

ドロの中に足をつっこんでしまったことはない？　急いで足をぬいても、足にドロがついたままだね。罪とはそのドロのようなものなんだ。あなたが罪の行いからはなれても、罪はまだあなたについたまま。神さまに祈ってゆるしていただこう。罪をすっかり洗い流していただこう。

December

12月29日

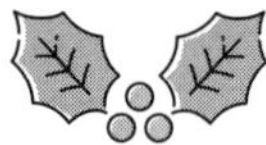

神さまはいつも味方

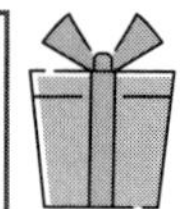

彼らはみな、女たちとイエスの母マリア、およびイエスの兄弟たちとともに、いつも心を一つにして祈っていた。

使徒の働き1章14節

本当の友だちとは、私たちの話に親身に耳をかたむけ、心からはげましてくれる存在です。でも、時々私たちは、友だちからも心ないことばをかけられ、あるいは裏切られて傷つくことがあります。

そんな私たちの気持ちを、イエスはよくわかってくださいます。

イエスも、友だちの一人であったユダに裏切られました。ペテロもヨハネもイエスの友だちでしたが、イエスが逮捕されると、ペテロはイエスなど知らないと言い放ち、ヨハネもさっさとにげてしまいました。

友だちはいつも誠実でいてくれるとはかぎりません。でも、神さまはどんなときもあなたの味方です。今度友だちに傷つくことがあったら、神さまになぐさめていただきましょう。ぽっかりと空いてしまった心を、神さまの愛でうめていただきましょう。

そして友だちのためにも祈りましょう。神さまは、あなたの友だちの心にもふれてくださいます。

どうしてもうまく付き合うことができない人、仲良くするのが難しい人がいるよね。他人を変えることはできない。でも、あなたはどんなときも正しい態度をとることができるよう、神さまに助けていただこう。「あなたがたは神に選ばれた者、聖なる者、愛されている者として、深い慈愛の心、親切、謙遜、柔和、寛容を着なさい。互いに忍耐し合い、だれかがほかの人に不満を抱いたとしても、互いに赦し合いなさい」(コロサイ3・12、13)。

December

12月30日

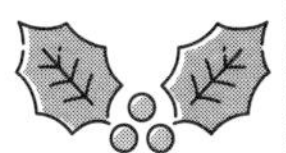

ただ神さまの前に

わたしのものはすべてあなたのもの、あなたのものはわたしのものです。わたしは彼らによって栄光を受けました。

ヨハネの福音書 17 章 10 節

あなたの顔を変えたいと神さまは願っています。あなたの目の色や鼻の高さ、えくぼの有る無しのことではありませんよ。神さまは、あなたの顔をご自身の栄光でかがやかせたいのです。モーセは、十の戒めをかかえて山から下りて来た時、「主と話したために……顔の肌が輝きを放って」(出エジプト 34・29) いました。

私たちは、自分の力でかがやくのではありません。がんばって作り笑顔をうかべる必要はありません。信じる心をもって、ただ素直に神さまの前に立てばよいのです。

神さまはあなたの目からなみだをぬぐい、みけんのしわをのばし、あなたのほおにやさしくふれてくださいます。あなたが神さまを礼拝するたびに、神さまは少しずつあなたの顔を変えてくださいます。ご自身の愛と栄光を反映させてくださるのです。

私たちはただ、心を整え、素直に神さまの前に立てばいいんだ。心を整えるためには何をすればいいのだろう。できれば毎日聖書を読もう。聖書を通読するガイドブックを使うのも一つの方法だよ。毎日詩篇を一篇ずつ、箴言を一章ずつ読むのもおすすめ。さっそく1月1日から始めてみない？

December

12月31日

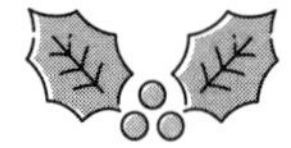

神さまの願い

わたしはあなたがたに平安を残します。
わたしの平安を与えます。わたしは、世が与えるのと
同じようには与えません。あなたがたは心を
騒がせてはなりません。ひるんではなりません。

ヨハネの福音書 14 章 27 節

新約聖書を開くと、その一つひとつのみことばから、イエスの熱い願いがこめられたささやき声が聞こえてくるようです。

「わたしが、あなたをさばくためではなく、救うためにこの世に来たことをわかってもらえたら……。今日は昨日よりもかならず良くなると理解してもらえたら……。わたしはただあなたを天に連れて帰りたいだけなのだ。そのことさえ知ってもらえたら……」

聖書があたえられていること、そしてみことばを通して神さまが熱心に語りかけてくださることに感謝しましょう。聖書を開き、神さまの声に耳をかたむけましょう。神さまがすぐそばにいて、いちばん良い道を備えていてくださることを信じましょう。どんなときも、神さまに信頼し、従う者となりましょう！

この地上での出来事には必ず終わりがある。夏休みや冬休みも、一年にも終わりがくる。そして私たちのこの地上での歩みも、いつか終わるんだ。しかし、神さまには終わりがない。神さまの愛、誠実、約束、あわれみ、恵み、そしてゆるしには終わりがない。神さまのことばを信じよう。神さまに信頼して生きることを、来年の目標に定めよう。

聖書を読もう

私たちが手にできるもっとも大切な本、それは聖書（せいしょ）です。聖書には、神さまが私たちのために立ててくださったご計画が書かれています。神さまは聖書を通して、私たちがどのようにご自身を、またまわりの人を愛すべきか、そして何が正しく、何がまちがったことなのかを教えておられます。何よりも、聖書は、私たちが天国に行くために必要なことを記しているのです。聖書には、これほど大切なことが書かれているのですから、毎日少しずつ読むことをおすすめします。

まずは、390ページから紹介する二つの聖書日課 「イエスといっしょに歩む30日」「聖書全体がわかる90日」を使ってやってみましょう。その日の聖書箇所を読んだら、左の□に印をつけましょう。

「イエスといっしょに歩む30日」は、イエスがこの地上におられるあいだ、私たちに何を教え、どんなことをなさったかを学ぶことができます。

「聖書全体がわかる90日」は、創世記（そうせいき）の神さまの創造（そうぞう）のみわざからヨハネの黙示録（もくしろく）にいたるまでの、旧約（きゅうやく）聖書、新約聖書に書かれた主な出来事について知ることができます。

イエスといっしょに歩む30日

□1.ヨハネ1：1～51
□2.ルカ2：1～52
□3.マルコ1：1～11
□4.ルカ4：1～44
□5.ヨハネ3：1～36
□6.ルカ5：1～39
□7.ヨハネ4：1～54
□8.ルカ6：1～49
□9.ルカ7：1～50
□10.ルカ8：1～56
□11.マルコ8：1～38
□12.ルカ10：1～42
□13.マタイ5：1～48
□14.マタイ6：1～34
□15.マタイ7：1～29
□16.ルカ14：1～35
□17.ルカ15：1～32
□18.ルカ16：1～31
□19.ヨハネ8：1～59
□20.ルカ17：1～37
□21.ルカ18：1～43
□22.ヨハネ9：1～41
□23.ルカ19：1～48
□24.ルカ20：1～47
□25.ヨハネ10：1～42
□26.ヨハネ11：1～57
□27.マルコ13：1～37
□28.ルカ22：1～71
□29.マタイ27：1～66
□30.ルカ24：1～53

聖書全体がわかる90日

□1.創世記1：1～2：3
□2.創世記3：1～24
□3.創世記6：9～7：24
□4.創世記8：1～9：17
□5.創世記17：1～22
□6.創世記22：1～19
□7.創世記25：19～34
□8.創世記27：1～28：9
□9.創世記37：1～36
□10.創世記41：1～57
□11.創世記45：1～28
□12.出エジプト記1：8～2：15
□13.出エジプト記3：1～4：17
□14.出エジプト記5：1～6：13
□15.出エジプト記12：1～42
□16.出エジプト記13：17～14：31
□17.出エジプト記20：1～21
□18.民数記13：1～33
□19.ヨシュア記2：1～24
□20.ヨシュア記6：1～27
□21.士師記16：4～31
□22.Ⅰサムエル記1：1～28
□23.Ⅰサムエル記3：1～21
□24.Ⅰサムエル記10：1～27
□25.Ⅰサムエル記16：1～13
□26.Ⅰサムエル記17：1～58
□27.Ⅰサムエル記24：1～22
□28.Ⅱサムエル記11：1～12：25
□29.Ⅰ列王記3：1～28
□30.Ⅰ列王記17：8～24

□31.Ⅰ列王記18：1～46
□32.Ⅱ列王記2：1～18
□33.Ⅱ列王記4：8～37
□34.Ⅱ歴代誌35：20～36：23
□35.エステル記2：1～23
□36.エステル記6：1～8：8
□37.ヨブ記1：1～2：13、42：1～17
□38.詩篇23
□39.詩篇51
□40.詩篇100
□41.詩篇121
□42.詩篇145
□43.箴言4：1～27
□44.伝道者の書11：9～12：14
□45.イザヤ書53：1～12
□46.ダニエル書1：1～21
□47.ダニエル書3：1～30
□48.ダニエル書6：1～28
□49.ヨナ書1：1～4：11
□50.マタイ1：18～2：23
□51.マタイ5：1～16、6：1～7：12
□52.マタイ14：13～36
□53.マタイ21：1～17
□54.マタイ26：47～75
□55.マタイ27：15～66
□56.マタイ28：1～20
□57.マルコ1：1～20
□58.マルコ4：1～20
□59.ルカ1：26～56、2：1～20
□60.ルカ10：25～42、14：25～35
□61.ルカ15：1～32
□62.ルカ22：1～23
□63.ルカ24：13～53
□64.ヨハネ1：1～18
□65.ヨハネ3：1～21
□66ヨハネ4：1～42
□67.ヨハネ8：1～11
□68.ヨハネ11：1～44
□69.ヨハネ14：1～31
□70.使徒1：1～11
□71.使徒2：1～47
□72使徒8：26～40
□73.使徒9：1～31
□74.使徒11：1～18
□75.使徒16：11～40
□76.ローマ3：1～31
□77.ローマ8：1～39
□78.ローマ12：1～21
□79.Ⅰコリント13：1～13
□80.Ⅰコリント15：1～58
□81.エペソ2：1～22、6：10～20
□82.ピリピ3：1～4：9
□83.コロサイ3：1～4：1
□84.Ⅰテサロニケ4：1～18
□85.ヘブル11：1～40
□86.ヤコブ1：1～27
□87.ヤコブ3：1～18
□88.Ⅰペテロ1：3～25
□89.Ⅰヨハネ1：1～2：17
□90.黙示録21：1～22：21

マックス・ルケード　Max Lucado

テキサス州サンアントニオ在住。オークヒルズ・チャーチ牧師。アメリカのキリスト教界で人気のベストセラー作家。日本では、ロングセラー絵本『たいせつなきみ』でも知られる。邦訳されている著書に、『たいせつなきみ』シリーズ、『そのままのきみがすき』『たいせつなきみストーリーブック』、『グリップ・オブ・グレース』『ファイナル・ウィーク』『Wonderful!』『ザ・クロス』『イエスのように』『心の重荷に別れを告げて』『マックス・ルケードみことばの宝石』『希望の数字3・16』『ダビデのように』『いつもぎゅっとそばに』『ひと時の黙想 主と歩む365日』『あなたはひとりではない』などがある。

中嶋典子

津田塾大学学芸学部国際関係学科卒。主な訳書に『レッツロール！』『うつになった聖徒たち』『神は死んだのか』『エルヴィスの真実』『祈りのちから』『バイリンガルこどもバイブル』『大草原の小さな家で』『あなたはひとりではない』（すべて、いのちのことば社）など。教会学校の教案誌「成長」の執筆にも携わった。

おはよう！ 神さま
365日の子どもディボーション

2022年12月25日発行
2025年1月10日3刷

著者　マックス・ルケード

訳者　中嶋典子

発行　いのちのことば社
〒164-0001　東京都中野区中野2-1-5
編集　Tel.03-5341-6924　Fax.03-5341-6932
営業　Tel.03-5341-6920　Fax.03-5341-6921

印刷・製本　モリモト印刷株式会社

Printed in Japan

ISBN978-4-264-04382-9